LA
COCINA
FÁCIL
DE
HOY

POL MARTIN

LA COCINA FÁCIL DE HOY

BRIMAR

Diseño Gráfico
Robert Doutre para Graphus

Fotografía
Pol Martin Ltd Studio (Ontario)

Traducción
Herenia Antillón Almazán

BRIMAR PUBLISHING INC.
338 Saint Antoine St. E
Montreal, Canadá H2Y 1A3
Teléfono: (514) 954-1441
Fax: (514) 954-1443

ISBN: 2-89433-022-7

Impreso en Canadá

CONTENIDO

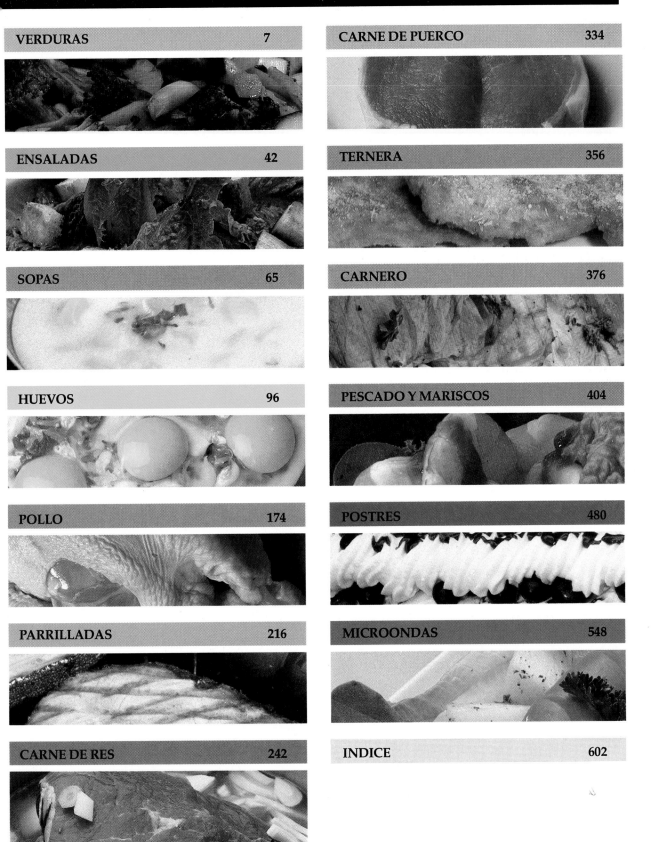

VERDURAS

Ejotes al Limón y Champiñones *(4 porciones)*

750 g.	(*1½ lb.*) ejotes verdes, lavados y sin puntas
2 c/das	mantequilla
250 g.	(*½ lb.*) champiñones frescos, limpios y rebanados
	cáscara y jugo de 1 limón
	sal y pimienta

Ponga los ejotes en agua hirviendo con sal; cuézalos 10 minutos.

Enfríe los ejotes al chorro del agua; escurra y deje aparte.

Caliente la mantequilla en una sartén o sartén para saltear. Cuando esté caliente, agregue los champiñones y cocínelos de 2 a 3 minutos a fuego alto. No los revuelva.

Sazone generosamente con sal y pimienta; revuelva bien. Siga cocinando 2 minutos más.

Agregue los ejotes, cáscara de limón en tiritas y el jugo; tape y cocine 3 minutos.

Sirva.

1 PORCION	129 CALORIAS	16 g. CARBOHIDRATOS
5 g. PROTEINAS	5 g. GRASAS	2.2 g. FIBRAS

Puré de Papas   *(4 porciones)*

4	papas grandes, cocidas con cáscara
¼ taza	salsa de tomate con especias, caliente
1 c/da	mantequilla
2 c/das	crema ligera
	pizca de nuez moscada
	sal y pimienta

Pele las papas. Muélalas; acomódelas en el platón.

Agregue la crema y el resto de los ingredientes; revuelva hasta que se mezclen bien.

Rectifique el sazón y sirva.

1 PORCION	193 CALORIAS	33 g. CARBOHIDRATOS
4 g. PROTEINAS	5 g. GRASAS	1.0 g. FIBRAS

Verduras de Invierno *(4 porciones)*

2 c/das	aceite vegetal
1	cebolla pelada y picada
2	zanahorias peladas y rebanadas
1	calabacita rebanada a 0.65 cm (¼ *pulg.*) de grueso
2	tallos de brócoli (floretes y tallos) rebanados
1	diente de ajo, machacado y picado
3 c/das	salsa de soya
	jugo de limón
	sal y pimienta

Caliente el aceite en un wok o sartén grande. Agregue las cebollas y zanahorias; sazone bien. Tape y sofría 4 minutos a fuego alto; revuelva ocasionalmente.

Agregue el resto de las verduras y el ajo; siga cocinando de 8 a 10 minutos.

Agregue la salsa de soya y jugo de limón al gusto. Sirva inmediatamente.

1 PORCION	115 CALORIAS	10 g. CARBOHIDRATOS
3 g. PROTEINAS	7 g. GRASAS	1.4 g. FIBRAS

Quingombó Salteado   *(4 porciones)*

250 g.	(½ *lb.*) quingombó entero congelado
1 c/da	mantequilla
1 c/dita	perejil fresco picado
2 c/das	piñones
	sal y pimienta
	unas gotas de jugo de limón

Ponga 1 taza de agua con sal a hervir en una cacerola. Agregue el quingombó y tape; deje cocer 10 minutos.

Cuando el quingombó esté cocido, enfríelo al chorro del agua. Escurra bien.

Caliente la mantequilla en una sartén. Cuando esté caliente, agregue el quingombó y el perejil; revuelva y agregue los piñones. Cocine 2 minutos a fuego medio; condimente bien.

Rocíe con jugo de limón y sírvalo.

Puerros Horneados *(4 porciones)*

8	**puerros cortados en cuatro y lavados***
1 c/da	**jugo de limón**
2 tazas	**salsa blanca ligera, caliente****
¼ c/dita	**nuez moscada**
⅓ taza	**queso Gruyère rallado**
	sal y pimienta
	pizca de paprika

Caliente el horno previamente a 180 °C *(350 °F)*.

Ponga los puerros en 2 tazas de agua hirviendo con sal. Agregue el jugo de limón y cocine 16 minutos a fuego medio.

Escurra los puerros y páselos a un molde refractario untado de mantequilla.

Sazone bien y vierta encima la salsa blanca. Espolvoree con nuez moscada y agregue queso; ponga encima una pizca de paprika. Hornee 20 minutos.

* Vea la técnica en la página siguiente.
** Vea Salsa Blanca Ligera, página 14.

1 PORCION	204 CALORIAS	16 g. CARBOHIDRATOS
8 g. PROTEINAS	12 g. GRASAS	0.7 g. FIBRAS

TECNICA: PUERROS HORNEADOS

1 Corte los puerros en cuatro, hasta aproximadamente 2.5 cm. (*1 pulg.*) de la parte más gruesa. Lávelos bien en agua fría.

2 Ponga los puerros en 2 tazas de agua hirviendo con sal. Agregue el jugo de limón y cuézalos 16 minutos a fuego medio.

3 Escurra los puerros y páselos a un platón refractario untado de mantequilla.

4 Sazone bien y viértales encima la salsa blanca. Espolvoree con nuez moscada.

Continúa en la página siguiente.

5 Agregue el queso y ponga una pizca de paprika.

6 Hornee 20 minutos en el horno hasta que doren.

Salsa Blanca Ligera

2 tazas	**leche**
2 c/das	**mantequilla**
2½ c/das	**harina**
	sal y pimienta blanca

Vierta la leche en la cacerola y deje que suelte el hervor. Sáquela y deje aparte.

Caliente la mantequilla en una cacerola separada. Cuando esté caliente, agregue la harina y mezcle bien. Cocine 2 minutos a fuego suave.

Incorpore muy despacio la leche en la mezcla de harina; revuelva constantemente. Sazone la salsa bien y siga cocinándola 10 minutos más a fuego suave. Revuelva con frecuencia.

1 PORCION	73 CALORIAS	5 g. CARBOHIDRATOS
2 g. PROTEINAS	5 g. GRASAS	0 g. FIBRAS

Espárragos con Mantequilla *(4 porciones)*

1	docena de espárragos, pelados y lavados
¼ taza	mantequilla derretida, clarificada
2	huevos cocidos picados
	jugo de limón al gusto
	perejil fresco picado
	sal

Ponga los espárragos en una cacerola de agua hirviendo con sal. Agregue unas cuantas gotas de jugo de limón y cueza a fuego alto de 7 a 8 minutos.

Pique los espárragos con un cuchillo para ver si están cocidos. Los tallos deben quedar suaves. Escúrralos bien.

Acomode los espárragos en un platón para servicio y agrégueles la mantequilla derretida, rocíelos con jugo de limón y sazone con sal.

Ponga encima los huevos y el perejil, picados. Sírvalos.

Espárragos a la Parmesana *(4 porciones)*

5 tazas	agua fría
2	manojos grandes de espárragos, pelados y lavados
¼ taza	queso parmesano rallado
1½ tazas	salsa blanca ligera, caliente*
¼ c/dita	nuez moscada
	jugo de 1 limón
	sal y pimienta blanca
	paprika

Caliente el horno previamente a 190 °C (*375 °F*).

Vierta el agua en una sartén honda; agregue el jugo de limón y la sal y deje que empiece a hervir.

Ponga los espárragos en el agua hirviendo y cuézalos de 8 a 10 minutos a fuego medio.

Cuando los espárragos estén cocidos, sáquelos y páselos a un molde refractario.

Revuelva la mitad del queso en la salsa blanca; agregue la nuez moscada y vacíe la salsa sobre los espárragos. Espolvoree la parte superior con el queso restante y paprika.

Hornéelos de 7 a 8 minutos.

Rectifique el sazón y sírvalos.

* Vea Salsa Blanca Ligera, página 14.

1 PORCION   173 CALORIAS   15 g. CARBOHIDRATOS
8 g. PROTEINAS   9 g. GRASAS   0.7 g. FIBRAS

Papas y Puerros Salteados *(4 porciones)*

2 c/das	mantequilla
2	puerros, sólo la parte blanca, lavada y rebanada
4	papas grandes, cocidas con cáscara
¼ c/dita	semillas de apio
	perejil fresco picado
	sal y pimienta

Caliente la mantequilla en la sartén. Agregue los puerros y tape la sartén; sofríalos de 8 a 10 minutos a fuego suave.

Pele las papas y córtelas en rebanadas gruesas; agréguelas a la sartén. Sazone y espolvoree las semillas de apio; revuelva bien y cocine, sin tapar, de 7 a 8 minutos a fuego medio.

Esparza encima el perejil picado y sírvalas inmediatamente.

Alcachofas con Vinagreta *(4 porciones)*

4	alcachofas frescas, lavadas
4	rebanadas de limón
1	chalote, finamente picado
1 c/da	mostaza de Dijon
¼ c/dita	tomillo
2 c/das	vinagre blanco
5 c/das	aceite de oliva
1 c/da	perejil fresco picado
	sal y pimienta
	jugo de limón

Corte los tallos de las alcachofas y arranque las hojas duras alrededor de la parte inferior. Cubra la base de la alcachofa con una rebanada de limón, fijándola con un cordón.

Ponga agua a hervir en una cacerola; agregue sal y jugo de limón. Agregue las alcachofas y cocínelas de 35 a 40 minutos.

Cuando estén cocidas, refrésquelas en agua fría. Escúrralas y deje aparte.

Ponga el chalote, mostaza, tomillo y vinagre en un tazón pequeño. Sazone y revuelva con un batidor de alambre.

Agregue el aceite en un hilo delgado, mientras revuelve constantemente con el batidor. Rectifique el sazón.

Esparza encima el perejil y deje aparte.

Separe las hojas de la alcachofa y acomódela en un plato atractivo.

Saque el corazón de la alcachofa de la base. Con un cuchillo pequeño, saque la parte fibrosa del corazón y tírela. ¡No trate de comerla!

Ponga los corazones junto a las hojas y sirva con la vinagreta que preparó.

1 PORCION	214 CALORIAS	10 g. CARBOHIDRATOS
3 g. PROTEINAS	18 g. GRASAS	2.4 g. FIBRAS

TECNICA

1 Corte los tallos de la alcachofa y arranque las hojas duras de la parte inferior.

2 Cubra la base de la alcachofa con una rebanada de limón.

3 Fije con un cordón para conservar el limón y las hojas en su lugar mientras se cuece.

4 Ponga las alcachofas en agua salada hirviendo, con jugo de limón; cuézalas de 35 a 40 minutos.

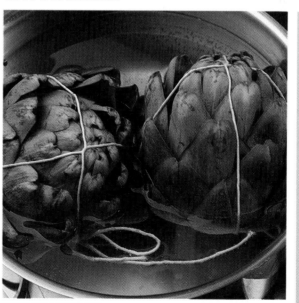

Continúa en la página siguiente.

5 Para servirla, separe las hojas y acomódelas en un platón atractivo. Quite el corazón de la base de la alcachofa.

6 Con un cuchillo pequeño, quite la parte fibrosa del corazón y tírela. No trate de comérsela.

Salsa Blanca de Queso

4 c/das	mantequilla
4 c/das	harina
2½ tazas	leche caliente
¼ c/dita	nuez moscada
½ taza	queso cheddar rallado
¼ taza	queso mozzarella rallado
	sal y pimienta blanca

Caliente la mantequilla en una cacerola. Cuando esté caliente, agregue la harina y revuelva bien. Cocine 1 minuto a fuego suave.

Agregue la mitad de la leche e incorpórela; siga cocinando 3 ó 4 minutos a fuego suave.

Vierta el resto de la leche y las especias; cocine 10 minutos a fuego suave.

Esta salsa se sirve con casi cualquier verdura.

1 PORCION	199 CALORIAS	9 g. CARBOHIDRATOS
7 g. PROTEINAS	15 g. GRASAS	0 g. FIBRAS

Espinacas con Crema y Queso Derretido   *(4 porciones)*

4	manojos espinacas frescas, lavadas y secas
2 tazas	salsa blanca*
⅓ taza	queso Gruyère rallado
	mantequilla
	sal, pimienta, paprika

Ponga las espinacas en agua hirviendo con sal y agregue un poco de pimienta. Tape y cuézalas 3 minutos.

Enfríe las espinacas al chorro del agua. Escúrralas y exprima el agua de las hojas; píquelas.

Unte con mantequilla un molde refractario y vacíele las espinacas picadas; póngales un poquito de mantequilla. Sazone con sal, pimienta y paprika.

Vierta la salsa blanca sobre las espinacas y espolvoree con queso. Ponga 10 minutos en el horno.

Sírvalas calientes.

* Vea Salsa Blanca, página 23.

Vea la técnica en la página siguiente.

1 PORCION	275 CALORIAS	16 g. CARBOHIDRATOS	
10 g. PROTEINAS	19 g. GRASAS	0.5 g. FIBRAS	

TECNICA: ESPINACAS CON CREMA

1 Ponga las espinacas en agua hirviendo con sal y agregue pimienta. Tape y cuézalas 3 minutos.

2 Enfríe las espinacas al chorro del agua. Escúrralas y exprima el agua de las hojas. La mejor manera es formar varias bolas con las espinacas y exprimirles el agua sobrante.

3 Pique las espinacas.

4 Unte con mantequilla un molde refractario y agregue las espinacas picadas; póngales un poquito de mantequilla. Sazone con sal, pimienta y paprika.

5 Vierta la salsa blanca sobre las espinacas.

6 Espolvoree con queso; ponga 10 minutos en el horno.

Salsa Blanca

4 c/das	mantequilla
4 c/das	harina
2½ tazas	leche caliente
	pizca de nuez moscada
	sal y pimienta blanca

Caliente la mantequilla en una cacerola. Cuando esté caliente, revuélvale la harina y cocínela 1 minuto a fuego medio.

Incorpórele la mitad de la leche con un batidor.

Agregue el resto de la leche, nuez moscada, sal y pimienta; revuelva bien. Deje que la salsa empiece a hervir; cocínela de 10 a 12 minutos a fuego suave. Revuelva varias veces mientras la cocina.

Saque la cacerola del fuego y déjela aparte.

Habas con Calabacitas *(4 porciones)*

2 tazas	agua
2 tazas	habas
1	calabacita cortada en cubitos
1 c/da	mantequilla
1 c/da	cebollita de Cambray picada
1 c/da	cáscara de limón picada
	unas gotas de jugo de limón
	sal y pimienta

Vierta el agua, jugo de limón y sal en una cacerola. Deje que empiece a hervir.

Agregue las habas y cuézalas 3 minutos a fuego medio.

Agregue las calabacitas y cocine 3 minutos más.

Escurra las verduras y refrésquelas en agua fría.

Escurra las verduras y póngalas de nuevo en la cacerola; agregue la mantequilla, cebolla y cáscara de limón. Sazone bien. Revuelva y cocine 2 minutos.

Sirva inmediatamente.

1 PORCION	87 CALORIAS	14 g. CARBOHIDRATOS
1 g. PROTEINA	3 g. GRASAS	0 g. FIBRAS

Rosetones de Papa *(4 porciones)*

5	papas cocidas, molidas
2 c/das	mantequilla suave
2	yemas de huevo
¼ taza	leche caliente
2 c/das	crema espesa
¼ c/dita	nuez moscada
	sal y pimienta

Caliente el horno previamente a 200 °C *(400 °F)*.

Unte con mantequilla una charola de hornear y enharínela; deje aparte.

Agregue la mantequilla a las papas molidas y revuelva bien. Agregue los ingredientes restantes y revuelva hasta que se incorporen.

Pase la mezcla a una duya para pastelería con punta en estrella. En la charola de hornear, forme pequeños 'rosetones' de papa, de 4 cm. *(1½ pulg.)* de alto aproximadamente.

Hornee 15 minutos o hasta que doren.

Sirva con asados o bisteques.

1 PORCION	100 CALORIAS	20 g. CARBOHIDRATOS
5 g. PROTEINAS	11 g. GRASAS	0.6 g. FIBRAS

25

Escalopas de Papa *(4 porciones)*

3½ c/das	mantequilla
1	cebolla, pelada y finamente picada
2½ c/das	harina
2 tazas	leche caliente
¼ taza	crema espesa
¼ c/dita	nuez moscada
¼ c/dita	tomillo
¼ c/dita	albahaca
4	papas medianas, sin cáscara y rebanadas
	sal y pimienta

Caliente el horno previamente a 190 °C (*375 °F*).

Unte con mantequilla un plato refractario y déjelo aparte.

Caliente el resto de la mantequilla en una cacerola. Cuando esté caliente, agregue la cebolla; tape y sofría de 3 a 4 minutos a fuego medio.

Agregue la harina y revuelva bien. Cocine 1 minuto, a fuego suave, sin taparla.

Vierta la mitad de la leche e incorpórela. Agregue el resto de la leche, crema y especias. Revuelva bien. Cocine 10 minutos destapado, a fuego medio.

Acomode la mitad de las papas rebanadas en el plato refractario y vierta la mitad de la salsa.

Repita el procedimiento. Sazone bien y cubra con papel de aluminio. Cocine en el horno de 40 a 45 minutos.

Quite el papel de aluminio y deje 15 minutos más hasta que dore la parte superior.

Si le agrada, sirva con perejil fresco picado.

1 PORCION	264 CALORIAS	27 g. CARBOHIDRATOS
3 g. PROTEINAS	16 g. GRASAS	8 g. FIBRAS

Coliflor Especial con Salsa de Queso *(4 a 6 porciones)*

¼ taza	leche
1	coliflor
1	receta de salsa blanca con queso*
	sal y pimienta blanca

Llene una cacerola grande a la mitad con agua fría; agregue la leche y la sal. Deje que empiece a hervir.

Mientras tanto, quite las hojas verdes de la coliflor. Córtele el tallo.

Acomode la coliflor (entera) en la cacerola, con la parte superior hacia abajo. Tape la cacerola y cueza 8 minutos.

Sáquela y escúrrala bien.

Pásela a un platón de servicio y vierta encima un poco de salsa de queso. El resto de la salsa es para las porciones individuales.

Sírvala.

* Vea Salsa Blanca con Queso, página 20.

Papas O'Brien *(4 porciones)*

3	rebanadas de tocino en cubos
4	papas sin cáscara, en cubitos
1	cebolla pelada y picada
1 c/da	perejil picado
	sal y pimienta

Ponga el tocino en una sartén y fríalo de 3 a 4 minutos a fuego medio.

Saque el tocino con una cuchara perforada y déjelo aparte.

Agregue los cubitos de papa a la grasa caliente del tocino; sazone bien. Tape parcialmente y sofríalos de 6 a 7 minutos, a fuego medio revolviendo ocasionalmente.

Agregue la cebolla y el tocino a la sartén y cocine 3 ó 4 minutos, sin tapar, a fuego medio-alto.

Espárzalas con perejil y sirva inmediatamente.

28

Cáscaras de Papa al Horno *(4 porciones)*

4	papas para hornear, horneadas
½ taza	queso cheddar rallado
½ taza	queso Gruyère rallado
4	rebanadas de tocino frito, en pedacitos
	sal y pimienta
	pizca de paprika

Rebane las papas por mitad a lo largo. Sáqueles alrededor de las ¾ partes de la pulpa y déjela aparte para otras recetas.

Acomode las cáscaras en una charola de hornear y póngalas en el horno 4 pulgadas abajo del quemador. Deje 8 minutos en el horno.

Saque las cáscaras del horno y espolvoréelas con ambos quesos. Sazone bien y agregue el tocino y la paprika. Deje de 4 a 5 minutos más en el horno. Sírvalas calientes y con crema ácida, si le agrada.

Verduras a la Sartén *(4 porciones)*

2 c/das	aceite vegetal
1.2 kg.	(2¹⁄₂ *lb.*) brócoli
3	cebollitas de Cambray, rebanadas
1	tallo de apio, rebanado
2	zanahorias peladas y rebanadas muy delgado
6	champiñones limpios y cortados por mitad
¹⁄₂	pimiento verde, cortado en trozos grandes
¹⁄₂	calabacita, cortada por mitad a lo largo y rebanada
5	castañas de agua, rebanadas
1	diente de ajo, machacado y picado
	sal y pimienta

Caliente el aceite en un wok o sartén grande para freír. Mientras tanto, separe el brócoli en floretes y divida los tallos; rebánelos si están grandes.

Ponga el brócoli y las cebollitas de Cambray en el wok; saltee 2 minutos a fuego medio-alto.

Agregue el apio y las zanahorias; saltee de 2 a 3 minutos.

Sazone bien y agregue el resto de los ingredientes; siga salteando las verduras por 6 ó 7 minutos más.

Sirva inmediatamente.

1 PORCION 208 CALORIAS 23 g. CARBOHIDRATOS
11 g. PROTEINAS 8 g. GRASAS 4.8 g. FIBRAS

Champiñones Provençale *(4 porciones)*

2 c/das	mantequilla
1 c/dita	aceite vegetal
½ kg.	(*1 lb.*) champiñones frescos, limpios y cortados en rebanadas de 0.65 cm. (¼ *pulg.*) de grueso
1 c/da	cebollinos frescos picados
1 c/dita	perejil fresco picado
2	dientes de ajo, machacados y picados
	sal y pimienta
	jugo de ¼ limón

Caliente la mantequilla y el aceite en una sartén para freír. Cuando esté caliente, agregue los champiñones y sazone bien. Fría de 3 a 4 minutos a fuego medio-alto, revolviendo ocasionalmente.

Agregue los cebollinos, perejil, ajo y jugo de limón; siga cocinando 2 minutos más.

Rectifique el sazón y sirva.

Este platillo acompaña bien al filete.

Sabrosa Mezcla de Verduras *(4 porciones)*

3 tazas	agua fría
12	zanahorias miniatura peladas, sin los extremos y cortadas por mitad a lo largo
250 g.	*(8 oz.)* ejotes amarillos, sin las puntas
½	pimiento rojo cortado en tiras largas
1 c/da	mantequilla
1 c/dita	cebollinos o perejil picado
	sal y pimienta
	unas gotas de jugo de limón

Ponga el agua en una cacerola; agregue sal y jugo de limón. Deje que empiece a hervir.

Agregue las zanahorias, tape y cuézalas 6 minutos a fuego medio.

Ponga los ejotes y deje que se cuezan, tapados, 6 minutos más.

Agregue el pimiento rojo; tape y deje que se cuezan 2 minutos.

Escurra las verduras y refrésquelas en agua fría. Escurra de nuevo y deje aparte.

Caliente la mantequilla en una sartén para freír. Cuando esté caliente, agregue las verduras y esparza encima los cebollinos; tápelas y cocine varios minutos a fuego medio.

Sazone y sirva.

1 PORCION	63 CALORIAS	7 g. CARBOHIDRATOS
2 g. PROTEINAS	3 g. GRASAS	1.1 g. FIBRAS

Brócoli Gratinado *(4 porciones)*

1.2 kg.	(2½ *lb.*) floretes de brócoli
1	receta de salsa blanca con queso*, caliente
½ taza	queso cheddar rallado
	sal y pimienta

Cueza el brócoli al vapor durante 5 ó 6 minutos, o hasta que esté a su gusto.

Páselo a un plato refractario y vierta encima la salsa caliente de queso. Espolvoree con el queso rallado y sazone ligeramente.

Deje de 7 a 8 minutos en el horno.

* Vea Salsa Blanca con Queso, página 20.

Ratatouille *(4 porciones)*

3 c/das	aceite vegetal
1	berenjena cortada en dos a lo largo y rebanada
1	cebolla, pelada y en cubitos
2	dientes de ajo, machacados y picados
½	calabacita, rebanada
2	tomates, sin semillas y en trozos grandes
¼ c/dita	tomillo
¼ c/dita	orégano
½ c/dita	albahaca
	sal y pimienta

Caliente el aceite en una sartén honda. Cuando esté caliente, agregue la berenjena y sazone; tape y cocine 15 minutos a fuego medio. Revuelva ocasionalmente.

Agregue la cebolla y revuelva bien; cocine de 4 a 5 minutos, sin tapar, a fuego alto.

Agregue el tomate y las especias; tape parcialmente y cocine 15 minutos más a fuego muy suave.

Sirva.

1 PORCION	159 CALORIAS	12 g. CARBOHIDRATOS
3 g. PROTEINAS	11 g. GRASAS	1.5 g. FIBRAS

Lasagna Vegetariana *(4 porciones)*

½ kg.	**(*1 lb.*) de lasagna**
3 c/das	**mantequilla**
1	**cebolla pelada y picada en pedacitos**
2	**zanahorias peladas y picadas en pedacitos**
½	**coliflor picada**
1	**pimiento verde, picado en pedacitos**
½	**calabacita, picada en pedacitos**
2	**tomates sin semillas, picados en pedacitos**
¼ kg.	**(*½ lb.*) champiñones limpios y picados en pedacitos**

Caliente el horno previamente a 190 °C (*375 °F*).

Unte con mantequilla un platón para lasagna de 31 x 22 cm. (*12 x 9 pulg.*); deje aparte.

Cocine la pasta en mucha agua salada hirviendo, a la que le agrega un poco de aceite. Cerciórese de que la olla sea lo bastante ancha para permitir que las tiras de lasagna queden planas. Siga las instrucciones en el paquete y saque la pasta cuando esté 'al dente'.

Escurra la pasta y acomode las tiras cuidadosamente sobre toallas de papel. Cubra con más toallas de papel.

Caliente la mantequilla en una cacerola grande. Cuando esté caliente, agregue la cebolla; tape y sofría 3 minutos a fuego medio, tapada.

Agregue las zanahorias y mezcle; siga cociendo de 3 a 4 minutos a fuego bajo, con la olla tapada.

* Vea la página siguiente.

Lasagna Vegetariana (continuación)

1 c/da	cáscara de limón rallada
¼ c/dita	nuez moscada
½ c/dita	clavo molido
½ c/dita	orégano
¼ c/dita	tomillo
1 taza	queso Gruyère rallado
1 taza	queso mozzarella rallado
4 tazas	salsa blanca ligera, caliente
	sal y pimienta

Agregue la coliflor, pimiento verde y calabacitas; condimente bien. Tape y cocine a fuego suave de 4 a 5 minutos.

Agregue los tomates, champiñones, cáscara de limón y especias; tape y siga cocinando de 3 a 4 minutos.

Quite la cacerola del fuego y déjela a un lado.

Acomode la primera capa de pasta en el platón para lasagna.

Agregue una capa de verduras, una de queso y una de salsa. Repita hasta utilizar la mayor parte de los ingredientes. Termine con una capa de pasta.

Agregue un poco de salsa y cubra con queso. Hornee 45 minutos.

Sirva caliente y, si algo queda, guárdelo, ya que se recalienta en el horno sin perder sabor.

Tomates rellenos con Rosetones de Papa *(4 porciones)*

4	tomates grandes
1 c/da	aceite de oliva
½	receta de rosetones de papa*
1 c/da	cebollinos picados
	sal y pimienta

Caliente el horno previamente a 200 °C (*400 °F*).

Quite la parte superior de cada tomate. Ahuéquelos con una cuchara y tire las semillas.

Ponga las conchas de tomate en un plato refractario y rocíe el interior con aceite; sazone bien.

Ponga las papas molidas en una duya para pastelería, con punta de estrella. Llene las conchas de tomate y espárzales cebollinos.

Deje 15 minutos en la parte superior del horno.

Sirva con mantequilla derretida al gusto.

* Vea Rosetones de Papa, página 25.

1 PORCION	209 CALORIAS	19 g. CARBOHIDRATOS
4 g. PROTEINAS	13 g. GRASAS	1.3 g. FIBRAS

Verduras Rellenas *(4 porciones)*

2 c/das	mantequilla
½ taza	cebolla finamente picada
2	dientes de ajo, picados
2 c/das	perejil picado
1 c/dita	estragón fresco picado
1 c/da	cebollinos picados
50 g.	(*1⅔ oz.*) filetes de anchoa, escurridos y picados
3 c/das	pan molido
2	tomates, parcialmente ahuecados
1	calabacita, cortada en trozos de 5 cm. (*2 pulg.*) y puesta en agua hirviendo durante 4 minutos
3	papas pequeñas, cocidas con cáscara, cortadas en dos y parcialmente ahuecadas
2	cebollas peladas, parcialmente ahuecadas y puestas durante 8 minutos en agua hirviendo
	aceite de oliva, sal y pimienta

Caliente el horno previamente a 220 °C (*425 °F*).

Caliente la mantequilla en una cacerola. Cuando esté caliente, agregue la cebolla picada y el ajo; fría a fuego suave de 3 a 4 minutos.

Agregue el perejil, estragón y cebollinos mezclando bien y siga cocinando 2 ó 3 minutos. Sazone bien.

Agregue las anchoas y el pan molido; revuelva y cocine 2 minutos. Quite la cacerola del fuego y deje aparte.

Espolvoree el interior de los tomates con aceite; sazone con pimienta.

Saque la pulpa de los trozos de calabacita y acomódelos en un platón refractario con el hueco hacia arriba. Ponga también los tomates, papas y cebollas.

Rellene las verduras con la mezcla de anchoas y rocíe todo con aceite de oliva. Hornéelos de 10 a 12 minutos.

Si le agrada, sirva con Salsa de Tomate Deliciosa, página 40.

1 PORCION	250 CALORIAS	27 g. CARBOHIDRATOS
4 g. PROTEINAS	14 g. GRASAS	1.4 g. FIBRAS

Sancocho de Hinojo en Caldo de Pollo   *(4 porciones)*

4	raíces de hinojo grandes
2 c/das	lardo
4	dientes de ajo, pelados
1½ tazas	caldo de pollo caliente
	sal y pimienta
	cebollinos picados al gusto

Caliente el horno previamente a 190 °C (*375 °F*).

Quite las hojas verdes al hinojo y corte en dos. Lávelos.

Caliente la manteca en una sartén grande para freír, que pueda meter al horno. Cuando esté caliente, agregue el ajo y el hinojo (con el lado plano hacia abajo). Fríalo de 12 a 15 minutos a fuego medio. Sazone y voltéelo una sola vez mientras lo cocina.

Vierta el caldo de pollo y tape la sartén. Cocine en el horno de 40 a 45 minutos, dependiendo del tamaño.

Antes de servirlo, espárzale cebollinos.

1 PORCION	95 CALORIAS	5 g. CARBOHIDRATOS
3 g. PROTEINAS	7 g. GRASAS	0.5 g. FIBRAS

Col China   *(4 porciones)*

1	col china, lavada
2 c/das	mantequilla
1 c/dita	jengibre picado
1 taza	caldo de pollo, caliente
1 c/da	fécula de maíz
2 c/das	agua fría
	sal y pimienta

Rebane la col en trozos de 2.5 cm. (*1 pulg.*).

Caliente la mantequilla en una sartén grande para freír. Cuando esté caliente, agregue la col y el jengibre. Fría de 3 a 4 minutos a fuego alto. Revuelva ocasionalmente.

Sazone bien y viértale el caldo de pollo. Tape y cueza de 6 a 7 minutos a fuego medio.

Revuelva la fécula de maíz con el agua e incorpórela a la salsa. Deje hervir a fuego suave 1 minuto para que espese la salsa y sírvala.

1 PORCION	94 CALORIAS	8 g. CARBOHIDRATOS
2 g. PROTEINAS	6 g. GRASAS	1.2 g. FIBRAS

Coliflor con Salsa de Tomate Deliciosa *(4 porciones)*

½	coliflor cocida
2 tazas	salsa de tomate deliciosa*
½ taza	queso cheddar rallado
	sal y pimienta

Corte la coliflor en trozos de 2 cm. (¾ *pulg.*). Póngalos en un molde refractario untado de mantequilla y viértales la salsa de tomate.

Sazone y esparza el queso encima. Deje en el asador de 8 a 10 minutos.

Sirva caliente.

* Vea Salsa de Tomate Deliciosa, página 40.

Brócoli con Ajo   *(4 porciones)*

3 tazas	agua con sal
900 g.	(*2 lb.*) floretes de coliflor, lavados
3 c/das	mantequilla
2	dientes de ajo, machacados y picados
¼ taza	almendras en tiritas, doradas en mantequilla
	jugo de 1 limón
	sal y pimienta

Ponga el agua en una cacerola y agregue la mitad del jugo de limón. Deje que empiece a hervir.

Agregue el brócoli y tape; cueza 8 minutos.

Enfríe en agua fría y escurra.

Caliente la mantequilla en una sartén. Cuando esté caliente, agregue el brócoli y fríalo de 4 a 5 minutos a fuego medio.

Agregue el ajo y las almendras y rocíe el jugo de limón restante. Cocine 3 minutos a fuego medio.

Rectifique el sazón y sírvalo.

1 PORCION	244 CALORIAS	15 g. CARBOHIDRATO
10 g. PROTEINAS	16 g. GRASAS	3.6 g. FIBRAS

Salsa de Tomate Deliciosa

1 c/da	aceite de oliva
2 c/das	cebolla finamente picada
1	diente de ajo, machacado y picado
1 lata	tomates (796 ml. / *28 oz.*) escurridos y picados
2 c/das	pasta de tomate
	pizca de orégano
	unas gotas de salsa Tabasco
	sal y pimienta

Caliente el aceite en una cacerola grande. Cuando esté caliente, agregue la cebolla y el ajo; revuelva y fría 3 minutos.

Agregue las especias, tomates, pasta de tomate salsa Tabasco. Cocine de 10 a 12 minutos a fuego medio.

Saque la cacerola del fuego. Pase la mezcla a la licuadora y muela la salsa.

Esta salsa es excelente para muchas recetas de verduras.

1 PORCION	84 CALORIAS	10 g. CARBOHIDRATO
2 g. PROTEINAS	4 g. GRASAS	0.9 g. FIBRAS

TECNICA: VERDURAS JULIANA

1 El término 'juliana' se refiere al corte de los ingredientes en tiras angostas.

2 Las verduras juliana se utilizan como guarnición atractiva para casi cualquier platillo.

Verduras Juliana   *(4 porciones)*

2 c/das	mantequilla
1 taza	caldo de pollo, caliente
2	papas medianas, sin cáscara y cortadas a la juliana
2	zanahorias grandes, pelacas y cortadas a la juliana
1	calabacita pequeña, cortada a la juliana
	jugo de ¼ limón
	sal y pimienta
	cebollinos picados

Caliente la mantequilla en una cacerola y viértale el caldo de pollo; agregue el jugo de limón y deje que empiece a hervir. Agregue las papas y cuézalas, sin tapar, durante 3 minutos a fuego medio.

Agregue el resto de las verduras y sazone bien; siga cociéndolas 3 minutos más.

Escurra las verduras y acomódelas en el plato. Espárzales cebollinos y sírvalas con mantequilla.

Ensalada Fría de Col *(4 porciones)*

½	cabeza de col
1	manzana pelada y rebanada
½	pimiento verde rebanado
2 c/das	cebolla rallada
½ taza	vinagre blanco
2 c/das	azúcar morena
2 c/das	aceite vegetal
¼ taza	agua fría
¼ c/dita	semillas de apio
2 c/das	mayonesa
2 c/das	crema ácida
	pizca de paprika
	sal y pimienta

Pique finamente la col y póngala en una ensaladera.

Agregue la manzana, pimiento verde y cebolla; condimente con sal y pimienta y deje aparte.

Ponga el vinagre, azúcar morena, aceite, agua y semillas de apio en una cacerola. Cocine 5 minutos a fuego medio.

Vierta la vinagreta sobre la col y revuelva hasta que quede bien cubierta. Agregue el resto de los ingredientes y mezcle de nuevo. Sazone bien.

Refrigérela 3 horas antes de servirla.

Ensalada Ligera de Verduras *(4 porciones)*

4	**tomates grandes, maduros, cortados por mitad y rebanados**
20	**champiñones grandes, frescos, limpios y rebanados**
1 c/dita	**estragón fresco, picado**
1	**chalote finamente picado**
1 c/dita	**mostaza de Dijon**
3 c/das	**vinagre de vino**
6 c/das	**aceite de oliva**
	varias gotas jugo de limón
	sal y pimienta
	pepinillos pequeños encurtidos
	rebanadas de jamón serrano
	hojas de lechuga, lavadas y secas

Ponga los tomates y champiñones en una ensaladera grande y sazónelos bien. Espolvoree con el estragón y deje aparte.

Ponga los chalotes en un tazón aparte. Agregue la mostaza y el vinagre, revuelva bien con un batidor de alambre.

Agregue el aceite en un hilo delgado continuo, mientras revuelve constantemente con el batidor. Sazone a su gusto.

Vierta la vinagreta sobre los tomates y champiñones, revolviendo con cuidado hasta que se cubran bien. Agregue el jugo de limón y revuelva de nuevo. Deje reposar 15 minutos.

Sirva sobre hojas de lechuga, adornando el platillo con pepinillos y jamón serrano.

1 PORCION   282 CALORIAS   15 g. CARBOHIDRATOS
6 g. PROTEINAS   22 g. GRASAS   2.0 g. FIBRAS

Ensalada de Papas y Endivias *(4 a 6 porciones)*

4	papas grandes, cocidas con cáscara y todavía calientes
2	endivias grandes, lavadas y secas
12	tomates miniatura, lavados y cortados por mitad
3	huevos cocidos grandes, en rebanadas
2	chalotes finamente picados
1 c/da	perejil fresco picado
1 c/da	mostaza de Dijon
4 c/das	vinagre de manzana
7 c/das	aceite de oliva
1 c/da	cebollinos frescos picados
	varias puntas de espárrago, cocidas
	sal y pimienta recién molida

Pele las papas calientes y córtelas en cubitos; acomódelas en un tazón grande. Agregue las hojas de endivia, los tomates y huevos. Sazone con sal y pimienta.

Acomode los chalotes y perejil en un tazón pequeño; sazone generosamente. Agregue la mostaza y el vinagre; revuelva bien.

Agregue el aceite en un hilo delgado, mientras revuelve constantemente con un batidor de alambre.

Vierta la vinagreta sobre los ingredientes de la ensalada; revuelva bien. Rectifique el sazón y espárzale los cebollinos.

Antes de servir, adorne con espárragos cocidos.

Ensalada de Tornillos *(4 porciones)*

3 tazas	tornillos cocidos
3	tomates cortados en gajos delgados
2	mandarinas grandes (pelar los gajos y separarlos)
1	tallo de apio en cubitos pequeños
1 c/da	cebollinos frescos picados
½ taza	yogurt natural
1 c/dita	jugo de limón
¼ c/dita	mostaza en polvo
	pizca de paprika
	sal y pimienta

Ponga los tornillos, tomates, gajos de mandarina y apio en una ensaladera grande. Espárzale los cebollinos.

Revuelva el yogurt con el jugo de limón en un tazón pequeño. Agregue la mostaza y paprika, revolviendo bien.

Sazone bien el aderezo y viértalo sobre los ingredientes de la ensalada. Revuelva bien, con cuidado.

Refrigere y sirva.

1 PORCION   182 CALORIAS   35 g. CARBOHIDRATOS
6 g. PROTEINAS   2 g. GRASAS   0.7 g. FIBRAS

Ensalada de Frutas Frescas *(4 porciones)*

½	melón
½	melón gota de miel
1	toronja
1 c/da	miel líquida
½ c/dita	canela
3 c/das	yogurt natural
2 c/das	pasas de Corinto

Corte los melones en secciones, quitándoles las semillas y las fibras. Quíteles la cáscara. Corte la pulpa en trozos grandes y póngala en un platón.

Corte la toronja a la mitad; quítele la pulpa y agréguela al tazón.

Mezcle la miel con la canela; revuelva la fruta para que se cubra bien.

Póngale unas pasas y sírvala.

Dip de Queso y Verduras con Especias *(4 porciones)*

125 g.	**(¼ *lb*.) queso tipo Roquefort**
1 c/da	**cebollinos frescos picados**
4 c/das	**crema ácida**
	unas gotas salsa Tabasco y salsa Worcestershire
	pizca de nuez moscada
	pimienta blanca
	palitos de calabacita
	palitos de pimiento rojo y verde
	champiñones frescos rebanados
	palitos de zanahoria
	palitos de apio
	varios tomates

Ponga el queso en el procesador de alimentos; agregue los cebollinos, crema ácida, salsas Tabasco y Worcestershire y las especias. Revuelva aproximadamente 1 minuto.

Acomode las verduras en un platón de servicio grande y déjelas aparte.

Corte los tomates a la mitad y quíteles las semillas. Acomódelos junto a las verduras y llénelos con el dip de queso.

Sírva para acompañar cocteles.

1 PORCION   160 CALORIAS   5 g. CARBOHIDRATOS
8 g. PROTEINAS   12 g. GRASAS   0.3 g. FIBRAS

Ensalada de Tomate *(4 porciones)*

4	tomates maduros, rebanados
250 g.	(½ *lb.*) champiñones frescos, limpios y rebanados
2	cebollitas de Cambray, rebanadas
2 c/das	alcaparras
6 c/das	aceite de oliva
3 c/das	vinagre de vino
1 c/dita	estragón fresco picado
	jugo de limón al gusto
	sal y pimienta recién molida

Ponga los tomates y champiñones en una ensaladera grande. Agregue las cebollitas y revuelva, sazone bien.

Agregue las alcaparras y rocíe con aceite. Revuelva bien.

Vierta el vinagre y revuelva de nuevo.

Agregue el estragón y jugo de limón. Rectifique el sazón y revuelva.

Sírvala sobre hojas de lechuga y adórnela con huevos cocidos y anillos de cebolla roja.

Ensalada de Pepino Fresco *(4 porciones)*

2	**pepinos grandes**
8	**rábanos lavados y rebanados**
1	**cebollita de Cambray rebanada**
1	**huevo cocido, rebanado**
1	**receta de vinagreta al curry***
	sal y pimienta

Pele los pepinos y córtelos por mitad a lo largo. Sáqueles las semillas y rebánelos.

Ponga los pepinos en un platón; agregue la cebollita y los rábanos. Sazone abundantemente y mezcle bien.

Agregue el huevo rebanado y la vinagreta al curry; revuelva con cuidado.

Si le agrada, sirva esta ensalada en hojas de lechuga.

* Vea Vinagreta al Curry, página 58.

1 PORCION   149 CALORIAS   5 g. CARBOHIDRATOS
3 g. PROTEINAS   13 g. GRASAS   0 g. FIBRAS

Ensalada de Verduras California *(4 porciones)*

½	coliflor en floretes
250 g.	(½ *lb.*) ejotes, con las puntas cortadas
1 c/da	aceite vegetal
1	calabacita, rebanada
1	pimiento rojo, cortado en trozos grandes
½	pimiento verde, cortado en tiras
1 c/da	chile verde picado
½	cebolla roja picada
1	diente de ajo, machacado y picado
¼ c/dita	orégano
4 c/das	aceite de oliva
2 c/das	vinagre de vino
1 c/da	perejil fresco picado
2	huevos cocidos, picados en pedazos grandes
	hojas de lechuga, sal y pimienta

Cueza juntos la coliflor y los ejotes en agua salada hirviendo. Escurra y deje aparte. Acomode las hojas de lechuga en un platón de servicio.

Caliente el aceite en una sartén honda. Cuando esté caliente, agregue las calabacitas, pimientos, cebolla y ajo; tápela y cocine de 5 a 6 minutos a fuego medio alto. Sazone bien y revuelva ocasionalmente.

Agregue la coliflor y los ejotes y mezcle; espolvoree con orégano. Tape y siga cociendo de 2 a 3 minutos.

Quite la sartén de la estufa y pase las verduras a una ensaladera. Viértales el aceite de oliva y el vinagre. Revuelva hasta que se combinen bien. Espolvoree el perejil.

Rectifique el sazón y vierta la ensalada sobre las hojas de lechuga que acomodó. Adorne con los huevos cocidos y sirva inmediatamente.

Ensalada con Menta Fresca *(4 porciones)*

½ taza	mayonesa
4	hojas de menta fresca lavadas, secas y finamente picadas
2 c/das	jugo de limón
1 c/da	vinagre de vino
1	tallo de apio, rebanado
2	rebanadas de jamón cocido de 0.65 cm (¼ *pulg.*) de grueso, cortadas en tiras
1	pechuga de pollo cocida, cortada en tiras
½	pepino pelado, ahuecado y rebanado
3	tomates pequeños, cortados en cuatro
2	huevos cocidos rebanados
8	aceitunas verdes grandes, rellenas, rebanadas
150 g.	(⅓ *lb.*) ejotes amarillos, cocidos
	varias gotas de salsa Tabasco

Ponga la mayonesa, menta y jugo de limón en un tazón pequeño; revuelva todo bien.

Agregue el vinagre, salsa Tabasco, sal y pimienta y revuelva otra vez.

Ponga el resto de los ingredientes en una ensaladera grande. Vierta el aderezo de menta y revuelva hasta que se mezcle bien.

Sirva.

1 PORCION	344 CALORIAS	8 g. CARBOHIDRATOS
15 g. PROTEINA	28 g. GRASAS	1.1 g. FIBRAS

Verduras con Alioli *(4 porciones)*

5	dientes de ajo, pelados
2	yemas de huevo
1 taza	aceite de oliva
125 g.	(¼ *lb.*) champiñones frescos, limpios y rebanados
3	zanahorias peladas y cortadas en palitos
250 g.	(½ *lb.*) ejotes amarillos, puestos unos minutos en agua hirviendo
1	calabacita pequeña, cortada en palitos
250 g.	(½ *lb.*) puntas de espárragos, puestas unos minutos en agua hirviendo
	unas gotas de salsa Tabasco
	unas gotas de jugo de limón
	sal y pimienta

Ponga el ajo en un mortero y agréguele la salsa Tabasco; muélalo con la mano del mortero.

Agregue las yemas y mézclelas hasta que se incorporen bien. Sazone con pimienta.

Agregue el aceite en un chorro continuo mientras revuelve continuamente con una batidora eléctrica manual.

Agregue un poco de jugo de limón y rectifique el sazón. Deje aparte.

Ponga los champiñones en un tazón y agregue un poco de jugo de limón. Deje reposar 5 minutos.

Acomode las verduras en un platón atractivo y sírvalas con el alioli.

Vea la técnica en la página siguiente.

1 PORCION	611 CALORIAS	14 g. CARBOHIDRATOS
6 g. PROTEINAS	59 g. GRASAS	2 g. FIBRAS

TECNICA: VERDURAS CON ALIOLI

1 Ponga el ajo en el mortero y agregue la salsa Tabasco. Muela con la mano del mortero.

2 Agregue las yemas.

3 Revuelva hasta que se incorporen y sazone con pimienta.

4 Agregue el aceite en un chorro continuo mientras revuelve constantemente con una batidora eléctrica manual.

Ensalada de Pollo con Verduras *(4 porciones)*

½	**lechuga orejona, lavada y seca**
500 g.	**(*1 lb.*) espárragos cocidos, cortados en 3**
1	**pechuga grande de pollo, cocida y rebanada**
8 a 10	**hojas de col china, lavadas, secas y cortadas en tiras**
4	**elotitos miniatura, enteros**
4	**corazones de alcachofa, escurridos y cortados en 2**
	sal y pimienta
	aderezo de su preferencia*
	tomates rebanados para adorno

Acomode las hojas de lechuga en un platón grande; deje aparte.

Ponga los espárragos, pollo, col, elotitos y corazones de alcachofa en una ensaladera grande. Revuelva para combinarlos y sazone generosamente.

Vierta el aderezo sobre los ingredientes de la ensalada y revuelva de nuevo.

Sirva la ensalada en las hojas de lechuga acomodadas y adórnelas con tomates rebanados.

* Utilice su propia receta o Vinagreta de Mostaza y Ajo, página 58.

Ensalada de Carne Cocida *(4 porciones)*

750 g.	**(1½ *lb*.) carne de res cocida, cortada en tiras**
½	**pimiento rojo, rebanado**
1 c/da	**perejil picado**
3 c/das	**cebolla roja picada**
1	**pepino pelado y rebanado**
1	**chile rojo picante, finamente picado**
3 c/das	**vinagre de vino**
⅓ taza	**aceite de ajonjolí**
	varias gotas salsa Tabasco
	sal y pimienta

Ponga la carne, perejil y verduras en una ensaladera grande; sazone bien. Revuelva hasta que todo se combine.

Vierta el vinagre, aceite y salsa Tabasco; revuelva bien.

Refrigere la ensalada 30 minutos.

Rectifique el sazón, revuelva y sirva.

1 PORCION   846 CALORIAS   2 g. CARBOHIDRATOS
43 g. PROTEINAS   74 g. GRASAS   0.4 g. FIBRAS

Ensalada de Espinacas *(4 porciones)*

3	manojos grandes de espinacas frescas
3	huevos cocidos, rebanados
1 taza	croutons ajo*
125 g.	(¼ *lb.*) queso Gruyère, cortado en tiras
1 c/da	cebollinos frescos picados
4	rebanadas jamón cocido cortado en tiras
	sal y pimienta

Lave las espinacas con cuidado en agua fría. Seque las hojas y colóquelas en una ensaladera grande.

Agregue los huevos rebanados y los cubitos de pan; revuelva con cuidado.

Agregue el queso y los cebollinos, revuelva de nuevo y rectifique el sazón.

Decore el platón con el jamón y viértale el aderezo. Sírvala.

* Vea Croutons Caseros al Ajo, página 63.

Aderezo

1 c/da	mostaza de Dijon
1 c/da	cebollinos frescos picados
½ taza	aceite de oliva
	jugo de 1 limón grande
	sal y pimienta

Ponga la mostaza y los cebollinos en un tazón; sazone bien. Mezcle con un batidor y agregue jugo de limón. Mezcle otra vez.

Agregue el aceite en un hilo delgado mientras revuelve constantemente con el batidor. Rectifique el sazón y deje aparte.

Vinagreta de Mostaza y Ajo

1 c/da	mostaza fuerte
1	yema de huevo
1 c/da	perejil fresco picado
1	diente de ajo, machacado y picado
3 c/das	jugo de limón
⅓ taza	aceite de oliva
	varias gotas salsa Tabasco
	varias gotas vinagre de vino
	sal y pimienta

Ponga la mostaza, yema y perejil en un tazón; incorpórelos con un batidor y sazone generosamente.

Agregue el ajo y jugo de limón.

Incorpore el aceite en un hilo continuo mientras revuelve continuamente con el batidor.

Agregue la salsa Tabasco y el vinagre; rectifique el sazón.

Revuelva otra vez y refrigere hasta el momento de usarla.

1 PORCION	72 CALORIAS	0 g. CARBOHIDRATOS
0 g. PROTEINAS	8 g. GRASAS	0 g. FIBRAS

Vinagreta al Curry

1 c/dita	polvo de curry
3 c/das	mayonesa
¼ taza	crema ligera
	jugo de 12 limón
	sal y pimienta
	pizca de paprika

Ponga el polvo de curry, paprika, sal y pimienta en un tazón; mezcle bien.

Agregue el jugo de limón y mezcle con un batidor.

Agregue la mayonesa y la crema, revuelva hasta que se incorporen bien. Rectifique el sazón. Refrigere hasta el momento de usarla.

1 PORCION	54 CALORIAS	0 g. CARBOHIDRATOS
0 g. PROTEINAS	6 g. GRASAS	0 g. FIBRAS

Ensalada Club *(4 porciones)*

2 c/das	vinagre blanco
1 c/da	salsa de soya
6 c/das	aceite de oliva
1	lechuga orejona, lavada y seca
1	lechuga romanita, lavada y seca
12	rebanadas delgadas salami o salchichón de ajo, cortadas en tiritas
6 a 8	rebanadas de queso Gruyère, cortadas en tiritas
125 g.	(¼ *lb.*) paté de hígado, en cubitos
4	huevos cocidos, rebanados
	unas gotas jugo de limón
	sal y pimienta

Revuelva el vinagre con la salsa de soya y el aceite; sazone y deje aparte.

Rasgue las hojas de lechuga en trozos y colóquelas en una ensaladera grande. Agregue los ingredientes restantes y revuelva.

Vierta el aderezo y mezcle bien. Rectifique el sazón y sirva.

Nota: Si le agrada, ponga encima Croutons Caseros al Ajo, página 63.

Ensalada César *(4 porciones)*

2	dientes de ajo, machacados y picados
1	chalote, picado
1 c/da	mostaza fuerte
1 c/da	perejil fresco picado
3 c/das	vinagre de vino
1	yema de huevo
¾ taza	aceite de oliva
1	lechuga romanita grande, lavada y seca
6	filetes de anchoa, escurridos
¼ taza	queso parmesano rallado
	jugo de limón
	sal y pimienta
	croutons caseros al ajo*

Ponga el ajo, chalote, mostaza y perejil en un tazón; sazone bien.

Vierta el vinagre y mezcle bien con un batidor. Incorpore la yema de huevo.

Agregue el aceite en un hilo continuo mientras mezcla constantemente con el batidor. Rectifique el sazón y agregue unas gotas de jugo de limón.

Rasgue las hojas de lechuga en trozos grandes y póngalas en una ensaladera grande. Agregue los croutons y sazone bien.

Agregue los filetes de anchoa y vierta la vinagreta; revuelva hasta que todo esté bien combinado.

Espolvoree la ensalada con el queso, revuelva de nuevo y sirva inmediatamente.

* Vea Croutons Caseros al Ajo, página 63.

1 PORCION	580 CALORIAS	12 g. CARBOHIDRATOS
7 g. PROTEINAS	56 g. GRASAS	0.6 g. FIBRAS

TECNICA: ENSALADA CESAR

1 Ponga el ajo, chalote, mostaza y perejil en un tazón; sazone bien.

2 Vierta el vinagre y mezcle bien con un batidor. Incorpore la yema de huevo.

3 Agregue el aceite en un hilo continuo, mientras sigue batiendo constantemente con el batidor. El aderezo debe espesar.

4 Empiece a colocar los ingredientes de la ensalada en la ensaladera.

Ensalada Roquefort *(4 porciones)*

1	**lechuga escarola, lavada y seca**
½	**lechuga rizada, lavada y seca**
½	**pepino, pelado y rebanado**
2	**tomates rebanados**
¼	**cebolla roja, rebanada**
	un poco de perejil picado
	piñones (opcionales)
	queso Roquefort rebanado
	sal y pimienta

Ponga la lechuga, pepino, tomates y cebolla en un tazón grande; revuelva.

Agregue el perejil y sazone bien. Vierta un aderezo de vinagreta y revuelva hasta que todo se combine.

Esparza los piñones encima y ponga el queso antes de servir.

1 PORCION   459 CALORIAS   8 g. CARBOHIDRATOS
10 g. PROTEINAS   43 g. GRASAS   1.1 g. FIBRAS

Vinagreta

125 g.	(¼ *lb.*) queso Roquefort, rallado grueso
1 c/da	perejil picado
1	chalote, finamente picado
2 c/das	vinagre blanco
1 c/da	mostaza fuerte
8 c/das	aceite
3 c/das	crema ácida
	jugo de limón
	sal y pimienta

Ponga el queso en un tazón. Agregue el perejil, chalotes y vinagre; sazone y mezcle bien.

Incorpore la mostaza. Agregue el aceite en un hilo continuo mientras mezcla con el batidor.

Agregue la crema ácida y jugo de limón al gusto, mientras revuelve.

Rectifique el sazón y guarde hasta que la utilice.

1 PORCION	72 CALORIAS	0 g. CARBOHIDRATOS
0 g. PROTEINAS	8 g. GRASAS	0 g. FIBRAS

Croutons Caseros al Ajo

3	rebanadas gruesas de pan francés
3 c/das	aceite de oliva
2	dientes de ajo, machacados y picados

Tueste el pan hasta que dore un poco. Córtelo en cubos y deje aparte.

Caliente el aceite en una sartén para freír. Cuando esté caliente, agregue los cubos de pan y dórelos 1 minuto a fuego alto.

Agregue el ajo y voltee los cubitos de pan; siga dorándolos 1 minuto más.

Deje enfriar y guárdelos en un recipiente hermético hasta que los utilice.

1 RECETA	548 CALORIAS	33 g. CARBOHIDRATOS
5 g. PROTEINAS	44 g. GRASAS	0 g. FIBRAS

Pan de Verduras Frío *(6 a 8 porciones)*

4	rebanadas pan blanco, sin corteza, cortadas en cubitos
½ taza	leche
2 c/das	mantequilla
2 tazas	zanahorias rebanadas
1	pimiento verde, cortado en cubitos pequeños
1	pepino, cortado en cubitos
2 tazas	coliflor, cortada en cubitos
1	tallo de apio grande, cortada en cubitos
1	diente de ajo, machacado y picado
¼ c/dita	tomillo
½ c/dita	orégano
½ c/dita	jengibre en polvo
½ c/dita	albahaca
¼ c/dita	nuez moscada
6	huevos
	sal y pimienta

Caliente el horno previamente a 190 °C (375 °F). Engrase abundantemente un molde para hogaza, con capacidad para 6 tazas.

Ponga los cubitos de pan en un tazón pequeño y cúbralos con leche; deje aparte.

Caliente la mantequilla en una sartén grande para freír. Agregue las zanahorias, pimiento verde, pepino, coliflor, apio y ajo; sazone bien. Espolvoree las hierbas de olor y tape la sartén. Deje cocinar de 8 a 10 minutos, a fuego medio.

Saque la sartén del fuego y pase las verduras al tazón del procesador de alimentos. Muela hasta que se hagan puré. Agregue el pan remojado y muela de nuevo.

Pase la mezcla a un tazón. Incorpore los huevos usando un batidor. Rectifique el sazón.

Vierta la mezcla en el molde de hogaza y tápelo con una hoja de papel de aluminio. Ponga el molde en un molde para asar que tenga 2.5 cm *(1 pulg.)* de agua caliente. Hornéelo 1 hora 10 minutos.

20 minutos antes que acabe de cocerse, quítele el papel de aluminio. Cuando esté cocido, deje enfriar un poco y luego refrigérelo 2 horas.

1 PORCION	153 CALORIAS	11 g. CARBOHIDRATOS
7 g. PROTEINAS	9 g. GRASAS	0.9 g. FIBRAS

Sopa de Papa Molida *(4 porciones)*

2 c/das	mantequilla
1	cebolla pequeña, pelada y finamente picada
2	puerros pequeños, sólo la parte blanca, lavados y finamente picados*
5	papas, peladas y rebanadas
¼ c/dita	perifollo
6	tazas caldo de pollo caliente
¼ taza	crema espesa caliente
	un poco de tomillo
	sal y pimienta

Caliente la mantequilla en una cacerola grande. Cuando esté caliente, agregue la cebolla y los puerros; tape y sofríalos 8 minutos a fuego suave.

Agregue las papas y especias; sazone generosamente. Revuelva y siga cociendo, tapado, 3 minutos más.

Agregue el caldo de pollo y sazone bien; deje que empiece a hervir. Cocine la sopa, sin taparla, de 30 a 35 minutos a fuego suave.

Muela la sopa en el procesador de alimentos. Rectifique el sazón. Agregue la crema y sirva.

* Vea Potaje del Granjero, página 76

1 PORCION	190 CALORIAS	22 g. CARBOHIDRATOS
3 g. PROTEINAS	10 g. GRASAS	0.9 g. FIBRAS

Crema de Chícharo Verde Seco *(4 porciones)*

125 g.	(4½ oz.) tocino, en cubitos
1	cebolla pelada, en cubitos
2	zanahorias peladas, en cubitos
¼ c/dita	tomillo
½ c/dita	albahaca dulce
1	clavo
1	hoja de laurel
1 taza	chícharo verde seco
5 tazas	caldo de pollo, caliente
½ taza	crema ligera, caliente
	sal y pimienta
	croutons

Fría el tocino durante 2 minutos en una cacerola.

Agregue las cebollas; tape y siga cocinando 2 minutos a fuego medio.

Agregue las zanahorias y todas las especias; tape y cocine 2 minutos.

Agregue los chícharos verdes secos y vierta el caldo de pollo. Deje que hierva y siga cociendo, parcialmente tapado, 1½ horas, a fuego suave.

Muela la sopa con la crema en el procesador de alimentos. Sírvala con croutons.

1 PORCION	322 CALORIAS	38 g. CARBOHIDRATOS
20 g. PROTEINAS	10 g. GRASAS	1.4 g. FIBRAS

Crema de Espárragos *(4 porciones)*

4 c/das	mantequilla
1	cebolla pelada y finamente picada
500 g.	(*1 lb*) espárragos frescos, lavados, pelados y cortados en pedacitos (guarde las puntas para adorno)
5 c/das	harina
4½ tazas	caldo de pollo, caliente
1 c/da	cebollinos picados
½ taza	crema ligera, caliente
	pizca semillas de apio
	pizca de nuez moscada
	un poco de paprika
	sal y pimienta
	unas gotas de jugo de limón

Caliente la mantequilla en una cacerola. Cuando esté caliente, agregue la cebolla, tape y sofría 5 minutos a fuego medio.

Agregue los espárragos y revuelva; siga cocinando, 8 minutos más, tapado. Revuelva varias veces mientras se cocina.

Agregue la harina y cocine 2 minutos, sin tapa, a fuego suave.

Vierta el caldo de pollo y agregue todas las especias. Sazone generosamente y deje que hierva. Cocine la sopa, sin taparla, a fuego medio durante 25 minutos.

Antes de que acabe de cocerse, sumerja por unos minutos las puntas de espárragos que apartó en agua salada hirviendo con jugo de limón.

Muela la sopa con la crema en el procesador de alimentos. Sírvala caliente o fría y adorne con las puntas de espárragos.

1 PORCION	216 CALORIAS	14 g. CARBOHIDRATOS
4 g. PROTEINAS	16 g. GRASAS	0.6 g. FIBRAS

Crema de Champiñones *(4 porciones)*

4 c/das	mantequilla
1	cebolla, pelada y finamente picada
250 g.	(½ *lb*.) champiñones, limpios y finamente rebanados
¼ c/dita	albahaca
5 c/das	harina
5 tazas	caldo de pollo, caliente
¼ taza	crema ligera, caliente
	jugo ¼ limón
	un poco de semillas de apio
	pizca de paprika
	sal y pimienta

Caliente la mantequilla en una cacerola. Cuando esté caliente, agregue la cebolla; tape y sofríala 4 minutos a fuego medio.

Agregue los champiñones, especias y jugo de limón; revuelva bien. Tape y cocine 4 minutos a fuego medio-alto.

Revuelva la harina y cocine 1 minuto, sin tapar, a fuego suave.

Vierta el caldo de pollo y sazone; deje que hierva. Cocine la sopa, sin taparla, durante 12 minutos a fuego medio.

Muela la sopa con la crema en el procesador de alimentos. Espolvoree con paprika y sírvala con croutons.

Sopa de Pepinos *(4 porciones)*

3 c/das	mantequilla
2 c/das	cebolla finamente picada
½	pepino con cáscara, finamente rebanado
1	pepino pelado, sin semillas, finamente rebanado
¼ c/dita	mejorana
¼ c/dita	albahaca
4 c/das	harina
4 tazas	caldo de pollo, caliente
1	yema de huevo
¼ taza	crema espesa
	pizca de semillas de hinojo
	sal y pimienta

Caliente la mantequilla en una cacerola. Cuando esté caliente, agregue la cebolla, tape y sofría 2 minutos a fuego medio. Agregue los pepinos y sazone generosamente. Póngale las hierbas de olor, tape y cocine de 5 a 6 minutos a fuego bajo.

Revuelva la harina y cocine 1 minuto, sin tapar, a fuego bajo.

Vierta el caldo de pollo, revuelva y deje que hierva. Cocine la sopa sin tapar, durante 16 minutos a fuego suave. Mientras tanto, revuelva la yema con la crema y deje aparte.

Cuele la sopa a otra cacerola, ayudándose con la mano del mortero o la parte de atrás de una cuchara.

Ponga la cacerola con la sopa a fuego medio. Incorpórele la mezcla de huevo, revolviendo continuamente con un batidor. Cocine 2 minutos sin dejar de moverla.

Sírvala.

Esta sopa es igualmente sabrosa fría. En ese caso, no incluya la mezcla de huevo.

1 PORCION	170 CALORIAS	9 g. CARBOHIDRATOS
2 g. PROTEINAS	14 g. GRASAS	0 g. FIBRAS

Crema de Nabo   *(4 porciones)*

2 c/das	mantequilla
1	cebolla pequeña, pelada y finamente picada
4	nabos, pelados y rebanados
2	papas grandes, peladas y rebanadas
5½ tazas	caldo de pollo frío
¼ c/dita	estragón
1	hoja de laurel
¼ c/dita	tomillo
	sal y pimienta

Caliente la mantequilla en una cacerola. Cuando esté caliente, agregue la cebolla; tape y sofríala de 2 a 3 minutos a fuego medio.

Agregue los nabos y papas; revuelva bien. Siga cociendo, tapado, 2 minutos.

Agregue el resto de los ingredientes y revuelva bien. Sazone al gusto y deje que empiece a hervir. Cocine la sopa, parcialmente tapada, durante 30 minutos a fuego medio.

Muela la sopa en el procesador de alimentos. Si desea, espárzale perejil picado antes de servirla.

Si la tapa con una hoja de papel encerado, la sopa se conserva de 4 a 5 días en el refrigerador.

1 PORCION	162 CALORIAS	24 g. CARBOHIDRATOS
3 g. PROTEINAS	6 g. GRASAS	1.4 g. FIBRAS

Sopa de Alverjón   *(4 porciones)*

6	rebanadas tocino
1	cebolla pelada, en cubitos
2	zanahorias peladas, en cubitos
¼ c/dita	orégano
½ c/dita	perifollo
1	clavo
1	hoja de laurel
1 taza	alverjones
5 tazas	caldo de pollo, caliente
¼ taza	crema espesa, calentada
	sal y pimienta

Ponga el tocino en una cacerola y cocínelo 2 minutos.

Agregue las cebollas, tape y sofría 2 minutos a fuego medio.

Agregue las zanahorias y todas las especias; tape y cocine 2 minutos.

Agregue los alverjones y viértales el caldo de pollo; deje que empiece a hervir. Deje que se cueza 1½ horas a fuego suave, parcialmente tapada.

Muela la sopa con la crema en el procesador de alimentos.

1 PORCION	327 CALORIAS	37 g. CARBOHIDRATOS
20 g. PROTEINAS	11 g. GRASAS	1.4 g. FIBRAS

Sopa de Quingombó (Okra) *(4 porciones)*

4 c/das	mantequilla
½	cebolla pelada y finamente picada
1	tallo de apio, finamente rebanado
¼ kg.	(½ *lb.*) quingombós enteros, cocidos
2 c/das	piñones
¼ c/dita	albahaca dulce
¼ c/dita	mejorana
4 c/das	harina
4 tazas	caldo de pollo caliente
	un poco de tomillo
	unos chiles rojos machacados
	sal y pimienta

Caliente la mantequilla en una cacerola. Cuando esté caliente, agregue la cebolla y el apio. Tape y sofría 3 minutos a fuego medio.

Agregue el quingombó, piñones y especias; rectifique el sazón. Tape y siga cociendo 4 minutos.

Incorpore la harina y cocine, sin tapar, 1 minuto a fuego suave.

Vierta el caldo de pollo y deje que empiece a hervir. Tape parcialmente y cocine de 18 a 20 minutos a fuego suave. Revuelva ocasionalmente.

Cuele la sopa machacando el quingombó con la parte de atrás de una cuchara.

Sírvala.

1 PORCION   186 CALORIAS   12 g. CARBOHIDRATOS
3 g. PROTEINAS   14 g. GRASAS   0.9 g. FIBRAS

Sopa de elote   *(4 a 6 porciones)*

4 c/das	mantequilla
1	cebolla pelada y picada
350 g.	(*12 oz.*) elote en granos congelado
4 c/das	harina
4 tazas	caldo de pollo caliente
¼ c/dita	nuez moscada
1 c/da	cebollinos picados
¼ taza	crema ligera caliente
	sal y pimienta

Caliente la mantequilla en una cacerola. Cuando esté caliente, agregue la cebolla; tape y sofría 4 minutos.

Agregue el elote y siga cocinando 2 minutos a fuego medio.

Agregue la harina y cocine, destapado, 1 minuto a fuego suave.

Vierta el caldo de pollo y sazone bien. Agregue la nuez moscada y los cebollinos; deje que hierva. Cocine la sopa destapada, 18 minutos a fuego medio. Revuelva ocasionalmente.

Aproximadamente 2 minutos antes de que esté, incorpórele la crema.

Sírvala caliente.

Sopa Ligera de Berro *(4 porciones)*

2 c/das	mantequilla
½	cebolla pelada y finamente picada
5	papas peladas y finamente rebanadas
¼ c/dita	estragón
6	ramas de berro, lavadas y picadas
	un poco de tomillo
	un poco de romero
	sal y pimienta

Caliente la mantequilla en una cacerola. Cuando esté caliente, agregue la cebolla, tape y sofría 2 minutos a fuego medio.

Agregue las papas y hierbas aromáticas; revuelva bien. Siga cociendo, tapado, 3 minutos a fuego medio.

Vierta el caldo de pollo, sazone y revuelva bien. Deje que hierva y siga cocinándola, parcialmente tapada, durante 5 minutos a fuego medio.

Agregue el berro a la sopa; cocine 5 minutos.

Si desea, acompañe la sopa con emparedados.

1 PORCION   146 CALORIAS   20 g. CARBOHIDRATOS
3 g. PROTEINAS   6 g. GRASAS   0.7 g. FIBRAS

Sopa de Coliflor y Manzana *(4 porciones)*

2 c/das	mantequilla
½	cebolla, pelada y finamente picada
1	coliflor mediana, en trozos medianos (guarde algo para el adorno)
3	papas peladas y finamente rebanadas
1	manzana pelada, sin corazón y rebanada
1 c/dita	perejil picado
1 c/dita	cebollinos picados
6 tazas	caldo de pollo frío
2 c/das	yogurt natural
	unas gotas de jugo de limón
	unas gotas salsa Tabasco
	sal y pimienta

Caliente la mantequilla en una cacerola. Cuando esté caliente, agregue la cebolla; tape y sofría 2 minutos a fuego medio.

Agregue la coliflor, papas y manzana; mezcle bien. Póngale perejil, cebollinos, jugo de limón y salsa Tabasco; sazone bien. Tape y cocine 8 minutos a fuego medio. Revuelva dos veces mientras la cocina.

Vierta el caldo de pollo y revuelva bien. Cocine, parcialmente tapado, durante 20 minutos a fuego medio-suave.

Muélala junto con el yogurt en el procesador de alimentos. Rectifique el sazón y adorne con la coliflor que apartó.

Potaje del Granjero *(4 porciones)*

1	puerro, sólo la parte blanca
2 c/das	mantequilla
1	cebolla pelada y picada
½ c/dita	albahaca
1	hoja de laurel
1 c/dita	perejil picado
2	zanahorias peladas y picadas
2	nabos, pelados y picados
2	papas, peladas y picadas
6 tazas	caldo de pollo frío
	un poco de tomillo
	sal y pimienta

Corte el puerro en cuatro secciones a lo largo, dejando la parte inferior unida hasta 2.5 cm. (*1 pulg.*) del extremo más ancho. Lave bien en agua fría y rebánelo delgado.

Caliente la mantequilla en una cacerola. Cuando esté caliente, agregue la cebolla y el puerro; espolvoree con las hierbas de olor. Tape y sofría 4 minutos a fuego medio.

Agregue el resto de las verduras y sazone bien. Revuelva y siga cocinando 3 minutos más.

Vacíele el caldo de pollo y deje que empiece a hervir. Cocine la sopa, sin taparla, de 15 a 18 minutos a fuego bajo.

Sírvala caliente.

| 1 PORCION | 130 CALORIAS | 17 g. CARBOHIDRATOS |
| 2 g. PROTEINAS | 6 g. GRASAS | 1.3 g. FIBRAS |

Sopa de Tomate con Fideos de Huevo *(4 porciones)*

2 c/ditas	mantequilla
1	cebolla pelada y picada
1	tallo de apio, cortado en cubitos
8	tomates pelados y picados
¼ c/dita	orégano
1	diente de ajo, machacado y picado
4 tazas	caldo de pollo caliente
60 g.	(*2 oz.*) fideos de huevo, delgados
	unos cuantos chiles machacados
	sal y pimienta

Caliente la mantequilla en una cacerola. Cuando esté caliente, agregue la cebolla y el apio; tape y sofría 5 minutos a fuego suave.

Agregue los tomates, orégano y ajo; sazone bien. Revuelva y siga cocinando sin tapar, durante 5 minutos a fuego medio.

Vierta el caldo de pollo y sazone con el resto de las especias. Revuelva bien y deje que hierva. Cueza la sopa, parcialmente tapada, durante 1 hora a fuego suave.

Agregue los fideos y revuelva; siga cocinando 10 minutos.

Sírvala caliente.

1 PORCION	195 CALORIAS	27 g. CARBOHIDRATOS
6 g. PROTEINAS	7 g. GRASAS	1.1 g. FIBRAS

Crema de Langosta *(4 porciones)*

2 c/das	mantequilla
1	cebolla, pelada y finamente picada
3	papas, peladas y en cubitos
2 tazas	crema ligera, caliente
2 tazas	leche caliente
125 g.	(¼ *lb.*) champiñones, limpios y en cubitos
½ kg.	(*1 lb.*) pulpa congelada de langosta, descongelada y en cubitos
1 c/da	cebollinos picados
	sal y pimienta
	pizca de paprika

Caliente la mantequilla en una cacerola. Cuando esté caliente, agregue la cebolla; tape y sofría 2 minutos a fuego medio.

Agregue las papas y sazone bien, vierta la crema y la leche. Sazone de nuevo.

Cuando empiece a hervir, cuézala 10 minutos a fuego suave.

Agregue los champiñones y siga cociéndola 5 minutos.

Agregue la pulpa de langosta y deje hervir de 3 a 4 minutos a fuego suave.

Antes de servirla, espárzale cebollinos y paprika.

1 PORCION	520 CALORIAS	24 g. CARBOHIDRATOS
34 g. PROTEINAS	32 g. GRASAS	0.8 g. FIBRAS

Sopa Tradicional Favorita de Pollo con Tornillos *(4 porciones)*

1 c/da	mantequilla
2	tallos de apio en cubitos
2	zanahorias peladas y en cubitos
5 tazas	caldo de pollo frío
1½ tazas	tornillos
1½	pechugas de pollo, sin pellejo ni hueso, en cubitos
	un poco de albahaca
	sal y pimienta

Caliente la mantequilla en una cacerola. Cuando esté caliente, agregue el apio y las zanahorias; tape y sofría 3 minutos a fuego medio.

Revuelva y vierta el caldo de pollo, agregue la albahaca y sazone. Deje que empiece a hervir.

Agregue los tornillos y revuelva. Cuézalos, tapando parcialmente, durante 12 minutos, a fuego medio, meneando dos veces.

Mientras tanto, ponga el pollo en una cacerola aparte. Cubra con agua con sal y ponga a hervir. Cuézalo 4 minutos.

Escurra el pollo y agréguelo inmediatamente a la sopa que se está cociendo.

Pruebe los tornillos para que tengan la firmeza deseada antes de servirlos. El tiempo de cocción es al gusto.

1 PORCION	365 CALORIAS	24 g. CARBOHIDRATOS
47 g. PROTEINA	9 g. GRASAS	0.6 g. FIBRAS

Sopa de Pollo con Arroz *(4 porciones)*

1 c/da	mantequilla
1½ tazas	apio en cubitos
5 tazas	caldo de pollo, frío
¼ c/dita	ajedrea
1 taza	arroz de grano largo, lavado y escurrido
1	pechuga grande de pollo, sin pellejo y deshuesada, en cubitos
	sal y pimienta

Caliente la mantequilla en una cacerola. Cuando esté caliente, agregue el apio; tape y sofría 5 minutos a fuego medio.

Vierta el caldo de pollo y agregue la ajedrea; sazone bien. Revuelva y deje que hierva.

Agregue el arroz y revuelva; cuézalo, parcialmente tapado, a fuego medio durante 10 minutos.

Mientras tanto, ponga el pollo en una cacerola separada. Cubra con agua salada y deje que hierva; cueza 4 minutos. Escurra y deje aparte.

Agregue el pollo a la sopa; siga cociéndolo, parcialmente tapado, durante 8 minutos.

Sirva.

Sopa Rápida de Pollo *(4 porciones)*

4 c/das	mantequilla
2 c/das	cebolla picada
5 c/das	harina
4½ tazas	caldo concentrado de pollo
1	pechuga de pollo, sin pellejo y deshuesada, cortada en cubitos
	pizca de paprika
	un poco de nuez moscada
	sal y pimienta
	perejil picado

Caliente la mantequilla en una cacerola. Cuando esté caliente, agregue la cebolla y tape; sofría 2 minutos a fuego medio.

Agregue la harina y cocínela, destapada, 1 minuto a fuego suave.

Vierta el caldo de pollo y agregue las especias; revuelva bien y deje que empiece a hervir. Cueza la sopa destapada, a fuego medio durante 18 minutos.

Aproximadmente 8 minutos antes de que esté la sopa, ponga el pollo en una cacerola aparte. Cúbralo de agua con sal y deje que hierva; cuézalo 4 minutos.

Escurra el pollo y agréguelo a la sopa.

Espárzale perejil picado y sirva.

1 PORCION	287 CALORIAS	8 g. CARBOHIDRATOS
30 g. PROTEINAS	15 g. GRASAS	0 g. FIBRAS

Sopa Rápida de Poquitos *(4 porciones)*

2 c/das	mantequilla
2	tallos de apio, en rebanadas delgadas al sesgo
1	pepino pequeño, pelado y rebanado al sesgo
125 g.	(¼ *lb.*) champiñones, limpios y rebanados
1	tomate, rebanado
4 tazas	caldo de pollo, caliente
1 c/dita	salsa de soya
	unas gotas de jugo de limón
	sal y pimienta

Caliente la mantequilla en una cacerola. Cuando esté caliente, agregue el apio, pepino y champiñones; rocíe con jugo de limón y sazone. Tape y deje cocer 5 minutos a fuego medio.

Agregue el tomate y vierta el caldo de pollo; sazone bien. Deje que empiece a hervir y siga cociendo 10 minutos, destapado, a fuego suave.

Agregue la salsa de soya, revuelva y rectifique el sazón. Deje hervir unos minutos a fuego suave.

Sirva la sopa con pan tostado o galletas.

Sopa de Lentejas   *(4 porciones)*

1 c/da	mantequilla
1	tallo de apio, en cubitos
½	cebolla, pelada y finamente picada
1	zanahoria, pelada y en cubitos
½ c/dita	albahaca
¼ c/dita	semillas de apio
1 c/dita	perejil fresco picado
1	diente de ajo, machacado y picado
1 taza	lentejas
6 tazas	caldo de pollo, caliente
¼ taza	arroz de grano largo, enjuagado y escurrido
	sal y pimienta

Caliente la mantequilla en una cacerola. Cuando esté caliente, agregue el apio y la cebolla. Tape y sofría 3 minutos a fuego medio.

Agregue la zanahoria, especias y ajo; tape y siga cociendo 3 minutos más.

Agregue las lentejas y el caldo de pollo; sazone bien y revuelva. Deje que hierva. Cueza la sopa, parcialmente tapada durante 2 horas a fuego suave.

Dieciséis minutos antes que termine de cocerse, agregue el arroz y acabe de cocinarla.

Sírvala.

1 PORCION   239 CALORIAS   40 g. CARBOHIDRATOS
13 g. PROTEINAS   3 g. GRASAS   2.3 g. FIBRAS

Sopa Mixta de Verduras *(4 porciones)*

1 c/da	mantequilla
½	cebolla, pelada y picada
1	puerro pequeño, sólo la parte blanca, lavado y finamente rebanado*
¼ c/dita	orégano
¼ c/dita	tomillo
¼ c/dita	albahaca
1	hoja de laurel
1 c/da	cebollinos picados
1	nabo, pelado y en cubitos
¼	col, rebanada delgado
2	zanahorias, peladas y en cubitos
2	papas, peladas y en cubitos
5 tazas	caldo de pollo frío
1 c/da	salsa de soya
1	tomate, pelado y en cubitos
1 taza	champiñones en cubitos

Caliente la mantequilla en una cacerola. Cuando esté caliente, agregue la cebolla y el puerro; tape y sofría 3 minutos a fuego medio.

Agregue las hierbas de olor, nabo, col, zanahorias y papas; sazone y mezcle bien. Tape y cocine 6 minutos a fuego bajo.

Vierta el caldo de pollo y la salsa de soya; revuelva. Sazone y deje que hierva. Cueza la sopa, parcialmente tapada, durante 13 minutos a fuego suave.

Agregue el tomate y los champiñones; siga cociendo 5 minutos más.

Acompañe con emparedados para el almuerzo o con ensalada verde para la cena.

* Vea Potaje del Granjero, página 76.

Caldo de Pollo con Arroz *(4 porciones)*

2 c/das	mantequilla
½	cebolla pelada, en cubitos
1	puerro, sólo la parte blanca, lavado y finamente rebanado*
1	zanahoria, pelada y en cubitos
1	nabo, pelado y en cubitos
½	tallo de apio, en cubitos
6 tazas	caldo de pollo, frío
½ taza	arroz de grano largo, enjuagado y escurrido
2 c/das	piñones
	un poco de tomillo
	albahaca
	pizca de semillas de apio
	perejil picado
	sal y pimienta

Caliente la mantequilla en una cacerola. Cuando esté caliente, agregue la cebolla y el puerro; espolvoree con las hierbas aromáticas. Tape y cocine de 3 a 4 minutos a fuego medio.

Agregue el resto de las verduras y sazone bien. Siga cociendo, tapado, de 3 a 4 minutos.

Vierta el caldo de pollo y deje que hierva.

Agregue el arroz y los piñones; revuelva bien. Cocine, parcialmente tapado, durante 16 minutos a fuego medio.

Si le agrada, espárzale perejil antes de servirla.

* Vea Potaje del Granjero, página 76.

1 PORCION	168 CALORIAS	19 g. CARBOHIDRATOS
3 g. PROTEINAS	8 g. GRASAS	0.7 g. FIBRAS

Sopa de Zanahoria *(4 porciones)*

2 c/das	mantequilla
½	cebolla pelada y finamente picada
5	zanahorias grandes, peladas, en rebanadas delgadas
½ c/dita	perifollo
1 c/dita	eneldo fresco picado
6 tazas	caldo de pollo frío
¾ taza	arroz grano largo, enjuagado y escurrido
	un poco de menta
	sal y pimienta

Caliente la mantequilla en una cacerola. Cuando esté caliente, agregue la cebolla; tape y sofría 2 minutos a fuego medio.

Agregue las zanahorias y las hierbas aromáticas; siga cocinando, tapada, 4 minutos a fuego medio.

Vierta el caldo de pollo, sazone y revuelva. Deje que hierva.

Agregue el arroz, revuelva y tape parcialmente. Cocine 16 minutos a fuego medio o hasta que el arroz esté cocido.

Sirva con croutons.

Crema de Calabaza *(6 a 8 porciones)*

½	calabaza pequeña
4 tazas	leche
4 tazas	agua
3 c/das	harina de arroz *o* harina de trigo
3 c/das	mantequilla
2-3 c/das	azúcar
	sal y pimienta

Saque las semillas de la calabaza y quítele la cáscara. Corte la pulpa de la calabaza en trozos de 2.5 cm. (*1 pulg.*).

Póngala en una cacerola.

Viértale bastante agua para cubrirla; deje que empiece a hervir y cueza a fuego suave hasta que esté tierna y muy bien cocida. Escurra y muela.

Ponga el puré de calabaza en una cacerola.

Aparte 1 taza de leche y agregue el resto de leche y el agua a la cacerola.

Deje que empiece a hervir.

Mezcle la harina con la leche que apartó. Incorpore la mezcla al contenido de la cacerola.

Siga hirviendo a fuego suave de 15 a 20 minutos. Revuelva ocasionalmente.

Mezcle la mantequilla, sazone con sal y pimienta.

Para servirla, vierta la sopa en tazones y espolvoree un poco de azúcar en cada porción.

1 PORCION	119 CALORIAS	20 g. CARBOHIDRATOS
3 g. PROTEINAS	3 g. GRASAS	1.0 g. FIBRAS

Vichyssoise *(4 a 6 porciones)*

2 c/das	mantequilla
1	cebolla grande, pelada y rebanada
1 c/da	perejil fresco picado
2	puerros grandes, (sólo la parte blanca) cortados en cuatro y lavados
½ c/dita	albahaca
¼ c/dita	tomillo
¼ c/dita	estragón
5	papas peladas, lavadas y rebanadas
6 tazas	caldo de pollo, caliente
½ taza	crema para batir
1 c/da	cebollinos frescos picados
	pizca de paprika
	sal y pimienta blanca

Caliente la mantequilla en una cacerola grande. Cuando esté caliente, agregue cebolla y perejil; tape y sofría 3 minutos a fuego medio-suave.

Agregue los puerros y las hierbas de olor; revuelva bien. Sazone con sal y pimienta; tape y siga cocinándolo de 7 a 8 minutos a fuego medio-suave.

Incorpore las papas y cocínelas por 2 minutos.

Vierta el caldo de pollo, revuelva y sazone al gusto. Deje que empiece a hervir y siga cociéndolo, destapado, de 25 a 30 minutos.

Cuando las papas estén cocidas, muela la sopa en la licuadora. Deje que enfríe y refrigérela.

Justo antes de servirla, agregue la crema y esparza los cebollinos encima.

Esta sopa se conserva bien de 3 a 4 días en el refrigerador, pero no agregue la crema hasta el momento de servirla.

Vea la técnica en la página siguiente.

1 PORCION	251 CALORIAS	25 g. CARBOHIDRATOS
4 g. PROTEINAS	15 g. GRASAS	0 g. FIBRAS

TECNICA: VICHYSSOISE

1 Agregue cebolla y perejil a la mantequilla caliente; tape y sofría 3 minutos a fuego medio-bajo.

2 Agregue los puerros y las hierbas aromáticas; revuelva bien. Sazone, tape y siga cociendo de 7 a 8 minutos. Incorpore las papas y cueza 2 minutos más.

3 Vierta el caldo de pollo, revuelva y sazone. Cuando empiece a hervir, no lo tape y deje que se cueza de 25 a 30 minutos.

4 Cuando las papas estén cocidas, pase la sopa por el molino de alimentos.

Sopa de Mejillones a la Sonia   *(4 porciones)*

1½ kg.	(*3 lb*) mejillones en su concha, desbarbados y bien lavados
1 c/da	perejil picado
¼ taza	vino blanco seco
2 c/das	mantequilla
1	cebolla mediana, pelada y finamente picada
4	papas peladas, en cubitos
1	tallo de apio, en cubitos
2¼ tazas	crema ligera, caliente
2¼ tazas	leche caliente
	jugo de 1 limón
	pizca de paprika
	sal y pimienta

Ponga los mejillones, perejil, jugo de limón y vino en una cacerola. Agregue la pimienta; tape y cueza hasta que los mejillones abran.

Sáquelos de la concha y cuele el líquido en que los coció a través de una manta de cielo. Deje aparte líquido y mejillones.

Caliente la mantequilla en una cacerola. Cuando esté caliente, agregue la cebolla; tape y cocine 3 minutos a fuego medio.

Agregue las papas y el apio; sazone y vacíele el líquido en que coció los mejillones. Tape y deje cocer de 6 a 7 minutos a fuego suave.

Revuelva la crema con la leche e incorpórelas a la sopa. Sazone y deje que empiece a hervir. Tape parcialmente y deje cocer de 15 a 18 minutos a fuego suave.

Agregue los mejillones, la paprika y rectifique el sazón. Deje hervir a fuego suave durante unos minutos y sirva.

1 PORCION	576 CALORIAS	28 g. CARBOHIDRATOS
26 g. PROTEINAS	40 g. GRASAS	1.3 g. FIBRAS

Crema de Cebollitas Miniatura   *(4 porciones)*

4 c/das	mantequilla
3	cebollas medianas, peladas y finamente rebanadas
5 c/das	harina
5 tazas	caldo de pollo, caliente
¼ c/dita	nuez moscada
1	yema de huevo batida
¼ taza	crema espesa
1 taza	cebollitas miniatura cocidas
	sal y pimienta

Caliente la mantequilla en una cacerola. Cuando esté caliente, agregue las cebollas rebanadas y sazone; tape y deje 10 minutos a fuego suave. Revuelva ocasionalmente y trate de que las cebollas no se doren.

Incorpore la harina y cocine 1 minuto a fuego suave, sin tapar.

Agregue el caldo de pollo y la nuez moscada; revuelva y deje que empiece a hervir. Tape parcialmente y cocine la sopa de 18 a 20 minutos a fuego suave.

Revuelva la yema de huevo con la crema; incorpórela a la sopa. Deje hervir 2 minutos a fuego suave.

Agregue las cebollitas miniatura, revuelva y deje cocer a fuego suave durante varios minutos.

Sírvala caliente con croutons.

1 PORCION	241 CALORIAS	18 g. CARBOHIDRATOS
4 g. PROTEINAS	17 g. GRASAS	0.8 g. FIBRAS

Minestrone *(4 a 6 porciones)*

2 c/das	mantequilla
1	cebolla pelada y en cubitos
¼	col, rebanada
1	puerro, sólo la parte blanca
¼ c/dita	albahaca
¼ c/dita	orégano
1	nabo, pelado, en cubitos
1	papa, pelada, en cubitos
1	zanahoria, pelada, en cubitos
1	tomate, en cubitos
1	diente de ajo, machacado y picado
1 c/dita	perejil picado
7 tazas	caldo de pollo, frío
1	lata jugo de tomate (160 ml. / 5½ oz.)
70 g.	(2½ oz.) espagueti
	un poco de semillas de apio y tomillo
	queso parmesano rallado, al gusto

Caliente la mantequilla en una cacerola grande. Cuando esté caliente, agregue la cebolla, col y puerro; sazone bien. Agregue la albahaca, orégano y especias restantes. Tape y cocine 4 minutos a fuego suave.

Agregue el nabo, papas y zanahorias; revuelva bien. Siga cocinando, tapado, de 3 a 4 minutos a fuego medio.

Agregue el tomate, ajo, perejil y vierta el caldo de pollo y jugo de tomate. Revuelva y deje que empiece a hervir.

Sazone bien la sopa y cuézala, destapada, a fuego medio durante 5 minutos.

Rompa el espagueti en tres y agréguelo. Sazone y siga cociendo 12 minutos a fuego medio, o hasta que la pasta esté cocida.

Espolvoree con queso y sirva.

1 PORCION	124 CALORIAS	19 g. CARBOHIDRATOS
3 g. PROTEINAS	4 g. GRASAS	0.9 g. FIBRAS

Gazpacho *(4 porciones)*

1	pepino pelado, sin semillas y rebanado muy delgado
5	dientes de ajo, machacados y finamente picados
¼ c/dita	semillas de comino
¼ taza	almendras molidas
2 c/das	vinagre de vino
¼ taza	aceite de oliva
3	tomates pelados, sin semillas y cortados en dos
6½ tazas	base de caldo de res, frío
	pimienta recién molida
½	pimiento verde sin semillas y finamente rebanado
1 c/da	perejil fresco, finamente picado

Ponga las rebanadas de pepino en un tazón para revolver. Espolvoréelas con sal y deje reposar 30 minutos.

Escúrralas.

Ponga el ajo, semillas de comino y almendras en la licuadora. Muélalos.

Agregue el vinagre y aceite; muela de nuevo.

Agregue los pepinos y tomates y muélalos bien. Incorpore allí mismo el caldo de res. Sazone al gusto.

Tape la sopa con papel encerado untado de mantequilla y refrigere por lo menos de 4 a 5 horas.

Vacíe el gazpacho en una sopera y adorne con el pimiento verde y perejil.

Sopa de Cebolla Gratinada *(4 porciones)*

2 c/das	mantequilla
4	cebollas blancas, peladas y rebanadas
1 c/da	harina
¼ taza	vino blanco seco
5 tazas	caldo de res frío
½ taza	queso Gruyère rallado
4	ruedas de pan francés, tostadas
	un poco de tomillo
	un poco de mejorana
	hoja de laurel
	unas gotas de salsa Tabasco
	sal y pimienta

Caliente la mantequilla en una cacerola. Cuando esté caliente, agregue las cebollas y fríalas destapadas por 15 minutos a fuego medio-bajo. Revuelva con frecuencia, raspando el fondo de la cacerola. Las cebollas deben quedar doradas.

Agregue la harina y revuelva bien; siga cocinando 2 minutos a fuego suave.

Agregue el vino y cocine 2 minutos a fuego alto. Revuelva ocasionalmente.

Agregue el caldo de res, sazone y agregue todas las hierbas aromáticas. Revuelva y deje que empiece a hervir. Tape parcialmente y cueza la sopa 20 minutos a fuego suave. Revuelva ocasionalmente.

Ponga 2 c/das de queso en el fondo de cada tazón refractario. Vierta la sopa y cubra con el pan tostado. Espolvoree el resto del queso, agregando más, si es necesario.

Meta al horno a 15 cm. (*6 pulg.*) del elemento térmico superior durante 5 minutos o hasta que esté ligeramente dorado. Sirva inmediatamente.

1 PORCION	227 CALORIAS	21 g. CARBOHIDRATOS
11 g. PROTEINAS	11 g. GRASAS	0.6 g. FIBRAS

Sopa Mexicana Fría *(4 a 6 porciones)*

4	tomates frescos, pelados y sin semillas, finamente picados
1 taza	apio, finamente picado
2	chalotes, finamente picados
2	pepinos medianos, finamente picados
1	chile verde pequeño, sin semillas y finamente picado*
4 tazas	jugo de tomate helado
½ c/dita	salsa Tabasco
1 c/da	aceite de oliva
	sal y pimienta con limón

Ponga los ingredientes finamente picados en un tazón. Agregue la salsa Tabasco, jugo de tomate, aceite de oliva, sal y pimienta con limón. Revuelva bien.

Refrigere varias horas.

Sirva la sopa en tazones fríos y adórnela con una rebanada delgada de limón.

* Los chiles tienen un aceite esencial muy penetrante que puede irritarle los ojos. Es muy importante que después de manejarlos, se lave las manos perfectamente con jabón y agua caliente.

Sopa de Pescado *(4 porciones)*

150 g.	(*¹⁄₃ lb.*) hipogloso
150 g.	(*¹⁄₃ lb.*) filetes de abadejo
150 g.	(*¹⁄₃ lb.*) veneras (almeja grande)
2 c/das	mantequilla
2	tallos de apio, en cubitos
1	zanahoria, pelada en cubitos
1	puerro pequeño, en cubitos
4 tazas	caldo de pescado, caliente
2	chalotes secos, finamente picados
1 c/da	perejil fresco picado
2 tazas	agua caliente
1 taza	croutons
	sal y pimienta

Derrita la mantequilla en una cacerola mediana. Agregue las verduras en cubitos y las veneras. Cocine tapado, de 4 a 5 minutos.

Agregue el caldo de pescado y deje que empiece a hervir a fuego suave. Deslice suavemente el hipogloso y el abadejo en la cacerola. Cueza el pescado a fuego muy suave, durante 5 minutos.

Deje caer las veneras en la cacerola y déjelas cocer a fuego muy suave durante 2 minutos. Páselas al tazón.

Separe el pescado en trozos con un tenedor y póngale un poco del caldo para que se mantenga caliente. Agregue agua a la cacerola y hierva a fuego suave de 15 a 20 minutos.

Regrese el pescado y las veneras a la cacerola. Revuelva suavemente y sazone. Adorne la sopa con croutons y perejil. Sirva inmediatamente.

1 PORCION	203 CALORIAS	13 g. CARBOHIDRATOS
22 g. PROTEINAS	7 g. GRASAS	0.5 g. FIBRAS

TECNICA: SOPA DE PESCADO

1 Derrita la mantequilla en una cacerola. Agregue las verduras y chalotes. Cocine de 4 a 5 minutos, tapado.

2 Agregue el caldo de pescado y deje que hierva a fuego muy suave.

3 Deslice con suavidad el hipogloso y el abadejo en la cacerola. Cueza el pescado mientras el caldo apenas hierve a fuego suave.

4 Saque con cuidado el pescado de la cacerola y páselo a un tazón.

TECNICA: SELECCION DE HUEVOS

1 Los huevos deben estar a temperatura ambiente antes de cocinarlos, en especial antes de colocarlos en agua hirviendo, ya que los cascarones fríos se rajan al sumergirlos.

2 Al preparar los huevos para cocinarlos, rompa el cascarón y vacíe el huevo en un tazón pequeño antes de verterlo en la sartén. Esto le permite ver si el huevo está en buen estado antes de que sea demasiado tarde.

3 No utilice huevos que tengan manchas de sangre.

4 La mantequilla y la margarina son grasas adecuadas para cocinar huevos. Deben estar completamente derretidas y ligeramente espumosas antes de agregarles los huevos.

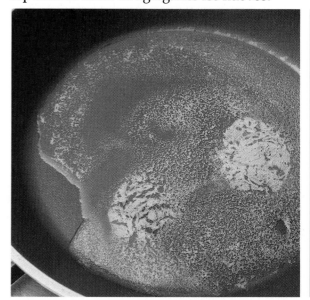

5 Cuando utilice un tenedor para batir o mezclar huevos, incline ligeramente el tazón hacia usted y conserve la muñeca recta mientras mueve el tenedor con un movimiento circular amplio.

6 Aunque el color de la yema puede cambiar, no existe diferencia entre el valor alimenticio de los huevos blancos y rojos.

7 Para evitar confusiones entre los huevos crudos y los cocidos, marque el cascarón del huevo cocido. Si duda, haga girar el huevo sobre una superficie plana. Si gira rápidamente, está cocido.

8 Cuando no esté seguro de que el huevo esté fresco, haga esta prueba: ponga el huevo en un vaso de agua y observe dónde se queda, ya que mientras más se hunda, más fresco será.

TECNICA: HUEVOS REVUELTOS

1 Si acompaña los huevos con un complemento, prepárelo por anticipado.

2 Al sacar los huevos del cascarón, vacíelos en un tazón y revuelva con un batidor de alambre. Sazone con sal y pimienta.

3 Caliente la mantequilla o margarina en una sartén antiadherente para freír. Vierta los huevos en la mantequilla caliente y cocínelos a fuego medio.

4 Agítelos rápidamente con una pala de madera, hasta que estén bien revueltos. Siga cocinándolos sin revolver, pero no demasiado tiempo, ya que es mejor servirlos cuando están suaves y húmedos.

Huevos Revueltos con Verduras *(4 porciones)*

2 c/das	mantequilla
2 c/das	cebolla picada
½	tallo de apio, en cubitos
1	calabacita pequeña, en cubitos
¼ c/dita	mejorana
1 c/dita	curry en polvo
2	tomates, en cubos
8	huevos
¼ taza	crema ligera
	sal y pimienta

Caliente 1 c/da de mantequilla en una sartén grande para freír.

Cuando esté caliente, agregue la cebolla, apio y calabacita. Sazone y agregue las especias; sofría 3 minutos a fuego medio.

Agregue los tomates y siga cocinando de 3 a 4 minutos.

Mientras tanto, rompa los huevos en un tazón y revuélvalos con un batidor. Sazone bien y viértales la crema, revuelva de nuevo.

Caliente el resto de la mantequilla en una sartén grande antiadherente. Cuando esté caliente, vacíe los huevos y cocine 1 minuto a fuego medio.

Revuelva los huevos rápidamente y cocínelos 1 minuto.

Agregue las verduras a los huevos, revuelva y sirva sobre pan tostado.

1 PORCION	261 CALORIAS	4 g. CARBOHIDRATOS
14 g. PROTEINAS	21 g. GRASAS	0.8 g. FIBRAS

Huevos Revueltos con Salsa de Camarones *(4 porciones)*

3 c/das	mantequilla
8	camarones pelados, desvenados y cortados en dos
1 lata	(398 ml. / *14 oz.*) espárragos, escurridos y cortados en dos
8	huevos batidos, bien sazonados
1 taza	salsa de camarones, caliente*
	sal y pimienta

Caliente la mantequilla en una sartén antiadherente para freír. Cuando esté caliente, agregue los camarones y sazónelos; cocínelos 3 minutos a fuego alto.

Agregue los espárragos, mézclelos y vierta los huevos. Revuelva rápidamente y siga cocinando 3 minutos a fuego alto.

Vierta la salsa de camarones en el platón de servicio. Acomode los huevos en la salsa y sírvalos con pan francés tostado.

* Vea Salsa de Camarones, página 101.

1 PORCION	490 CALORIAS	12 g. CARBOHIDRATOS
34 g. PROTEINAS	34 g. GRASAS	0.5 g. FIBRAS

TECNICA: SALSA DE CAMARONES

1 Agregue los camarones, chalotes y perejil a la mantequilla caliente; revuelva bien, sazone y cocine durante 4 minutos a fuego medio. Agregue el vino y cocine 2 minutos a fuego alto.

2 Agregue la salsa blanca; sazone y agregue el hinojo y la paprika. Revuelva y cocine de 4 a 5 minutos a fuego suave.

Salsa de Camarones

1 c/da	mantequilla
250 g.	(½ *lb.*) camarones pelados, desvenados y finamente picados
1	chalote, finamente picado
1 c/dita	perejil picado
¼ taza	vino blanco seco
1½ tazas	salsa blanca rápida*
¼ c/dita	hinojo
	pizca de paprika
	sal y pimienta

Caliente la mantequilla en una cacerola o sartén pequeño. Cuando esté caliente, agregue los camarones, chalote y perejil; revuelva bien.

Sazone con pimienta y cocine 4 minutos a fuego medio.

Póngale el vino y cocine 2 minutos a fuego alto.

Agregue la salsa blanca, sazone y agregue el hinojo y la paprika. Revuelva y deje a fuego suave de 4 a 5 minutos.

Esta salsa acompaña bien a muchos platillos de huevos.

* Vea Salsa Blanca Rápida, página 145.

Huevos Revueltos Cristoff *(4 porciones)*

4	vol-au-vent comerciales congelados
2 c/das	mantequilla
125 g.	(¼ *lb.*) champiñones limpios y en cubitos
1	chalote, picado
1 c/dita	cebollinos picados
8	huevos batidos, bien sazonados
	sal y pimienta

Caliente el horno previamente a 70 °C (*150 °F*).

Cocine los vol-au-vent como se indica en el paquete y consérvelos calientes en el horno hasta que los utilice.

Caliente la mantequilla en una sartén antiadherente. Cuando esté caliente, agregue los champiñones y el chalote; sazone bien. Cocine 3 minutos a fuego medio.

Agregue los cebollinos y vacíe los huevos; revuelva rápidamente y siga cocinando 3 minutos a fuego alto.

Llene los vol-au-vent con la mezcla de huevo y adorne con ramitas de perejil. Sírvalos.

1 PORCION	394 CALORIAS	16 g. CARBOHIDRATOS
15 g. PROTEINAS	30 g. GRASAS	0.2 g. FIBRAS

Huevos Revueltos con Cangrejo *(4 porciones)*

2 c/das	mantequilla
1 lata	(142 g. / *5 oz.*) carne de cangrejo, escurrida
1 c/dita	cebollinos picados
½ taza	queso cheddar rallado
8	huevos batidos, bien sazonados
	sal y pimienta

Caliente la mantequilla en una sartén antiadherente. Cuando esté caliente, agregue la carne de cangrejo y los cebollinos; deje hervir a fuego suave durante 2 minutos. Sazone con sal y pimienta.

Agregue el queso a los huevos batidos; vierta sobre la carne de cangrejo. Cocine 3 minutos mientras revuelve.

Sirva.

1 PORCION	317 CALORIAS	0 g. CARBOHIDRATOS
23 g. PROTEINAS	25 g. GRASAS	0 g. FIBRAS

Huevos Revueltos Archiduquesa *(4 porciones)*

1 lata	(398 ml. / *14 oz.*) espárragos, escurridos
2½ c/das	mantequilla
¼ taza	agua
2	rebanadas jamón cocido, en cubitos
125 g.	(¼ *lb.*) champiñones, limpios y en cubitos
8	huevos batidos, bien sazonados
	sal y pimienta

Ponga los espárragos en una cacerola y agregue 1 c/dita de mantequilla. Agregue el agua, tápelos y cocine a fuego suave hasta que estén cocidos.

Caliente el resto de la mantequilla en una sartén antiadherente. Cuando esté caliente, agregue el jamón y los champiñones; sazone y cocine 3 minutos.

Agrueguele los huevos y siga cociendo 1 minuto a fuego alto.

Revuelva rápidamente y cocine 1 minuto más.

Sazone y pase los huevos a un platón de servicio. Adorne con los espárragos y acompañe con pan francés tostado.

1 PORCION	286 CALORIAS	4 g. CARBOHIDRATOS
18 g. PROTEINAS	5 g. GRASAS	0 g. FIBRAS

Almuerzo de Huevos a la Mexicana *(4 porciones)*

1 c/dita	aceite de oliva
2	chiles verdes pequeños, sin semillas y picados
1	cebolla, pelada y finamente rebanada
3	tomates grandes, picados
1 c/dita	mantequilla
8	huevos batidos, bien sazonados
	sal y pimienta

Caliente el aceite en una sartén antiadherente. Cuando esté caliente, agregue los chiles y la cebolla; sofríalos 3 a 4 minutos a fuego medio.

Agregue los tomates, revuelva y sazone. Siga cocinando 7 a 8 minutos a fuego medio.

Cuando la mezcla esté cocinada, sáquela de la sartén y consérvela caliente en el horno.

Limpie la sartén, póngale la mantequilla y caliéntela. Cuando esté caliente, agregue los huevos. Revuelva de 2 a 3 minutos a fuego medio.

Acomode los huevos en un platón de servicio y rodee con la mezcla de tomates.

1 PORCION	252 CALORIAS	5 g. CARBOHIDRATOS
13 g. PROTEINAS	20 g. GRASAS	1.2 g. FIBRAS

Huevos Revueltos a la Mostaza *(4 porciones)*

8	huevos
¼ taza	queso Gruyère rallado
2 c/das	mostaza francesa
2 c/das	mantequilla
3	rebanadas pan blanco tostado, cortadas en triángulos
	sal y pimienta
	perejil o cebollinos picados

Rompa los huevos en un tazón y revuélvalos con un batidor de alambre. Sazone con sal y pimienta.

Agregue el queso y la mostaza; revuelva de nuevo.

Caliente la mantequilla en una sartén antiadherente para freír. Cuando esté caliente, vacíe los huevos. Revuelva rápidamente y cocine de 3 a 4 minutos a fuego alto.

Sirva los huevos con triángulos de pan. Espárzales perejil o cebollinos picados.

Vea la técnica en la página siguiente.

1 PORCION	307 CALORIAS	9 g. CARBOHIDRATOS
16 g. PROTEINAS	23 g. GRASAS	0 g. FIBRAS

TECNICA: HUEVOS REVUELTOS A LA MOSTAZA

1 Rompa el cascarón y vacíe los huevos en un tazón.

2 Revuelva con un batidor de alambre y sazónelos con sal y pimienta. Agregue queso y mostaza; revuelva otra vez.

3 Cocine los huevos en mantequilla caliente durante 3 ó 4 minutos.

4 Sirva los huevos con los triángulos de pan tostado. Esparza encima el perejil o los cebollinos picados.

TECNICA: TORTILLA DE HUEVOS

1 Rompa los huevos en un tazón y bátalos con un tenedor. Sazone con sal y pimienta. Caliente la mantequilla en una sartén antiadherente o en una especial para tortilla de huevos.

2 Cuando la mantequilla esté caliente, vacíe los huevos y cocínelos, pero no los mueva.

3 Cuando los huevos cuajen, revuelva rápidamente con una pala de madera. Acomode suavemente la tortilla en su lugar, y siga cocinándola sin revolver.

4 Agregue el relleno.

5 Doble la tortilla alejándola de usted mientras inclina la sartén.

6 Incline la sartén hacia el plato y deje que la tortilla se deslice.

Tortilla de Huevos Sencilla *(4 porciones)*

5 a 6	huevos
1 c/da	agua o crema ligera*
1 c/da	mantequilla
	sal y pimienta

Rompa el cascarón y vacíe los huevos en un tazón; bátalos con un tenedor. Sazone bien. Agregue la crema y revuelva.

Caliente la mantequilla en una sartén antiadherente o en una sartén para tortilla de huevos.

Cuando esté caliente, vacíe los huevos y cocínelos 1 minuto a fuego alto.

Revuélvalos rápidamente con una pala de madera. Doble la tortilla (vea la técnica) y sírvalos.

* Si utiliza agua, la tortilla será más ligera que si emplea crema.

1 PORCION   324 CALORIAS   0 g. CARBOHIDRATOS
18 g. PROTEINAS   28 g. GRASAS   0 g. FIBRAS

Tortilla de Huevos con Salsifíes *(2 porciones)*

2 c/das	mantequilla
1	zanahoria cocida, en cubitos
3	salsifíes, en cubos
5	huevos
	sal y pimienta

Caliente 1 c/da de mantequilla en una cacerola pequeña. Cuando esté caliente, agregue las verduras y sazónelas con pimienta. Tape y cocine a fuego suave 3 minutos.

Vacíe los huevos a un tazón; bátalos con un tenedor. Sazone bien.

Caliente el resto de la mantequilla en una sartén antiadherente. Cuando esté caliente, vacíele los huevos y cocínelos 1 minuto a fuego alto.

Revuelva los huevos rápidamente y siga cocinándolos 1 minuto.

Agregue la mitad del relleno. Doble la tortilla (vea la técnica) y siga cocinándola 30 segundos.

Sirva con el resto del relleno y, si le agrada, otras verduras.

1 PORCION	385 CALORIAS	14 g. CARBOHIDRATOS
17 g. PROTEINAS	29 g. GRASAS	0.5 g. FIBRAS

Tortilla de Huevos con Camarones *(2 porciones)*

2 c/das	mantequilla
1 c/da	cebolla picada
125 g.	(¼ *lb.*) camarones cocidos, desvenados y rebanados a la mitad
1 taza	tomates picados (si son enlatados, escúrralos)
¼ c/dita	hinojo
5	huevos
	unas cuantas gotas salsa Tabasco
	jugo de limón
	sal y pimienta

Caliente 1 c/da de mantequilla en una sartén.

Cuando esté caliente, agregue la cebolla y los camarones; sazone bien. Cocine 2 minutos a fuego medio.

Agregue los tomates, hinojo, salsa Tabasco y jugo de limón. Sazone, condimente y deje hervir 5 minutos a fuego suave.

Rompa los huevos en un tazón; bata con un tenedor y sazone bien.

Caliente el resto de la mantequilla en una sartén antiadherente.

Cuando esté caliente, vacíe los huevos y cocínelos 1 minuto a fuego alto.

Revuelva los huevos rápidamente y siga cocinándolos 1 minuto.

Agregue el relleno de camarones y doble la tortilla a la mitad. Cocínela 10 segundos más y sírvala con coliflor.

1 PORCION	298 CALORIAS	6 g. CARBOHIDRATOS
28 g. PROTEINAS	18 g. GRASAS	0.9 g. FIBRAS

Tortilla Lyonnaise *(2 porciones)*

2 c/das	mantequilla
1	cebolla pequeña, pelada y rebanada muy delgado
¼	manzana, sin corazón, pelada y rebanada muy delgado
5	huevos
½ c/dita	perejil picado
	sal y pimienta

Caliente 1 c/da de mantequilla en una sartén antiadherente.

Cuando esté caliente, agregue la cebolla y sazone. Fría 4 minutos a fuego medio.

Agregue las manzanas, revuelva y siga cocinando 2 minutos. Mientras tanto, rompa los cascarones y vacíe los huevos en un tazón y bátalos con un tenedor. Sazone bien.

Pase el relleno de cebolla a un tazón pequeño y deje aparte. Caliente el resto de la mantequilla en una sartén.

Cuando esté caliente, vacíe los huevos y cocínelos 1 minuto a fuego alto. Revuelva los huevos rápidamente y siga cocinando 1 minuto.

Agregue la mitad del relleno de cebolla. Doble la tortilla (vea la técnica) y siga cocinando 30 segundos.

Ponga la tortilla en un platón de servicio y adorne con el resto del relleno de cebolla. Espárzale perejil y sírvalo.

1 PORCION	353 CALORIAS	7 g. CARBOHIDRATOS
16 g. PROTEINAS	29 g. GRASAS	0.4 g. FIBRAS

Tortilla Rápida con Alcachofas *(2 porciones)*

2 c/das	mantequilla
4	corazones de alcachofa enlatados, cortados a la mitad
12	aceitunas rellenas
8	champiñones limpios y cortados a la mitad
5	huevos
	sal y pimienta

Caliente 1 c/da de mantequilla en una sartén para freír.

Cuando esté caliente, agregue las alcachofas, aceitunas y champiñones. Tape y cocine 3 minutos. Sazone al gusto.

Rompa los cascarones y ponga los huevos en un tazón, bátalos con un tenedor. Sazone bien.

Caliente el resto de la mantequilla en una sartén antiadherente o una especial para tortilla de huevos. Cuando esté caliente, vacíe los huevos y cocínelos 1 minuto a fuego alto. Revuelva los huevos rápidamente y siga cocinándolos 1 minuto.

Agregue la mitad del relleno. Doble la tortilla (vea la técnica) y siga cocinando 30 segundos.

Coloque la tortilla en un platón de servicio y adórnelo con el resto de la mezcla de alcachofas.

1 PORCION	484 CALORIAS	11 g. CARBOHIDRATOS
20 g. PROTEINAS	40 g. GRASAS	1.0 g. FIBRAS

Tortilla de Huevos con Pimiento Rojo *(2 porciones)*

2 c/das	mantequilla
1	cebolla pelada y finamente rebanada
¼	pimiento rojo, finamente rebanado
2	tomates miniatura, picados
5	huevos
	sal y pimienta

Caliente 1 c/da de mantequilla en una sartén.

Cuando esté caliente, agregue la cebolla y fríala 3 minutos a fuego alto.

Agregue el pimiento rojo y los tomates; sazone y cocine 3 minutos a fuego medio. Mientras tanto, rompa los huevos en un tazón; bátalos con un tenedor y sazónelos bien.

Caliente el resto de la mantequilla en una sartén antiadherente. Cuando esté caliente, vacíe los huevos y cocínelos 1 minuto a fuego alto. Revuelva los huevos rápidamente y siga cocinándolos 1 minuto más.

Agregue la mitad del relleno. Doble la tortilla (vea la técnica) y siga cocinándolos 30 segundos.

Sirva con el resto del relleno y verduras.

1 PORCION   349 CALORIAS   5 g. CARBOHIDRATOS
17 g. PROTEINAS   19 g. GRASAS   0.7 g. FIBRAS

Tortilla con Jamón y Miel de Maple (Arce) *(2 porciones)*

2 c/das	mantequilla
1	cebolla pequeña, pelada y picada
½	rebanada jamón cocido, en cubos
½	manzana sin corazón, pelada y en cubos
1 c/da	miel de arce
5	huevos
	sal y pimienta

Caliente 1 c/da de mantequilla en una sartén antiadherente.

Cuando esté caliente, agregue la cebolla, jamón y manzana. Sazone y cocínelos de 3 a 4 minutos a fuego medio.

Agregue la miel de arce, revuelva y cocínelos 2 minutos más. Deje aparte.

Rompa los huevos y póngalos en un tazón; bátalos con un tenedor y sazónelos bien.

Caliente el resto de la mantequilla en una sartén antiadherente o una especial para tortilla de huevos.

Cuando esté caliente, vacíe los huevos y cocine 1 minuto más a fuego alto.

Revuelva los huevos rápidamente y siga cocinándolos 1 minuto.

Agregue la mitad del relleno. Doble la tortilla (vea la técnica) y siga cocinando 30 segundos más.

Sirva con el resto del relleno y verduras varias.

1 PORCION	414 CALORIAS	8 g. CARBOHIDRATOS
28 g. PROTEINAS	30 g. GRASAS	0.2 g. FIBRAS

Tortilla de Huevos a la Granja *(2 porciones)*

2 c/das	mantequilla
1 c/da	cebolla finamente picada
2	salchichas cocidas, en cubitos
4	rebanadas de tocino cocinado, en cubitos
20	champiñones limpios y en cubitos
6	huevos
	cebollinos picados al gusto
	sal y pimienta

Caliente 1 c/da de mantequilla en una sartén para freír.

Cuando esté caliente, agregue la cebolla, salchichas y tocino; fríalos 2 minutos.

Agregue los champiñones, cebollinos y sazone; cocine 3 minutos a fuego medio. Deje aparte.

Caliente el resto de la mantequilla en una sartén antiadherente. Mientras tanto, rompa los huevos en un tazón; bata con un tenedor y sazónelos bien.

Vierta los huevos en la sartén y cocínelos 1 minuto a fuego alto. Revuélvalos rápidamente y cocínelos 1 minuto.

Agregue el relleno y cocine 1 minuto.

Doble la tortilla (vea la técnica) y sirva.

Tortilla Rápida con Queso *(2 porciones)*

5	huevos
1 c/da	mantequilla
¼ taza	queso cheddar rallado
	sal y pimienta

Rompa los huevos en un tazón y bátalos con tenedor; sazone bien.

Caliente la mantequilla en una sartén antiadherente o en una para tortilla de huevos.

Cuando esté caliente, vacíe los huevos y cocínelos 1 minuto a fuego alto. Mientras tanto, prenda el asador.

Revuelva los huevos rápidamente y agregue ¾ de queso. Doble la tortilla (vea la técnica) y siga cocinándolos 1 minuto.

Ponga la tortilla en un platón refractario y esparza encima el queso restante. Póngala 2 minutos en el asador.

Sírvala con verduras.

1 PORCION	324 CALORIAS	0 g. CARBOHIDRATOS
18 g. PROTEINAS	28 g. GRASAS	0 g. FIBRAS

Tortilla de Huevos, Nueva Cocina *(4 porciones)*

1	zanahoria grande, pelada y en cubitos
1/2	calabacita, en cubitos
1 taza	floretes de brócoli
1/2 taza	crema ligera
1/4 c/dita	nuez moscada
1 c/dita	fécula de maíz
2 c/das	agua fría
3	huevos
1 c/da	mantequilla
	un poco de clavo en polvo
	unas gotas de salsa Tabasco
	sal y pimienta

Ponga la zanahoria en una cacerola con 2 tazas de agua con sal. Tape y cueza 4 minutos a fuego medio.

Agregue las calabacitas y siga cociendo 3 minutos más.

Agregue el brócoli y cocine 3 minutos más.

Escurra bien las verduras y póngalas de nuevo en la sartén. Vacíele la crema, agregue las especias y unas cuantas gotas de salsa Tabasco. Cocine 1 minuto.

Revuelva la fécula de maíz con el agua y agréguela a las verduras. Cueza varios minutos a fuego suave. Rompa los huevos en un tazón y bátalos con un tenedor, sazónelos bien.

Caliente la mantequilla en una sartén grande, antiadherente.

Cuando esté caliente, vacíe los huevos y cocine 1 minuto a fuego alto.

Revuelva los huevos rápidamente y siga cocinándolos de 1 a 2 minutos.

Agregue el relleno de verduras, doble la tortilla en dos y cocínela 1 minuto.

1 PORCION	237 CALORIAS	7 g. CARBOHIDRATOS
14 g. PROTEINAS	17 g. GRASAS	0.9 g. FIBRAS

Tortilla de Champiñones *(2 porciones)*

3 c/das	mantequilla
1 c/da	cebolla picada
125 g.	(¼ *lb.*) champiñones frescos, limpios y rebanados
1 c/da	pimiento rojo picado
5	huevos
1 c/da	perejil picado
	sal y pimienta

Caliente 2 c/das de mantequilla en una sartén antiadherente.

Cuando esté caliente, agregue la cebolla y champiñones; sazone bien. Cocine 3 minutos a fuego alto.

Agregue el pimiento y siga cocinando 1 minuto. Deje aparte.

Rompa los huevos en un tazón y bátalos con un tenedor; sazone bien y agregue el perejil.

Caliente el resto de la mantequilla en otra sartén antiadherente o en una especial para tortilla de huevos. Cuando esté caliente, vacíe los huevos y cocínelos 1 minuto a fuego alto.

Revuelva los huevos rápidamente y agregue el relleno de champiñones; cocine de 1 a 2 minutos.

Doble la tortilla (vea la técnica) y sírvalos en el platón. Acompáñela con varias verduras.

1 PORCION	386 CALORIAS	3 g. CARBOHIDRATOS
17 g. PROTEINAS	34 g. GRASAS	0.5 g. FIBRAS

Tortilla a la Española *(4 porciones)*

1 c/da	aceite vegetal
2	cebollas peladas y rebanadas
1	diente de ajo, machacado y picado
2	tomates en cubitos
1	pimiento rojo, finamente rebanado
1 c/dita	cebollinos picados
8	huevos
1 c/da	mantequilla
	pizca de paprika
	sal y pimienta

Caliente el aceite en una sartén grande antiadherente.

Cuando esté caliente, agregue las cebollas y cocínelas de 4 a 5 minutos a fuego medio. Revuelva una vez mientras las cocina.

Agregue el ajo, tomates y pimiento rojo; sazone con paprika, sal y pimienta. Siga cocinando 5 minutos más.

Esparza los cebollinos y cocine 1 minuto; deje aparte y consérvelo caliente.

Rompa los huevos en un tazón y bata con un tenedor; sazone bien.

Caliente la mantequilla en otra sartén antiadherente grande. Cuando esté caliente, vacíe los huevos y cocínelos 1 minuto a fuego alto.

Agregue los huevos rápidamente y siga cocinando 2 minutos.

Extienda las verduras sobre la tortilla y ponga 2 minutos al asador. Sírvala.

1 PORCION 281 CALORIAS 9 g. CARBOHIDRATOS
14 g. PROTEINAS 21 g. GRASAS 1.5 g. FIBRAS

Tortilla Plana con Calabacitas *(2 porciones)*

2 c/das	mantequilla
½	calabacita, cortada a la juliana
1	chile verde pequeño, sin semillas y picado
6	huevos batidos, bien sazonados
	pizca de paprika
	sal y pimienta

Caliente 1 c/da de mantequilla en una sartén antiadherente. Cuando esté caliente, agregue las calabacitas y sazone. Espolvoréeles la paprika.

Agregue el chile y cocínelo 3 minutos.

Quite la sartén del fuego y vacíe la mezcla en el tazón con los huevos batidos.

Ponga en la sartén el resto de la mantequilla. Cuando esté caliente, vacíe la mezcla de huevo. Cocine 2 minutos a fuego medio. No revuelva.

Déle vuelta a la tortilla con una espátula, siga cocinándola 2 minutos.

Sirva.

Vea la técnica en la página siguiente.

1 PORCION	384 CALORIAS	5 g. CARBOHIDRATOS
19 g. PROTEINAS	32 g. GRASAS	0.6 g. FIBRAS

TECNICA: TORTILLA PLANA CON CALABACITAS

1 Agregue las calabacitas a la mantequilla caliente; sazone y espolvoree con paprika. Agregue el chile y cocine 3 minutos.

2 Pase la mezcla de calabacitas al tazón que contiene los huevos batidos.

3 Vierta la mezcla de huevos en la mantequilla caliente; cocínela 2 minutos a fuego medio. No la revuelva. Déle la vuelta y acabe de cocerla otros 2 minutos.

TECNICA: TORTILLA MOUSSELINE

1 Ponga las yemas en un tazón.

2 Agregue la crema ligera.

3 Revuelva muy bien con un batidor de alambre.

4 En un tazón aparte, bata las claras de huevo hasta que formen picos.

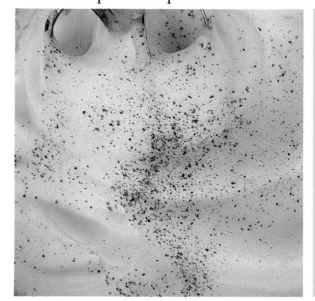

5 Mezcle con cuidado las claras en las yemas.

6 Incorpórelas bien con el batidor de alambre.

7 La tortilla mousseline después de cocinarla.

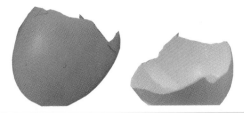

Soufflé de Huevos con Peras *(2 porciones)*

2 c/das	mantequilla
1 c/da	azúcar granulada
1	pera madura grande, pelada, sin corazón y finamente rebanada
4	yemas de huevo
2 c/das	crema extra ligera
4	claras de huevo, batidas a punto de turrón
1 c/da	azúcar glass
	jugo de 1 naranja

Caliente 1 c/da de mantequilla en una cacerola o sartén pequeñas. Agregue el azúcar y cocine a fuego medio. Revuelva constantemente hasta que el azúcar esté dorada. Agregue el jugo de naranja y siga revolviendo. Cocine alrededor de 30 segundos o hasta que dore.

Agregue la pera, revuelva y cocine 30 segundos. Saque la sartén del fuego y deje aparte. Ponga las yemas en un tazón, agregue la crema y revuelva bien.

Incorpore las claras batidas con cuidado y bien.

Caliente el resto de la mantequilla en una sartén antiadherente. Cuando esté caliente, vacíe los huevos y cocínelos de 2 a 3 minutos. Revuelva dos veces durante el proceso de cocción.

Cuando la parte superior del soufflé esté casi cocido, déle la vuelta. Unte la mezcla de pera sobre los huevos y doble a la mitad. Siga cocinando 10 segundos más.

Pase la tortilla a un platón refractario y espolvoréelo con el azúcar glass. Ponga 1 minuto en el asador.

Vea la técnica en la página siguiente.

1 PORCION	398 CALORIAS	28 g. CARBOHIDRATOS
13 g. PROTEINAS	26 g. GRASAS	0.8 g. FIBRAS

TECNICA

1 Agregue el azúcar granulada a la mantequilla caliente y cocine a fuego medio revolviendo sin cesar.

2 El azúcar empieza a ponerse dorada.

3 Agregue el jugo de naranja y siga revolviendo.

4 Cocine 30 segundos o hasta que esté bien dorado.

Continúa en la página siguiente.

5 Agregue la pera, revuelva y cocine 30 segundos. Quite la sartén del fuego y deje aparte.

6 Cuando la parte superior de la tortilla esté casi cocida, déle la vuelta. Extienda la mezcla de pera sobre los huevos. Doble y siga cocinándola 10 segundos y meta al asador.

Soufflé de Huevos con Mermelada *(2 porciones)*

	yemas de huevo
c/das	crema extra ligera
	claras de huevo batidas a punto de turrón
c/da	mantequilla
c/das	mermelada preparada
c/da	azúcar glass

Ponga los huevos en un tazón y agregue la crema; revuelva bien.

Agregue las claras batidas, incorporándolas bien.

Caliente la mantequilla en una sartén antiadherente. Cuando esté caliente, vacíe los huevos y cocine de 2 a 3 minutos. Revuelva dos veces mientras se cuece.

Cuando la parte superior de la tortilla esté casi cocida, déle la vuelta. Extienda la mermelada sobre los huevos y doble la tortilla a la mitad. Siga cociendo 10 segundos más.

Pase la tortilla a un platón refractario y espolvoree con azúcar glass. Ponga 1 minuto al asador o hasta que dore ligeramente.

1 PORCION	309 CALORIAS	18 g. CARBOHIDRATOS
12 g. PROTEINAS	21 g. GRASAS	0 g. FIBRAS

Soufflé de Fin de Semana *(2 porciones)*

½ taza	fresas descongeladas
c/das	azúcar granulada
c/dita	cáscara de limón rallada
	yemas de huevo
c/das	crema extra ligera
	claras de huevo batidas a punto de turrón
c/da	mantequilla
c/da	azúcar glass

Ponga las fresas en una cacerola pequeña; agregue el azúcar granulada y la cáscara de limón. Cocínelas de 3 a 4 minutos a fuego medio.

Ponga las yemas en un tazón y agrégueles la crema; revuelva bien. Incorpore las claras batidas, mezclándolas bien.

Caliente la mantequilla en una sartén antiadherente. Cuando esté caliente, vacíe los huevos y cocine de 2 a 3 minutos. Revuelva dos veces mientras se cuece.

Cuando la parte superior de la tortilla esté casi cocida, déle la vuelta. Extienda la mitad de las fresas sobre los huevos y doble la tortilla a la mitad. Siga cociendo 10 segundos más.

Pase la tortilla a un platón refractario y espolvoree con azúcar glass. Cubra con el resto de las fresas y ponga 1 minuto en el asador o hasta que dore ligeramente.

1 PORCION	357 CALORIAS	30 g. CARBOHIDRATOS
12 g. PROTEINAS	21 g. GRASAS	0.4 g. FIBRAS

Tortilla de Huevos Rellena *(4 porciones)*

3 c/das	mantequilla
1	cebolla pelada y picada
1 c/dita	perejil picado
½	calabacita rebanada
1	berenjena china, rebanada
1	diente de ajo, machacado y picado
2	tomates, en trozos grandes
¼ c/dita	albahaca
¼ c/dita	orégano
½ taza	queso parmesano rallado
2	rebanadas pan tostado
6	huevos batidos, bien sazonados
¼ taza	queso Gruyère rallado
	sal y pimienta

Caliente ½ c/da de mantequilla en una sartén. Cuando esté caliente, agregue la cebolla y el perejil. Tape y fría 3 minutos a fuego suave. Agregue la calabacita, berenjena y ajo; sazone bien. Tape y siga cocinando de 6 a 7 minutos.

Agregue los tomates y las especias; revuelva bien. Siga cocinando, sin tapar, de 6 a 7 minutos. Agregue la mitad del queso parmesano y cocine 2 minutos.

Corte el pan tostado en tiras.

Caliente el resto de la mantequilla en una sartén antiadherente. Cuando esté caliente, vacíele la mitad de los huevos batidos. Cocine la tortilla 2 minutos de cada lado.

Ponga la tortilla de huevos en un plato refractario y acomode las tiras de pan formando un anillo. Recórtelas si es necesario. Ponga el relleno en el centro de la tortilla. Espolvoree con el queso parmesano restante. Utilice lo que queda de la mantequilla para preparar una segunda tortilla plana.

Ponga la tortilla sobre el relleno y espolvoree la parte superior con queso Gruyère. Meta 3 minutos en el asador.

1 PORCION	340 CALORIAS	14 g. CARBOHIDRATOS
17 g. PROTEINAS	24 g. GRASAS	1.9 g. FIBRAS

TECNICA: TORTILLA DE HUEVOS RELLENA

1 Agregue la cebolla y el perejil a la mantequilla caliente. Tape y cocine 3 minutos a fuego suave.

2 Agregue las calabacitas, berenjena y ajo; sazone bien. Tape y siga cociendo 6 ó 7 minutos más.

3 Agregue los tomates y especias; revuelva bien. Siga cocinando, destapado, de 6 a 7 minutos.

4 Agregue la mitad del queso parmesano y cocine 2 minutos.

Continúa en la página siguiente.

5 Corte el pan tostado en tiras. Prepare una tortilla plana y acomode las tiras de pan formando un anillo. Recorte si es necesario.

6 Ponga el relleno en el centro de la tortilla. Espolvoree con el queso parmesano restante.

7 Prepare la segunda tortilla plana y póngala sobre el relleno.

8 Espolvoree la parte superior con queso Gruyère. Meta al asador 3 minutos.

TECNICA: HUEVOS ESTRELLADOS

1 Caliente la mantequilla o margarina en una sartén antiadherente. La mantequilla debe estar caliente antes de poner los huevos.

2 Cocine los huevos a fuego suave para impedir que la mantequilla o margarina se quemen.

3 Para cocinar la yema sin voltear el huevo, báñela con la mantequilla caliente. Si se le dificulta recoger la grasa, derrita en otra sartén un poco más de mantequilla.

4 Al cubrir la sartén con una tapa, el calor se refracta hacia las yemas, cocinándolas más.

Huevos con Verduras *(4 porciones)*

1 c/da	aceite vegetal
1 c/dita	mantequilla
1	cebolla, pelada y finamente picada
1 c/dita	perejil fresco picado
2	dientes de ajo, machacados y picados
1	berenjena pequeña en cubitos
1 lata	(796 ml. / *28 oz.*) tomates, escurridos y picados
¼ c/dita	orégano
¼ taza	queso Gruyère rallado
4	huevos
	sal y pimienta
	pizca de chile desmenuzado

Caliente el horno previamente a 180 °C (*350 °F*).

Caliente el aceite y la mantequilla en una sartén grande.

Cuando esté caliente, agregue la cebolla, perejil y ajo; fría 3 minutos a fuego medio.

Agregue la berenjena y sazone bien; cocine de 4 a 5 minutos.

Tape y siga cocinando la berenjena durante 14 minutos a fuego suave.

Agregue los tomates, hierbas aromáticas y especias y sazone. Siga cocinando, sin tapar, de 4 a 5 minutos.

Agregue el queso y mezcle bien.

Rompa los huevos en la sartén, sobre las verduras. Cocine de 10 a 12 minutos en el horno.

Sirva con pan de ajo.

1 PORCION	236 CALORIAS	12 g. CARBOHIDRATOS
11 g. PROTEINAS	16 g. GRASAS	1.4 g. FIBRAS

TECNICA: HUEVOS CON VERDURAS

1 Agregue la cebolla, perejil y ajo a la grasa caliente; fría 3 minutos a fuego medio.

2 Agregue la berenjena y sazónela bien; cocine de 4 a 5 minutos.

3 Tape y siga cocinando la berenjena 14 minutos a fuego suave.

4 Agregue los tomates, especias y sazone. Siga cocinando, destapado, de 4 a 5 minutos.

Continúa en la página siguiente.

5 Agregue el queso y mezcle bien.

6 Rompa los huevos en la sartén sobre las verduras. Hornee de 10 a 12 minutos.

Huevos Estrellados con Pan de Ajo *(4 porciones)*

4	rebanadas de pan francés
1 c/da	mantequilla
4	huevos grandes
½ taza	queso Gruyère rallado
	mantequilla de ajo
	sal y pimienta

Tueste el pan y unte las rebanadas con mantequilla de ajo al gusto. Póngalas en un plato refractario y deje aparte.

Caliente la mantequilla en una sartén antiadherente para freír. Cuando esté caliente, agregue los huevos y cocínelos 3 minutos a fuego medio. Para los que prefieran la yema bien cocida, déle la vuelta a los huevos y siga friéndolos 1 minuto más.

Saque los huevos y acomódelos en las rebanadas de pan. Espolvoréelos con queso y sazone generosamente. Ponga 3 minutos en el asador.

Sírvalos.

1 PORCION	272 CALORIAS	11 g. CARBOHIDRATOS
12 g. PROTEINAS	20 g. GRASAS	0 g. FIBRAS

TECNICA: HUEVOS EN COCOTTE

1 Ponga los platos para cocotte o moldecitos refractarios en una charola con agua caliente a punto de ebullición. Ponga mantequilla en cada plato.

2 Vacíe los huevos en la mantequilla derretida y baje el fuego para que el agua hierva suavemente. Viértales la crema y termine de cocerlos al horno.

Huevos en Cocotte Sencillos *(4 porciones)*

c/das	mantequilla
4	huevos
⅓ taza	crema espesa
c/da	cebollinos picados
	sal y pimienta

Llene una charola grande con 2.5 cm. (*1 pulg.*) de agua caliente y póngala encima de la estufa.

Unte con mantequilla cuatro moldes refractarios póngales los huevos. Tenga cuidado de no romper las yemas. Sazone bien y agregue la crema.

Ponga los moldes en la charola y tápelos. Deje que el agua empiece a hervir y cocínelos de 2 a 3 minutos en el horno.

Ponga encima los cebollinos y sírvalos con pan tostado.

TECNICA: HUEVOS ESCALFADOS

1 Ponga agua, un poco de vinagre blanco y sal en una cacerola grande y deje que el agua empiece a hervir.

2 Rompa el primer huevo en un tazón pequeño.

3 Baje el fuego para que el agua hierva lentamente. Deslice con cuidado los huevos, de uno en uno, en el agua. Cocine a fuego medio de 3 a 4 minutos. El vinagre ayuda a que las claras se enrollen alrededor de las yemas.

4 Utilice una cuchara perforada para sacar los huevos y escúrralos bien.

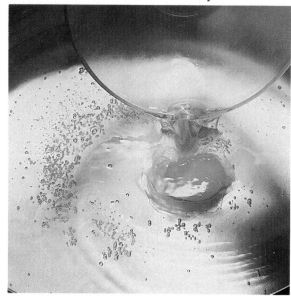

Huevos Escalfados Charron   *(4 porciones)*

	molletes tipo inglés, partidos por mitad
	rebanadas de tocino frito, picadas
	huevos poché
¼ taza	salsa holandesa*
c/das	puré de tomate caliente

Tueste las mitades de los molletes y póngalas en un plato refractario.

Acomode el tocino sobre los molletes y ponga encima los huevos poché.

Revuelva la salsa holandesa con el puré de tomate; viértala sobre los huevos y meta 2 minutos en el asador.

* Vea abajo Salsa Holandesa.

1 PORCION	571 CALORIAS	15 g. CARBOHIDRATOS
16 g. PROTEINAS	51 g. GRASAS	0 g. FIBRAS

Salsa Holandesa

375 g.	(¾ *lb.*) mantequilla sin sal
2	yemas de huevo
c/da	agua
c/dita	jugo de limón
	sal y pimienta

Ponga la mantequilla en un tazón acomodado en una cacerola con agua caliente. Derrítala a fuego suave. Quite la espuma y descarte el sedimento. Conserve caliente la mantequilla clarificada hasta que la use.

Ponga las yemas y el agua en un tazón, también acomodado en una cacerola con agua caliente. Revuelva 10 segundos con el batidor de alambre a fuego suave.

Siga cocinando 30 segundos a fuego suave para espesar las yemas.

Agregue *muy lentamente* la mantequilla clarificada, mientras revuelve constantemente.

Cuando la salsa espese, agregue jugo de limón y sazone al gusto.

Es mejor cuando se sirve inmediatamente, pero si es necesario, la salsa holandesa se conserva bien aproximadamente 1 hora. Cúbrala con una hoja de papel encerado (cerciorándose de que el papel toca la superficie) y deje el fuego muy suave.

Vea la técnica en la página siguiente.

1 PORCION	234 CALORIAS	0 g. CARBOHIDRATOS
0 g. PROTEINAS	26 g. GRASAS	0 g. FIBRAS

TECNICA: SALSA HOLANDESA

1 Ponga la mantequilla en un tazón, acomodado sobre una cacerola con agua caliente. Clarifíquela a fuego suave. Consérvela caliente hasta que la utilice.

2 Ponga las yemas y el agua en un tazón, también acomodado sobre una cacerola que contenga agua caliente. Revuelva 10 segundos, sobre el fuego suave, con un batidor de alambre.

3 Agregue la mantequilla clarificada *muy lentamente* mientras bate continuamente.

4 La salsa debe estar espesa y tersa. Es mejor si se sirve inmediatamente.

Huevos Benedict *(4 porciones)*

2	molletes tipo inglés, rebanados por mitad
4	rebanadas jamón cocido caliente
4	huevos poché
¾ taza	salsa holandesa*

Tueste las mitades de los molletes y póngalas en un plato refractario.

Acomode las rebanadas de jamón sobre los molletes y cúbralos con los huevos poché.

Cubra con la salsa holandesa. Deje 2 minutos en el horno.

Puede servirlos para el almuerzo.

* Vea Salsa Holandesa, página 137.

Vea la técnica en la página siguiente.

1 PORCION	527 CALORIAS	14 g. CARBOHIDRATOS
12 g. PROTEINAS	47 g. GRASAS	0 g. FIBRAS

TECNICA: HUEVOS BENEDICT

1 Ponga las mitades de molletes tipo inglés en un plato refractario.

2 Acomode las rebanadas de jamón sobre los molletes.

3 Ponga encima los huevos poché.

4 Bañe con salsa holandesa. Meta al horno (o asador) 2 minutos.

Huevos con Salsa Cheddar *(2 porciones)*

3 c/das	mantequilla
3 c/das	harina
1½ tazas	leche caliente
¼ taza	queso cheddar rallado
2	huevos poché
½ c/dita	perejil picado
	sal y pimienta

Caliente la mantequilla en una cacerola.

Cuando esté caliente, agregue la harina y revuelva. Cocine 1 minuto a fuego suave.

Vierta la leche caliente, sazone y revuelva con un batidor de alambre. Siga cocinando 6 a 7 minutos a fuego suave.

Agregue la mitad del queso y revuelva; cocine 2 minutos. El queso debe estar completamente derretido y la salsa debe quedar espesa.

Ponga los huevos poché en el plato refractario y báñelos con salsa. Deje 3 minutos en el horno.

Saque el plato y espolvoree con el queso restante y el perejil. Sirva con champiñones salteados.

Vea la técnica en la página siguiente.

1 PORCION	446 CALORIAS	18 g. CARBOHIDRATOS
17 g. PROTEINAS	34 g. GRASAS	0 g. FIBRAS

TECNICA: HUEVOS CON SALSA CHEDDAR

1 Caliente la mantequilla en una cacerola. Cuando esté caliente, agregue la harina y mezcle. Cocine 1 minuto a fuego suave.

2 Vacíe la leche caliente, sazone y mezcle con un batidor de alambre. Siga cocinando de 6 a 7 minutos más, a fuego suave.

3 Agregue la mitad del queso y revuelva; cocine 2 minutos.

4 El queso debe derretirse completamente y la salsa debe quedar espesa.

Huevos Horneados en Cáscaras de Papa   *(4 porciones)*

4	**papas grandes horneadas**
4	**huevos grandes**
2 c/das	**mantequilla**
1 c/da	**cebolla picada**
1 c/da	**cebollinos picados**
	sal y pimienta
	crema ácida

Caliente el horno previamente a 200 °C *(400 °F).*

Ponga las papas horneadas en la tabla de cortar y quíteles la parte superior. Vacíe las ¾ partes de la pulpa de la papa y deje a un lado.

Sazone las cáscaras de papa y agregue los huevos. Hornee 10 minutos en el horno o hasta que las claras estén firmes.

Mientras se están cocinando los huevos, caliente la mantequilla en una sartén antiadherente. Cuando esté caliente, agregue la cebolla y cebollinos; cocine 3 minutos a fuego medio.

Agregue la pulpa de las papas y aplánela con una espátula metálica. Sazone generosamente y fríala 3 minutos por cada lado.

Sirva la torta de papa como acompañamiento, junto con crema ácida.

Vea la técnica en la página siguiente.

1 PORCION	307 CALORIAS	33 g. CARBOHIDRATOS
10 g. PROTEINAS	15 g. GRASAS	0.9 g. FIBRAS

TECNICA: HUEVOS HORNEADOS EN CASCARAS DE PAPA

1 Ponga las papas horneadas en la tabla de cortar y quíteles la parte superior.

2 Saque las ¾ partes de la pulpa de la papa y déjela aparte.

3 Sazone las cáscaras de papa y agregue los huevos. Hornéelos.

4 Después de 10 minutos en el horno, las claras ya están firmes.

Huevos al Horno con Espinacas *(4 porciones)*

1 c/da	mantequilla
2 tazas	espinacas cocidas, picadas
1 taza	salsa blanca rápida, caliente*
¼ c/dita	nuez moscada
4	huevos grandes
	sal y pimienta

Caliente el horno previamente a 200 °C (*400 °F*).

Unte un molde refractario con mantequilla.

Ponga las espinacas en un tazón; agrégueles la salsa blanca y la nuez moscada. Revuelva bien y sazone.

Vierta la mezcla de espinacas en un molde refractario. Agregue los huevos y revuelva ligeramente con un tenedor, evitando romper las yemas.

Ponga el molde en el horno y déjelo de 6 a 8 minutos.

Sirva con pan tostado con mantequilla.

* Vea Salsa Blanca Rápida, más abajo.

1 PORCION	224 CALORIAS	9 g. CARBOHIDRATOS
11 g. PROTEINAS	16 g. GRASAS	0.8 g. FIBRAS

Salsa Blanca Rápida

4 c/das	mantequilla
4½ c/das	harina
3 tazas	leche caliente
¼ c/dita	nuez moscada
¼ c/dita	semillas de apio
	pizca de paprika
	sal y pimienta blanca

Caliente la mantequilla en una cacerola pequeña, agregue la harina y revuelva con un batidor de alambre. Cocine 1 minuto a fuego suave.

Vierta la mitad de la leche y revuelva bien; agregue el resto de la leche, especias, sal y pimienta. Revuelva.

Cocine la salsa 8 minutos a fuego suave. Revuelva 2 ó 3 veces durante el proceso de cocción.

Si se cubre con papel encerado, esta salsa se conserva bien en el refrigerador durante 2 semanas.

1 RECETA	976 CALORIAS	63 g. CARBOHIDRATOS
28 g. PROTEINAS	68 g. GRASAS	0 g. FIBRAS

Huevos al Horno   *(2 porciones)*

2 c/das	mantequilla
4	huevos
½ taza	crema espesa
1 c/da	perejil fresco picado
	sal y pimienta

Caliente el horno previamente a 190 °C *(375 °F)*.

Reparta la mantequilla en dos platos refractarios individuales o dos platos para gratinar. Póngalos en el horno durante 3 minutos.

Mientras tanto, rompa dos huevos en un tazón pequeño, y los restantes, en otro tazón.

Saque los platos del horno y vacíe con cuidado dos huevos en cada uno.

Vierta la crema y sazone generosamente con sal y pimienta. Cocine de 8 a 10 minutos en el horno.

Espolvoree con perejil picado y sirva.

1 PORCION	447 CALORIAS	2 g. CARBOHIDRATOS
13 g. PROTEINAS	43 g. GRASAS	0 g. FIBRAS

Rollos de Jamón con Huevo *(4 porciones)*

4	**huevos cocidos, rebanados**
1 lata	**(398 ml. / *14 oz.*) espárragos, escurridos y cortados en pedazos de 1.3 cm. (*½ pulg.*)**
1½ tazas	**salsa blanca rápida*, caliente**
1 c/dita	**perejil picado**
4	**rebanadas delgadas jamón cocido**
¼ taza	**queso cheddar rallado**
	sal y pimienta
	pizca de paprika

Caliente el horno previamente a 190 °C (*375 °F*).

Ponga los huevos y los espárragos en un tazón; revuélvalos.

Agregue la mitad de la salsa blanca y del perejil; revuelva bien y sazone.

Ponga 2 c/das de la mezcla de huevo en cada rebanada de jamón. Enróllela y póngala en un plato refractario ligeramente untado de mantequilla.

Vierta el resto de la salsa blanca sobre los rollos y espolvoréelos con paprika. Agregue el queso y hornee 8 minutos en el horno.

Sírvalos como almuerzo o comida.

* Vea Salsa Blanca Rápida, página 145.

Vea la técnica en la página siguiente.

1 PORCION	279 CALORIAS	11 g. CARBOHIDRATOS
16 g. PROTEINAS	19 g. GRASAS	0.5 g. FIBRAS

TECNICA: ROLLOS DE JAMON CON HUEVO

1 Ponga los huevos y espárragos en un tazón; revuelva. Agregue la mitad de la salsa blanca y el perejil; revuelva bien y sazone.

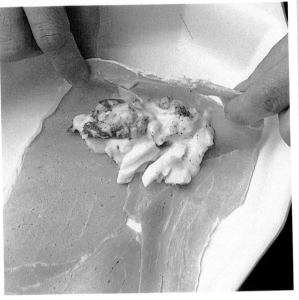

2 Ponga 2 c/das de la mezcla de huevo en cada rebanada de jamón.

3 Enrolle y acomode en un plato refractario ligeramente untado de mantequilla.

4 Vierta el resto de la salsa blanca sobre los rollos y espolvoree con paprika. Agregue el queso y hornee durante 8 minutos.

Croquetas de Huevo *(4 porciones)*

3 c/das	mantequilla
1 c/da	cebolla picada
1 c/dita	perejil picado
4 c/das	harina
1 taza	leche caliente
5	huevos cocidos, picados
2	huevos batidos
1½ tazas	pan molido
	sal y pimienta

Caliente previamente aceite de maní (cacahuate) en una freidora profunda, a 180 °C (*375 °F*).

Caliente la mantequilla en una cacerola pequeña. Agregue la cebolla y el perejil; fría 2 minutos.

Agregue la harina y revuelva bien.

Vierta la leche caliente, revuelva y sazone generosamente. Siga cocinando de 6 a 7 minutos a fuego suave, revolviendo frecuentemente.

Saque la sartén del fuego y deje enfriar. Ponga los huevos picados en un tazón grande y viértales la salsa; revuelva hasta que se combinen bien.

Haga las croquetas con la mezcla. Sumérjalas en el huevo batido y cubra con pan molido.

Déjelas 2 minutos en la freidora. Si le agrada, sírvalas con salsa de tomate.

Vea la técnica en la página siguiente.

TECNICA: CROQUETAS DE HUEVO

1 Ponga la cebolla y el perejil en la mantequilla caliente; fría 2 minutos.

2 Agregue el harina y revuelva bien.

3 Vierta la leche caliente y sazone generosamente. Siga cocinando por 6 ó 7 minutos a fuego suave.

4 Ponga los huevos en un tazón grande y vacíele la salsa fría; revuelva hasta que se combinen. Forme las croquetas con la mezcla.

5 Sumerja en el huevo batido.

6 Cubra con pan molido. Déjelas 2 minutos en la freidora.

Huevos al Horno con Salsa *(4 porciones)*

¼ taza	queso cheddar desmenuzado
1 c/dita	mostaza preparada
1½ tazas	salsa blanca rápida,* caliente
4	huevos grandes
	pizca de paprika
	sal y pimienta

Caliente el horno previamente a 190 °C (*475 °F*).

Agregue el queso y la mostaza a la salsa blanca caliente. Sazone generosamente y cocine 3 minutos para derretir el queso.

Vierta la mitad de la salsa en un plato refractario; agregue los huevos. Bañe con la salsa restante y espolvoree con paprika. Hornee 8 minutos.

Acompañe con salchichas o tocino.

* Vea Salsa Blanca Rápida, página 145.

1 PORCION 238 CALORIAS 8 g. CARBOHIDRATOS
11 g. PROTEINAS 18 g. GRASAS 0g. FIBRAS

TECNICA: HUEVOS COCIDOS

1 Con una cuchara, ponga los huevos a temperatura ambiente, cuidadosamente, de uno a uno, en agua hirviendo. Reduzca el fuego para mantener el agua bajo el punto de ebullición.

2 Este huevo de 4 minutos puede usarse en varias recetas, pero debe tener cuidado porque la única parte que queda cuajada es la clara.

3 Este huevo de 10 minutos es el huevo cocido tradicional. Los huevos que se cocinan por más tiempo, se vuelven correosos y las reacciones químicas hacen que las yemas cambien de color.

4 Cuando los huevos se cocinan al gusto, hay que sumergirlos en agua fría para detener el proceso de cocción. Una vez que se enfrían, se pueden guardar en el refrigerador de 2 a 3 días.

Huevos Estilo Panadero *(4 porciones)*

4	bollos individuales, pequeños
3 c/das	mantequilla
2 c/das	cebolla rebanada
4 c/das	harina
1½ tazas	leche caliente
¼ taza	queso Gruyère rallado
8	huevos cocidos, picados
	pizca de paprika
	sal y pimienta

Prepare los bollos siguiendo la técnica que aparece en las páginas siguientes.

Caliente la mantequilla en una cacerola. Cuando esté caliente, agregue la cebolla y tape; fría 4 minutos.

Agregue la harina y cocine 1 minuto más.

Vierta la leche y agregue una pizca de paprika; revuelva bien, sazone y cocine de 5 a 6 minutos a fuego suave.

Agregue el queso y revuelva hasta que se incorpore bien. Hierva a fuego suave algunos minutos.

Ponga los huevos picados en los bollos y báñelos con salsa. Meta al asador 3 minutos.

Sírvalos y, si le agrada, adorne con una rebanada de huevo.

Vea la técnica en las páginas siguientes.

1 PORCION	457 CALORIAS	28 g. CARBOHIDRATOS
21 g. PROTEINAS	29 g. GRASAS	0 g. FIBRAS

TECNICA: HUEVOS ESTILO PANADERO

1 Corte la parte superior de los bollos y quíteles el migajón. Póngalos en un platón refractario.

2 Métalos al horno y déjelos hasta que doren. Deje aparte.

3 Ponga la cebolla en la mantequilla caliente. Tape y cocine 4 minutos.

4 Revuelva la harina y siga cocinando 1 minuto.

5 Vacíe la leche y ponga una pizca de paprika; revuelva bien, sazone y cocine de 5 a 6 minutos a fuego suave.

6 Agregue el queso y revuelva hasta que se incorpore bien. Siga cocinando a fuego suave durante varios minutos.

7 Ponga los huevos picados en los bollos.

8 Vierta la salsa sobre los huevos. Ponga 3 minutos en el asador.

Huevos Sorpresa *(2 porciones)*

1 c/da	mantequilla
½	cebolla pequeña, pelada y picada
1	puerro pequeño, parte blanca, rebanado
6	champiñones limpios y cortados a la mitad
2	huevos cocidos, en cubos grandes
2 c/das	crema espesa
	pizca de paprika
	croutons
	sal y pimienta

Caliente la mantequilla en la sartén.

Cuando esté caliente, agregue la cebolla y la paprika. Sazone, tape y cocine 3 minutos a fuego medio.

Agregue los puerros y champiñones; sazone bien. Siga cociendo, tapado, de 4 a 5 minutos.

Pase la mezcla a un plato refractario y agregue los huevos cocidos. Vacíele la crema y ponga encima varios croutons. Sazone con pimienta y deje asar 5 minutos en el horno.

Sírvalos.

1 PORCION   242 CALORIAS   10 g. CARBOHIDRATOS
10 g. PROTEINAS   18 g. GRASAS   0.6 g. FIBRAS

TECNICA: HUEVOS SORPRESA

1 Ponga la cebolla y la paprika en mantequilla caliente. Sazone, tape y cocine 3 minutos a fuego medio.

2 Agregue los puerros.

4 Pase la mezcla a un plato refractario y agregue los huevos cocidos. Agregue la crema, croutons y pimienta; ponga a asar 5 minutos en el horno.

3 Agregue los champiñones y sazone bien. Siga cocinando, tapado, de 4 a 5 minutos.

Huevos Deliciosos para el Desayuno *(4 porciones)*

4	rebanadas pan tostado
2 c/das	mantequilla de ajo
1 taza	aceite de maní (cacahuate)
4	huevos grandes
	sal y pimienta

Acomode el pan tostado en un platón refractario y unte la mantequilla de ajo sobre las rebanadas. Consérvelo caliente en el horno a 70 °C (*150 °F*).

Vierta el aceite en una sartén honda y caliéntelo. Cuando esté caliente, ponga el primer huevo y báñelo rápidamente con una cuchara. Cocínelo de 30 a 40 segundos.

Saque el huevo ya cocinado y escúrralo. Repita el procedimiento para los huevos restantes.

Ponga los huevos sobre la rebanada de pan tostado con mantequilla de ajo y sazónelo con sal y pimienta. Sírvalo.

1 PORCION	260 CALORIAS	12 g. CARBOHIDRATOS
8 g. PROTEINAS	20 g. GRASAS	0 g. FIBRAS

Duxelles de Champiñones

3 c/das	mantequilla
2	chalotes, finamente picados
1 c/da	perejil picado
½ kg.	(*1 lb.*) champiñones, limpios y finamente picados
¼ taza	crema espesa
	unas gotas salsa Tabasco
	sal y pimienta

Caliente la mantequilla en una sartén. Cuando esté caliente, agregue los chalotes y el perejil; cocínelos 3 minutos a fuego suave.

Agregue los champiñones y revuelva bien. Agregue la salsa Tabasco y sazone generosamente; siga cocinando de 8 a 10 minutos a fuego suave. Revuelva dos veces durante el proceso de cocción.

Vierta la crema y revuelva bien. Cocine de 3 a 4 minutos más a fuego suave o hasta que el líquido se evapore.

Cuando esté cocinado, muélalo en mortero o licuadora.

1 RECETA	648 CALORIAS	22 g. CARBOHIDRATOS
14 g. PROTEINAS	56 g. GRASAS	4.0 g. FIBRAS

1 Ponga los chalotes y el perejil en la mantequilla caliente. Cocínelos 3 minutos a fuego suave.

2 Agregue los champiñones y revuelva bien. Agregue la salsa Tabasco y sazone generosamente; siga cocinando de 8 a 10 minutos. Revuelva dos veces durante el proceso de cocción.

3 Vierta la crema y revuelva bien. Cocine de 3 a 4 minutos más o hasta que el líquido se evapore.

4 Cuando esté cocinado, muélalo en mortero o licuadora.

Huevos Rellenos con Duxelles
de Champiñones *(4 porciones)*

8	huevos cocidos
2 c/das	crema ácida
1 taza	duxelles de champiñones*
¼ taza	crema espesa
1 c/da	perejil picado
	sal y pimienta

Caliente el horno previamente a 200 °C *(400 °F)*.

Pele y rebane los huevos a la mitad. Quite las yemas con cuidado y páselas por un cedazo.

Agregue la crema ácida a las yemas y sazónelas bien.

Agregue duxelles de champiñones, sazone bien y combine todo.

Rellene las claras con el relleno y acomódelas en un platón refractario. Vierta encima la crema y cocine de 6 a 7 minutos en el horno.

Espárzales perejil y sirva.

* Vea Duxelles de Champiñones, página 158

1 PORCION	394 CALORIAS	6 g. CARBOHIDRATOS
16 g. PROTEINAS	34 g. GRASAS	1.0 g. FIBRAS

1 Pase las yemas por un cedazo. Agregue la crema ácida y revuelva bien.

2 Agregue el duxelles de champiñones, sazone bien y combine todo.

3 Llene las claras de huevo con el relleno y póngalas en un platón refractario.

Pasta para Quiche

500 g.	(*1 lb.*) harina de trigo
¼ c/dita	sal
125 g.	(*¼ lb.*) mantequilla
125 g.	(*¼ lb.*) grasa vegetal
4 a 5 c/das	agua fría

Cierna la harina y la sal en un tazón grande.

Agregue la mantequilla y la grasa vegetal; incorpórelas con un mezclador para repostería. Siga cortando la grasa en la harina hasta que parezca avena.

Haga un hueco en el centro de la harina y ponga el agua. Amase la pasta hasta que esté tersa.

Haga una bola con la pasta y cúbrala con un trapo limpio. Refrigere 1 hora.

Antes de usar la pasta, debe estar a temperatura ambiente.

1 CONCHA	1273 CALORIAS	127 g. CARBOHIDRATO
18 g. PROTEINAS	77 g. GRASAS	0.5 g. FIBRAS

Horneado previo de la Pasta para Quiche

Cuando utilice verduras con alto contenido de agua, como tomates, es preferible hornear previamente la concha para el quiche. De otro modo, la pasta absorbe el exceso de agua durante el proceso de cocción y quedará demasiado mojada.

Forre el molde seleccionado con la pasta; pique la parte inferior con un tenedor. Deje reposar de 20 a 30 minutos.

Caliente el horno previamente a 200 °C (*400 °F*).

Ponga una hoja de papel encerado sobre la pasta. Agregue 1½ tazas de granos secos para evitar que la pasta forme burbujas.

Hornee 15 minutos.

TECNICA: PASTA PARA QUICHE

1 Cierna la harina y la sal en un tazón grande. Agregue la mantequilla y la grasa vegetal.

2 Incorpórela con un mezclador para repostería. Siga cortando la grasa en la harina hasta que parezca avena.

3 Haga un hueco en el centro de la harina y ponga el agua. Amase la pasta hasta que esté tersa.

4 Haga una bola con la pasta. Cubra con un trapo limpio y refrigere 1 hora.

Quiche de Tomates *(4 porciones)*

250 g.	(½ *lb.*) pasta para quiche*
2 c/das	aceite vegetal
1	diente de ajo, pelado y cortado en dos
2	tomates grandes, pelados y cortados en rebanadas de 0.65 cm. (¼ *pulg.*)
½ taza	queso Gruyère rallado
3	huevos batidos
1 taza	crema espesa
	pizca de pimienta de Cayena
	perejil picado al gusto
	sal

1 molde oval para quiche de 27 x 19 x 4 cm. de hondo (10½ *x 7½ x 1½ pulg.*).

Caliente el horno previamente a 190 °C (*375 °F*).

Forre el molde con la pasta y deje reposar de 20 a 30 minutos. Cocine previamente la concha.**

Caliente el aceite en una sartén. Cuando esté caliente, agregue el ajo y cocine 2 minutos.

Saque el ajo y tírelo. Agregue las rebanadas de tomate al molde y sazone bien. Cocine 3 minutos de cada lado a fuego medio.

Ponga las rebanadas de tomate en la concha de la quiche. Espolvoree con queso.

Revuelva los huevos con la crema; agregue la pimienta de Cayena, perejil y sal. Viértalos en la concha de la quiche.

Hornee 45 minutos. Tome nota de que esta quiche queda bastante húmeda una vez que se horneó.

* Vea Pasta para Quiche, página 162
** Vea Horneado Previo de la Pasta, página 162.

1 PORCION	604 CALORIAS	37 g. CARBOHIDRATOS
15 g. PROTEINAS	44 g. GRASAS	0.6 g. FIBRAS

Quiche de Berenjenas *(4 porciones)*

250 g.	(½ *lb.*) pasta para quiche*
c/das	mantequilla
	cebolla pequeña, pelada y finamente picada
	diente de ajo, machacado y picado
	berenjena pequeña, cortada en trozos medianos
c/das	pasta de tomate
¼ taza	queso Emmenthal rallado
	huevos batidos
taza	crema espesa
	sal y pimienta

1 molde redondo par quiche de 23 x 4 cm. de alto (*9 x 1½ pulg.*).

Caliente el horno previamente a 190 °C (*375 °F*).

Forre el molde con pasta y deje aparte de 20 a 30 minutos. Cocine previamente la concha.**

Caliente la mantequilla en una sartén. Cuando esté caliente, agregue la cebolla y el ajo; tape y cocine 5 minutos a fuego medio.

Agregue la berenjena y sazone bien. Tape y cocine 14 minutos a fuego suave. Durante el proceso de cocción, revuelva varias veces.

Agregue la pasta de tomate y revuelva; siga cocinando 6 minutos.

Vacíe la mezcla con berenjena en la concha para quiche. Espolvoree con queso.

Revuelva los huevos con crema; vacíelos en la concha.

Hornee 45 minutos.

* Vea Pasta para Quiche, página 162.
** Vea Horneado Previo de la Pasta, página 162.

1 PORCION	534 CALORIAS	37 g. CARBOHIDRATOS
11 g. PROTEINAS	38 g. GRASAS	0.3 g. FIBRAS

Quiche de Espinacas *(4 porciones)*

250 g.	(½ *lb.*) pasta para quiche*
tazas	espinacas cocidas picadas, salteadas en mantequilla
¼ taza	queso Gruyère rallado
	huevos batidos
taza	crema espesa
	un poco de nuez moscada
	sal y pimienta

1 molde redondo de quiche, 23 x 4 cm. de alto (*9 x 1½ pulg.*).

Caliente el horno previamente a 190 °C (*375 °F*).

Forre el molde con la pasta y deje aparte de 20 a 30 minutos. Hornee previamente la concha.**

Ponga las espinacas en la concha para quiche; espolvoree con queso.

Revuelva los huevos con la crema; agregue la nuez moscada y sazone bien. Viértalos en la concha para quiche.

Hornee 45 minutos.

* Vea Pasta para Quiche, página 162.
** Vea Horneado Previo de la Pasta, página 162.

1 PORCION	533 CALORIAS	36 g. CARBOHIDRATOS
14 g. PROTEINAS	37 g. GRASAS	0.9 g. FIBRAS

Quiche de Cebolla *(4 porciones)*

250 g.	(*½ lb.*) **pasta para quiche***
2 c/das	**mantequilla**
3	**cebollas grandes, peladas y finamente rebanadas**
2 c/das	**pasta de tomate**
½ taza	**queso Gruyère rallado**
1 c/da	**perejil picado**
3	**huevos batidos**
1 taza	**crema espesa**
	pizca de azúcar
	unas gotas de salsa Tabasco
	sal y pimienta

1 molde redondo para quiche, 23 x 4 cm. de alto (*9 x 1½ pulg.*).

Caliente el horno previamente a 190 °C (*375 °F*).

Forre el molde con la pasta y deje aparte de 20 a 30 minutos.

Caliente la mantequilla en una sartén. Cuando esté caliente, póngale las cebollas y sazone bien. Cocine 15 minutos a fuego suave. Revuelva ocasionalmente. Agregue la pasta de tomate y el azúcar; revuelva bien. Siga cocinando 5 minutos más.

Ponga las cebollas en la concha para quiche y espolvoréelas con el queso. Sazone con salsa Tabasco, sal y pimienta.

Revuelva el perejil con los huevos y la crema; sazone bien. Vierta la mezcla en la concha para quiche.

Si le agrada, barnice la concha para quiche con un poco de huevo batido. Esto hace que la pasta dore mientras se cocina.

Hornee 45 minutos.

* Vea Pasta para Quiche, página 162.

1 PORCION	594 CALORIAS	39 g. CARBOHIDRATOS
15 g. PROTEINAS	42 g. GRASAS	0.7 g. FIBRAS

TECNICA: QUICHE DE CEBOLLA

1 Cocine las cebollas en mantequilla caliente, a fuego suave. Sazónelas bien.

2 Las cebollas, después de 15 minutos de cocinarlas.

3 Revuelva la pasta de tomate y el azúcar; revuelva bien. Siga cocinando por 5 minutos.

4 Ponga las cebollas en la concha para quiche.

Continúa en la página siguiente.

5 Espolvoree con queso.

6 Sazone con la salsa Tabasco, sal y pimienta.

7 Revuelva el perejil con los huevos y la crema; sazone bien. Vierta en la concha para quiche.

8 Si le agrada, barnice la concha de la quiche con un poco de huevo batido. Esto hace que la pasta dore mientras se cocina.

Quiche de Tocino *(4 porciones)*

250 g.	(½ *lb.*) pasta para quiche*
5	rebanadas tocino cocinado, cortado en tiras julianas
2	rebanadas grandes queso Gruyère, cortadas en tiras julianas
3	huevos batidos
1	yema de huevo
1 taza	crema espesa
1 c/da	cebollinos picados
	un poco de nuez moscada
	pimienta recién molida

1 molde redondo para quiche, 23 x 4 cm. de hondo (*9 x 1½ pulg.*).

Caliente el horno previamente a 190 °C (*375 °F*).

Forre el molde con la pasta y deje aparte de 20 a 30 minutos.

Revuelva el tocino con el queso; póngalos en la concha para quiche.

Revuelva los huevos enteros con la yema y la crema; agregue los cebollinos, nuez moscada y pimienta. Vacíelos en la concha para quiche.

Hornee 45 minutos.

* Vea Pasta para Quiche, página 162.

1 PORCION	578 CALORIAS	33 g. CARBOHIDRATOS
17 g. PROTEINAS	42 g. GRASAS	0 g. FIBRAS

Quiche de Huevos Cocidos y Jamón *(4 porciones)*

250 g.	(½ *lb.*) pasta para quiche*
3	huevos cocidos, rebanados
3	rebanadas de jamón cocido, cortadas en tiras julianas
2 c/das	queso mozzarella rallado
3	huevos batidos
1 taza	crema espesa
1 c/da	perejil picado
	un poco de pimienta de Cayena
	un poco de nuez moscada
	sal

1 molde redondo para quiche, 23 x 4 cm. de hondo (*9 x 1½ pulg.*).

Caliente el horno previamente a 190 °C (*375 °F*).

Forre el molde con la pasta y deje aparte de 20 a 30 minutos.

Acomode los huevos rebanados en la concha para quiche; agregue el jamón, queso y pimienta de Cayena.

Revuelva los huevos batidos con la crema; agregue el perejil, nuez moscada y sal. Viértalo en la concha para quiche.

Hornee 45 minutos.

* Vea Pasta para Quiche, página 162.

1 PORCION	494 CALORIAS	32 g. CARBOHIDRATOS
15 g. PROTEINAS	34 g. GRASAS	0.1 g. FIBRAS

Quiche Lorraine *(4 porciones)*

250 g.	(¹/₂ *lb.*) pasta para quiche*
3	rebanadas de tocino, en cubos
¹/₃ taza	queso Gruyère rallado
3	huevos batidos
1 taza	crema espesa
1 c/da	perejil picado
	pizca de nuez moscada
	sal y pimienta

1 molde redondo para quiche, 23 x 4 cm. de hondo (*9 x 1¹/₂ pulg.*).

Caliente el horno previamente a 190 °C (*375 °F*).

Forre el molde con la pasta y deje aparte de 20 a 30 minutos.

Ponga el tocino en una cacerola con 2 tazas de agua hirviendo. Hiérvalo de 4 a 5 minutos.

Escurra el tocino y saltéelo de 2 a 3 minutos en una sartén.

Con una cuchara perforada, ponga el tocino en la concha para quiche. Espolvoree con queso; agregue la nuez moscada, el perejil y sazone bien.

Revuelva los huevos batidos con la crema; vacíelos sobre el tocino. Sazone bien.

Hornee 45 minutos.

* Vea Pasta para Quiche, página 162.

1 PORCION	551 CALORIAS	33 g. CARBOHIDRATOS
17 g. PROTEINAS	39 g. GRASAS	0.1 g. FIBRAS

TECNICA: QUICHE LORRAINE

1 Si le agrada, pique la pasta con un tenedor. Esta técnica hará que el fondo quede plano durante la cocción.

2 Ponga el tocino en una cacerola con 2 tazas de agua hirviendo. Hiérvalo de 4 a 5 minutos.

3 Escurra el tocino y saltéelo de 2 a 3 minutos en una sartén.

4 Ponga el tocino en una concha para quiche.

Continúa en la página siguiente.

171

5 Espolvoree con queso; agregue la nuez moscada, el perejil y sazone bien.

6 Vacíe los huevos batidos con la crema en la concha para quiche; sazone bien.

Quiche de Pollo y Champiñones *(4 porciones)*

250 g.	(*½ lb.*) pasta para quiche*
3 c/das	mantequilla
250 g.	(*½ lb.*) champiñones, limpios y rebanados
1	pechuga de pollo, deshuesada, sin pellejo y en cubitos
1 c/da	perejil picado
¼ taza	queso Emmenthal rallado
3	huevos batidos
1 taza	crema espesa
	sal y pimienta

1 molde redondo para quiche, 23 x 4 cm. de hondo (*9 x 1½ pulg.*).

Caliente previamente el horno a 190 °C (*375 °F*).

Forre el molde con la pasta y deje aparte de 20 a 30 minutos.

Caliente la mantequilla en una sartén. Cuando esté caliente, agregue los champiñones y sazónelos bien. Cocínelos de 3 a 4 minutos a fuego alto.

Saque los champiñones y déjelos aparte.

Vacíe el pollo en la sartén y sazónelo bien; cocínelo de 6 a 7 minutos a fuego medio. Ponga otra vez los champiñones en la sartén y agregue el perejil; revuelva bien. Ponga la mezcla en una concha para quiche y espolvoree con queso.

Revuelva los huevos con la crema y sazónelos bien. Vacíelos en la concha para quiche.

Hornee 45 minutos.

* Vea Pasta para Quiche, página 162.

1 PORCION	603 CALORIAS	34 g. CARBOHIDRATOS
20 g. PROTEINAS	43 g. GRASAS	0.4 g. FIBRAS

Soufflé de Gruyère *(4 porciones)*

4 c/das	mantequilla
1½ tazas	queso Gruyère rallado
3 c/das	harina
1½ tazas	leche caliente
4	yemas extra grandes
5	claras extra grandes, batidas a punto de turrón
	un poco de nuez moscada
	sal y pimienta

Caliente el horno previamente a 190 °C (*375 °F*).

Unte con mantequilla un molde para soufflé de 6 tazas. Espolvoree un poco de queso en la parte inferior y en los lados; deje aparte.

Caliente el resto de la mantequilla en una cacerola. Cuando esté caliente, agregue el harina y revuelva rápidamente. Cocínela 1 minuto.

Vierta la leche caliente y agregue la nuez moscada, revolviendo bien con un batidor de alambre. Sazone bien y cocine 8 minutos a fuego suave. Revuelva dos veces durante el proceso de cocción.

Saque la cacerola del fuego y deje que se enfríe ligeramente. Agregue las yemas de una en una, batiendo entre una adición y otra. Las yemas deben quedar perfectamente incorporadas.

Pase la mezcla a un tazón; agregue el queso restante. Incorpore las claras batidas a la mezcla con una espátula, teniendo cuidado de no revolver demasiado.

Vierta la mezcla en el molde para soufflé; debe quedar a 4 cm. (*1½ pulg.*) de la orilla superior. Hornee de 35 a 40 minutos.

1 PORCION   439 CALORIAS   10 g. CARBOHIDRATOS
21 g. PROTEINAS   35 g. GRASAS   0 g. FIBRAS

TECNICA: COMO DESMEMBRAR EL POLLO

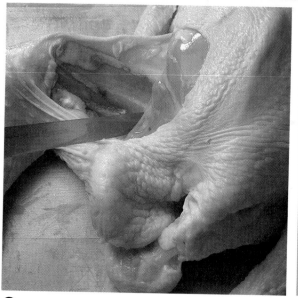

1 Cortar el pollo en piezas es bastante sencillo, pero se requiere un cuchillo afilado e, idealmente, una tabla de cocina.

2 Empiece colocando el pollo sobre la tabla con la pechuga para arriba. Jale una pierna hacia afuera y corte a través de la piel, deslizando el cuchillo a lo largo del cuerpo.

3 Incline la pierna hacia atrás y tuérzala, si es necesario, para desarticularla. Corte los ligamentos con el cuchillo y quite la pierna.

4 Repita para la otra pierna.

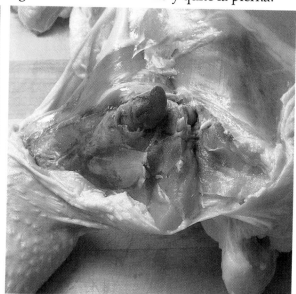

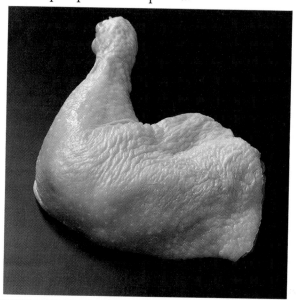

Continúa en la página siguiente.

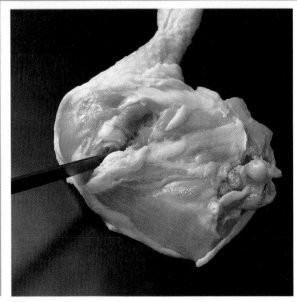

5 Ponga la pierna con el pellejo hacia abajo y busque con el cuchillo la articulación entre el muslo y la pierna; córtela.

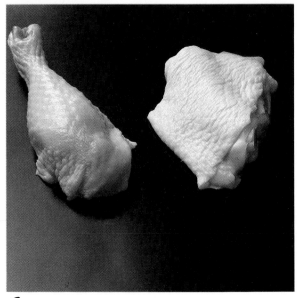

6 Repita para la otra pierna.

7 Corte a través de la carne y articulaciones para quitar ambas alas. Corte el huacal a la mitad (como se muestra) y empiece a quitar la pechuga cortando a lo largo de la quilla.

8 Siga cortando hacia el frente del ave y alrededor de la espoleta.

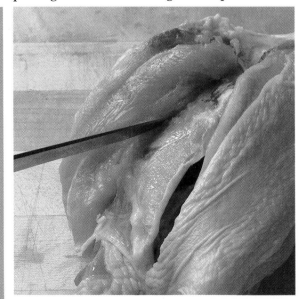

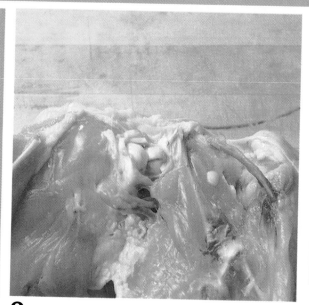

9 Fuerce la pechuga hacia abajo y desarticúlela. Corte con el cuchillo para separar los ligamentos.

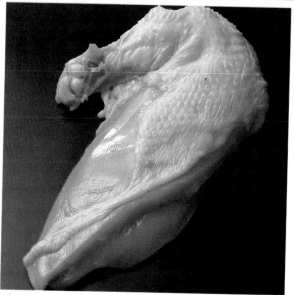

10 Repita para el otro lado de la pechuga. Nota: Guarde el huacal para hacer caldo de pollo

11 Acabe de deshuesar el pollo empujando la carne hacia atrás, como se muestra; retuerza el hueso para desprenderlo. Nota: Este hueso se puede quitar cuando se corta el ala.

12 Estas son las presas de medio pollo. La mayoría de las recetas requieren de 6 a 10 presas; para tener la cantidad necesaria para la receta que prepare, deje las pechugas y piernas enteras, o córtelas en dos.

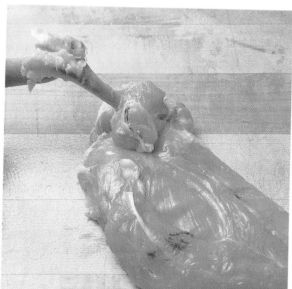

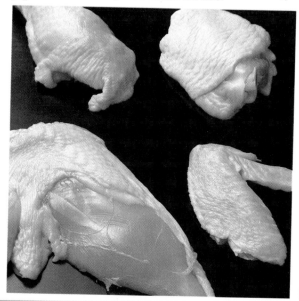

177

Arroz al Vapor *(4 porciones)*

1 taza	arroz de grano largo, enjuagado y escurrido
5 tazas	agua hirviendo con sal

Deje caer el arroz en el agua hirviendo y revuelva. Tape la cacerola y cuézalo 12 minutos.

Escurra el arroz y enjuáguelo; escurra de nuevo.

Ponga el arroz en una vaporera; tápela y deje al vapor de 10 a 15 minutos.

Sírvalo caliente.

1 PORCION	108 CALORIAS	25 g. CARBOHIDRATOS
2 g. PROTEINAS	0 g. GRASAS	0.1 g. FIBRAS

Salsa Blanca de Rábano Picante

4 c/das	mantequilla
2 c/das	cebolla picada
4 c/das	harina
2 tazas	leche caliente
¼ c/dita	nuez moscada
2½ c/das	rábano picante
	un poco de paprika
	sal y pimienta

Caliente la mantequilla en una cacerola. Cuando esté caliente, agregue la cebolla y fría 3 minutos a fuego suave.

Agregue la harina y mezcle; cocine 1 minuto sin tapar.

Vacíele la mitad de la leche y revuelva bien. Agregue el resto de la leche, sazone y agregue las especias.

Deje que la salsa empiece a hervir; siga cociéndola de 8 a 10 minutos, sin tapar, a fuego medio-bajo. Revuelva frecuentemente.

Incorpore el rábano picante y deje hervir a fuego suave 2 minutos.

1 PORCION	211 CALORIAS	14 g. CARBOHIDRATOS
5 g. PROTEINAS	15 g. GRASAS	0.2 g. FIBRAS

Piernas de Pollo Salteadas   *(4 porciones)*

2 c/das	aceite vegetal
4	piernas grandes de pollo, cortadas en dos, sin pellejo y limpias
1	cebolla pelada y rebanada
1	berenjena pequeña, rebanada
2	dientes de ajo, machacados y picados
¼ c/dita	orégano
⅓	pepino, rebanado
2	tomates maduros, en cubos grandes
1	zanahoria grande, pelada y rebanada
	sal y pimienta

Caliente el aceite en una olla grande para saltear. Cuando esté caliente, agregue el pollo y sazone generosamente. Fría de 4 a 5 minutos por lado a fuego medio.

Agregue la cebolla, berenjena y sazone; revuelva para mezclar todo.

Agregue el ajo y el orégano; tape y cocine 10 minutos a fuego bajo.

Agregue el pepino, tomates y zanahorias; rectifique el sazón. Cocine de 8 a 10 minutos a fuego medio-bajo, tapado. Revuelva ocasionalmente.

Sirva.

Pollo Miranda *(4 porciones)*

2 a 3 kg.	(*4 a 5 lb.*) pollo para asar, cortado en 8 presas*, sin pellejo y limpio
1 taza	harina sazonada
2 c/das	aceite vegetal
½	cebolla, pelada y finamente picada
1 c/da	jengibre fresco picado
1	pimiento verde, finamente rebanado
1	pimiento rojo, finamente rebanado
1 taza	floretes de brócoli, pasados por agua hirviendo
1 c/da	salsa de soya
	sal y pimienta

Caliente el horno previamente a 190 °C (*375 °F*).

Deshuese los muslos de pollo y haga cortes en la carne de la pierna con un cuchillo. Enharínelos.

Caliente el aceite en una olla refractaria grande. Agregue las presas de pollo y fríalas de 4 a 5 minutos a fuego medio.

Sazone las presas y voltéelas; siga friéndolas de 4 a 5 minutos.

Ponga la cebolla en la olla, revuelva y rectifique el sazón. Tape la olla y hornee 15 minutos.

Saque la carne blanca de la olla y déjela aparte. Siga horneando el resto del pollo por 10 minutos.

Ponga de nuevo la carne blanca y agregue el jengibre. Ponga en la estufa a fuego medio y agregue todas las verduras; cocine de 4 a 5 minutos.

Agregue la salsa de soya y revuelva, dejando hervir a fuego suave durante varios minutos.

* Vea Cómo Desmembrar el Pollo, página 175.

1 PORCION	496 CALORIAS	18 g. CARBOHIDRATOS
52 g. PROTEINAS	21 g. GRASAS	1.2 g. FIBRAS

Alas de Pollo en Salsa de Tomate   *(4 porciones)*

2 c/das	aceite vegetal
1 kg.	(2½ *lb*.) alas de pollo limpias
1	cebolla, pelada y picada
½	berenjena, finamente picada
1	diente de ajo, machacado y picado
1 lata	(796 ml. / *28 oz*.) tomates, escurridos y picados
½ taza	salsa comercial tipo gravy, caliente
	sal y pimienta

Caliente el aceite en una cacerola grande para saltear. Cuando esté caliente, agregue el pollo y fría 3 minutos a fuego medio.

Sazone bien y voltee las alas; siga cocinando 3 minutos.

Agregue la cebolla a la olla y cocine 2 minutos más.

Agregue la berenjena y el ajo; deje cocer 8 minutos a fuego medio, parcialmente tapado. Mueva conforme lo requiera.

Agregue los tomates y cocine de 3 a 4 minutos, destapado, a fuego medio. Rectifique el sazón.

Vierta la salsa y sazone bien. Cocine 8 minutos a fuego medio, parcialmente tapado. Revuelva ocasionalmente.

Pollo Rebanado sobre Linguine *(4 porciones)*

1	pechuga de pollo entera, grande, deshuesada, sin pellejo y limpia
1 c/da	mantequilla
1 c/da	aceite vegetal
¼ taza	pimiento dulce picado
125 g.	(¼ *lb.*) champiñones rebanados
2	cebollitas de Cambray, rebanadas
1	pimiento verde, rebanado
1	diente de ajo, picado
1 taza	salsa comercial de tomate, caliente
1 taza	salsa comercial tipo gravy, caliente
1 taza	brócoli cocido
4	porciones linguine cocido
	sal y pimienta
	queso parmesano rallado

Rebane el pollo en tiras largas de 0.65 cm (¼ *pulg.*) de grueso.

Caliente la mantequilla y el aceite en una olla para saltear. Cuando esté caliente, agregue el pollo y cocine 3 minutos a fuego medio.

Sazone y voltee las piezas de pollo; agregue el pimiento dulce, champiñones, cebollitas, pimiento verde y ajo. Cocine de 3 a 4 minutos a fuego medio.

Vierta ambas salsas y agregue el brócoli. Revuelva bien y deje hervir suavemente durante varios minutos a fuego medio-bajo.

Acomode los linguine en los platos y sirva encima la mezcla de pollo; espolvoree con queso al gusto.

Sirva.

1 PORCION   381 CALORIAS   27 g. CARBOHIDRATOS
39 g. PROTEINAS   13 g. GRASAS   1.9 g. FIBRAS

Pollo de Abigail *(4 porciones)*

3 c/das	mantequilla
1 c/da	jugo de limón
⅓ taza	caldo de pollo caliente
2	pechugas de pollo grandes, enteras, deshuesadas, sin pellejo, limpias y en cubos grandes
250 g.	(½ *lb.*) champiñones limpios, enteros
1	pimiento verde, en cubos grandes
1	pimiento rojo, en cubos grandes
½ taza	cebollitas miniatura cocidas
½ taza	vino de Madeira
2 tazas	crema espesa
	sal y pimienta
	unas gotas salsas Tabasco y Worcestershire
	un poco de nuez moscada

Caliente 1 c/da de mantequilla en una olla grande. Cuando esté caliente, vierta el jugo de limón y el caldo de pollo.

Agregue el pollo y sazone; tape y cueza de 8 a 10 minutos a fuego suave.

Vacíe el pollo y la salsa en un tazón; deje aparte.

Ponga de nuevo la olla en la estufa y agregue el resto de la mantequilla. Cuando esté caliente, agregue los champiñones, pimientos y cebollas; cocínelos 3 minutos a fuego alto, destapados.

Saque las verduras de la olla y deje aparte en el tazón.

Vacíe el vino en la olla y cocine 3 minutos a fuego alto.

Agregue la crema y especias; revuelva y siga cocinando 6 a 7 minutos a fuego alto.

Ponga en la olla la mezcla de pollo y verduras. Revuelva, sazone, y deje hervir a fuego suave 3 minutos para recalentar.

1 PORCION	764 CALORIAS	11 g. CARBOHIDRATOS
63 g. PROTEINAS	52 g. GRASAS	2.0 g. FIBRAS

Pollo Frito Maryland *(4 porciones)*

2	pechugas de pollo grandes, enteras, deshuesadas, sin pellejo y limpias
1 taza	harina sazonada
2	huevos batidos
1½ tazas	pan molido
2 c/das	aceite vegetal
4	plátanos
4 c/das	azúcar morena
8	rebanadas tocino frito, para acompañamiento
	sal y pimienta

Caliente el horno previamente a 190 °C (*375 °F*).

Enharine el pollo ; mójelo con el huevo batido y cubra con pan molido.

Caliente el aceite en una sartén. Cuando esté caliente, agregue el pollo y fríalo 4 minutos a fuego medio-alto.

Voltee las pechugas y fríalas 4 minutos más. Sazónelas bien.

Ponga el pollo en un plato refractario y meta al horno por 10 ó 12 minutos.

Mientras tanto, prepare los plátanos quitándoles parte de la cáscara, como se ve en la ilustración. Espolvoréelos con azúcar morena y póngalos sobre una charola de hornear.

Cocine los plátanos de 5 a 6 minutos en el horno, junto al pollo. Las cáscaras se ponen negras.

1 PORCION	860 CALORIAS	72 g. CARBOHIDRATOS
80 g. PROTEINAS	28 g. GRASAS	0.6 g. FIBRAS

Pollo con Piña *(4 porciones)*

2 c/das	mantequilla
2	pechugas de pollo grandes, enteras, deshuesadas, sin pellejo y limpias
3	manzanas sin corazón, peladas y rebanadas
1½ tazas	caldo de pollo caliente
¼ taza	jugo de piña
	anillos de piña
	unas gotas de jugo de limón sin semilla
	sal y pimienta

Caliente la mantequilla en una olla para saltear. Cuando esté caliente, agregue el pollo y rocíe con el jugo de limón. Tape y fría 4 minutos a fuego medio-bajo.

Sazone el pollo y voltéelo; siga friéndolo 4 minutos, tapado.

Voltee otra vez el pollo; tape y cocine 8 minutos a fuego medio-suave.

Ponga en la olla las manzanas, caldo de pollo y jugo de piña. Revuelva bien y tape; cocine de 3 a 4 minutos.

Sazone bien y agregue los anillos de piña; tape y deje hervir a fuego medio-suave de 1 a 2 minutos.

Sirva.

Pollo Horneado en Salsa *(4 porciones)*

2 c/das	mantequilla
2	pechugas de pollo grandes, enteras, deshuesadas, sin pellejo y limpias
250 g.	(*½ lb.*) champiñones frescos, limpios y rebanados
2 tazas	salsa comercial de queso, caliente
¼ taza	queso mozzarella rallado
	unas gotas jugo de limón
	sal y pimienta
	un poco de semilla de apio
	una pizca de albahaca

Caliente el horno previamente a 190 °C (*375 °F*).

Caliente la mantequilla en una olla grande. Cuando esté caliente, agregue el pollo y rocíe con jugo de limón. Tape y cocine 2 minutos de cada lado a fuego medio-bajo. Sazónelo bien.

Agregue los champiñones y las hierbas aromáticas; cocine de 3 a 4 minutos, tapado.

Agregue la salsa de queso y páselo a un platón refractario. Espolvoree con queso y hornee de 6 a 7 minutos.

1 PORCION   445 CALORIAS   14 g. CARBOHIDRATO
41 g. PROTEINAS   25 g. GRASAS   0.6 g. FIBRAS

Pechugas Empanizadas con Queso *(4 porciones)*

2	**pechugas de pollo grandes, enteras, deshuesadas, sin pellejo y limpias**
1 taza	**harina sazonada**
2	**huevos batidos**
1½ tazas	**pan molido**
2 c/das	**aceite vegetal**
4	**rebanadas queso Gruyère**
1 taza	**su salsa de tomate favorita, caliente**
	sal y pimienta

Caliente el horno previamente a 200 °C (*400 °F*).

Enharine el pollo. Mójelo con los huevos batidos y cubra con el pan molido.

Caliente el aceite en una sartén. Cuando esté caliente, agregue el pollo y fríalo 4 minutos a fuego medio-alto.

Voltee el pollo y fríalo 4 minutos más.

Vacíelo en un platón refractario y hornéelo 5 minutos.

Ponga una rebanada de queso en cada mitad de pechuga; hornee 5 minutos más.

Si es necesario, sazone la salsa y sírvala con el pollo.

Pechugas de Pollo Fritas en Salsa Blanca de Rábano Picante *(4 porciones)*

2	pechugas de pollo grandes, enteras, deshuesadas, sin pellejo y limpias
1 taza	harina sazonada
2	huevos batidos
1½ tazas	pan molido
2 c/das	aceite vegetal
1½ tazas	salsa blanca de rábano picante*
	sal y pimienta

Caliente el horno previamente a 190 °C (*375 °F*).

Enharine el pollo. Mójelo con los huevos batidos y cubra con el pan molido.

Caliente el aceite en una sartén para freír. Cuando esté caliente, agregue el pollo y fríalo 4 minutos a fuego medio-alto.

Voltee el pollo y fríalo 4 minutos más. Sazone bien.

Acabe de cocer el pollo horneándolo de 10 a 12 minutos.

* Vea Salsa Blanca de Rábano Picante, página 178.

1 PORCION	742 CALORIAS	47 g. CARBOHIDRATOS
71 g. PROTEINAS	30 g. GRASAS	0.2 g. FIBRAS

Pechugas de Pollo y Salsa Cremosa de Champiñones *(4 porciones)*

2	pechugas de pollo grandes, enteras, deshuesadas, sin pellejo y limpias
1 c/da	perejil finamente picado
4 tazas	caldo de pollo frío
250 g.	(½ *lb.*) champiñones limpios y rebanados
¼ c/dita	jugo de limón
4 c/das	mantequilla
3 c/das	harina
¼ taza	crema espesa
1 c/dita	cáscara de limón finamente picada
½ taza	cebollitas miniatura, cocidas
1	pimiento verde, finamente rebanado
1 c/dita	cebollinos picados
	sal y pimienta
	una pizca de paprika

Caliente el horno previamente a 70 °C (*150 °F*).

Ponga las pechugas en una olla para saltear. Espárzales el perejil y vacíeles el caldo de pollo; deje que empiece a hervir. Tape en parte y cueza de 8 a 10 minutos a fuego medio. Agregue los champiñones y el jugo de limón; siga cociéndolas 3 minutos.

Saque el pollo y los champiñones de la olla; consérvelos calientes en el horno y aparte 2 tazas del caldo en que las coció.

Caliente 3 c/das de mantequilla en una cacerola. Cuando esté caliente, agregue la harina y revuelva; cocine 1 minuto.

Agregue las 2 tazas del caldo que apartó y sazone generosamente; cocine 5 minutos a fuego medio.

Vierta la crema y la cáscara de limón; sazone con paprika. Siga cociendo la salsa por 2 minutos. Mientras tanto, caliente rápidamente el resto de la mantequilla en la sartén. Cuando esté caliente, saltee de 3 a 4 minutos las cebollas y el pimiento verde. Sazone bien.

Acomode el pollo en el platón de servicio y báñelo con la salsa cremosa. Adorne.

1 PORCION	487 CALORIAS	9 g. CARBOHIDRATOS
61 g. PROTEINAS	23 g. GRASAS	1.3 g. FIBRAS

189

Pechugas de Pollo con Tomates *(4 porciones)*

1 c/da	mantequilla
1 c/da	aceite vegetal
2	pechugas de pollo grandes, enteras, deshuesadas, sin pellejo y limpias
1	cebolla pequeña, pelada y finamente picada
1 c/dita	paprika
1 lata	(796 ml. / *28 oz.*) tomates escurridos y picados
¼ c/dita	albahaca
¼ c/dita	orégano
¼ taza	crema espesa
	sal y pimienta
	perejil picado al gusto

Caliente la mantequilla y el aceite en una sartén para freír. Cuando esté caliente, agregue el pollo y fríalo de 3 a 4 minutos a fuego medio.

Agregue la cebolla y paprika; revuelva bien. Tape parcialmente y cocine de 3 a 4 minutos a fuego suave.

2 minutos antes de que termine el tiempo de cocción, póngale la crema y revuelva bien.

Espárzale perejil y sirva.

1 PORCION   446 CALORIAS   11 g. CARBOHIDRATOS
60 g. PROTEINAS   18g. GRASAS   1.0 g. FIBRAS

Pollo Cosecha *(4 porciones)*

2 c/das	mantequilla
2	pechugas de pollo grandes, enteras, deshuesadas, sin pellejo y limpias
1	calabacita cortada en dos a lo largo y rebanada
½	pepino cortado en dos a lo largo y rebanado
½ taza	pimiento dulce, rebanado
½ c/dita	estragón
1½ tazas	caldo de pollo caliente
1 c/da	fécula de maíz
2 c/das	agua fría
	sal y pimienta
	una pizca de semillas de apio
	unas gotas de salsa Tabasco
	arroz al vapor*

Caliente la mantequilla en una olla para saltear. Cuando esté caliente, agregue el pollo y tape; fríalo 4 minutos a fuego medio-bajo.

Voltee el pollo y fríalo otros 4 minutos.

Sazone bien las pechugas de pollo; siga cociéndolas tapadas por 10 ó 12 minutos.

Tres minutos antes que termine el tiempo de cocción, agregue las verduras y especias a la olla.

Cuando esté cocinado, pase el pollo y las verduras a un platón. Eche caldo de pollo en la olla y deje que empiece a hervir.

Mientras tanto, revuelva la fécula de maíz con agua e incorpórela a la salsa. Cocínela varios minutos a fuego suave para que espese.

Agregue unas cuantas gotas de salsa Tabasco y sazone bien. Vierta la salsa sobre el pollo y acompañe con arroz.

* Vea Arroz al Vapor, página 178.

1 PORCION	360 CALORIAS	5 g. CARBOHIDRATOS
55 g. PROTEINAS	12 g. GRASAS	0.4 g. FIBRAS

Pollo con Verduras Juliana *(4 porciones)*

3 c/das	mantequilla
2	pechugas de pollo grandes, enteras, deshuesadas, sin pellejo y limpias
1	zanahoria grande, pelada y cortada a la juliana
1	tallo de apio, pelado y cortado a la juliana
1	calabacita, cortada a la juliana
	jugo de ½ limón
	sal y pimienta
	cebollitas de Cambray para adorno

Ponga 2 c/das de mantequilla en una sartén profunda para freír y agregue el pollo, limón, jugo, sal y pimienta. Tape y cocine de 12 a 15 minutos a fuego medio-suave. Voltee dos veces.

Antes de que esté cocido el pollo, caliente el resto de la mantequilla en otra sartén para freír. Agregue las verduras y cocine de 5 a 6 minutos a fuego medio. Sazone bien.

Adorne el platillo terminado con cebollitas de Cambray.

1 PORCION   383 CALORIAS   4 g. CARBOHIDRATOS
58 g. PROTEINAS   15 g. GRASAS   0.7 g. FIBRAS

Platillo de Pollo al Curry *(4 porciones)*

c/das	mantequilla
	cebollas peladas y finamente rebanadas
c/das	curry en polvo
	pechugas de pollo grandes, enteras, deshuesadas, sin pellejo, limpias y cortadas en trozos grandes
tazas	caldo de pollo caliente
c/da	fécula de maíz
c/das	agua fría
¼ taza	crema espesa
c/da	cebollinos o perejil picados
	sal y pimienta
	aceitunas negras

Caliente la mantequilla en una sartén grande para freír. Cuando esté caliente, agregue las cebollas; fríalas de 5 a 6 minutos a fuego medio. Revuelva ocasionalmente.

Incorpore el curry en polvo y cocínelo de 3 a 4 minutos a fuego suave.

Agregue el pollo y revuelva; sazone bien. Cocine de 2 a 3 minutos a fuego medio.

Vierta el caldo de pollo y deje que empiece a hervir. Siga cociendo 9 ó 10 minutos a fuego medio-suave.

Revuelva la fécula de maíz con el agua; agréguela a la salsa revolviendo. Cocine 1 minuto.

Vacíele la crema y deje que empiece a hervir; cocine de 2 a 3 minutos y sazone bien.

Acomode la mezcla de pollo en un platón de servicio. Espárzale los cebollinos y adorne con aceitunas.

1 PORCION	444 CALORIAS	7 g. CARBOHIDRATOS
59 g. PROTEINAS	20 g. GRASAS	0.3 g. FIBRAS

Pollo al Vino (Coq au Vin) *(4 porciones)*

2.5 a 3 kg.	**(5 a 6 lb.) pollo para asar cortado en 8 presas*, sin pellejo y limpio**
1 taza	**harina sazonada**
2 c/das	**aceite vegetal**
1	**cebolla, limpia y picada**
2	**dientes de ajo, machacados y picados**
2 tazas	**vino tinto seco**
2 tazas	**salsa comercial tipo gravy, caliente**
¼ c/dita	**perifollo**
1	**hoja de laurel**
250 g.	**(½ lb.) cabezas de champiñones, salteadas en mantequilla**
½ taza	**cebollitas miniatura cocidas**
	pizca de tomillo
	sal y pimienta

Caliente el horno previamente a 190 °C (375 °F).

Enharine el pollo; quítele el exceso de harina.

Caliente el aceite en una olla para saltear o en una freidora profunda. Cuando esté caliente, agregue el pollo y fríalo de 8 a 10 minutos a fuego medio. Voltee ocasionalmente las piezas.

Agregue la cebolla y el ajo picados; cocine de 2 3 minutos a fuego medio.

Vierta el vino y cocine de 5 a 6 minutos a fuego alto.

Revuelva bien la mezcla y agregue la salsa y las hierbas aromáticas; revuelva otra vez y deje que empiece a hervir.

Tape y hornee por 35 minutos.

Ponga los champiñones y las cebollitas miniatura en la olla; siga cocinando el pollo al vino 10 minutos más.

Sirva con rebanadas gruesas de pan tostado.

* Vea Cómo Desmembrar el Pollo, página 175.

1 PORCION   392 CALORIAS   22 g. CARBOHIDRATO
76 g. PROTEINAS   33 g. GRASAS   1.3 g. FIBRAS

Clásico Pollo Hervido con Arroz *(4 porciones)*

2 a 2.5 kg.	(*4 a 5 lb.*) **pollo para asar, cortado en 8 presas*, despellejado y limpio**
8 tazas	**agua fría**
¼ c/dita	**perifollo**
¼ c/dita	**nuez moscada**
1 c/dita	**perejil picado**
1 c/dita	**cebollinos picados**
1½ tazas	**arroz de grano largo, lavado y escurrido**
3 c/das	**mantequilla**
4 c/das	**harina**
	un poco de jengibre molido
	sal y pimienta

Ponga las presas de pollo en una cacerola grande. Vacíele suficiente agua para que lo cubra; deje que empiece a hervir. Cuézalo de 4 a 5 minutos a fuego medio.

Escurra el pollo y regréselo a la cacerola; agregue 8 tazas de agua fría, hierbas aromáticas y jengibre; sazone bien. Deje que empiece a hervir y cuézalo de 35 a 40 minutos, parcialmente tapado, a fuego suave.

Agregue el arroz 18 minutos antes de que termine el tiempo de cocción.

Saque el pollo y páselo al platón de servicio. Escurra el arroz, pero guarde 2 tazas del caldo en que lo coció.

Caliente la mantequilla en una cacerola. Cuando esté caliente, agregue la harina y cocínela 1 minuto a fuego suave. Revuelva lo necesario para que no se queme.

Vacíele 2 tazas del caldo en que se coció; siga cociendo de 3 a 4 minutos a fuego medio. Revuelva frecuentemente.

Vierta la salsa sobre el pollo y el arroz. Sirva.

* Vea Cómo Desmembrar el Pollo, página 175.

Presas de Pollo Gratinadas *(4 porciones)*

2 a 2.5 kg.	(*4 a 5 lb.*) pollo para asar, cortado en 6 presas*, despellejado y limpio
3	ramas de perejil
1	hoja de laurel
½	cebolla, tachonada de clavos
1 c/dita	nuez moscada
3 c/das	mantequilla
3½ c/das	harina
½ taza	queso Emmenthal rallado
	caldo de pollo caliente
	sal y pimienta

Ponga el pollo en una olla grande para asado. Vacíele suficiente agua para cubrirlo y deje que empiece a hervir encima de la estufa; tape con papel de aluminio.

Escurra el pollo y ponga suficiente caldo de pollo caliente para que lo cubra.

Agregue las ramas de perejil, hoja de laurel, cebolla y nuez moscada; sazone bien. Tape con el papel de aluminio y deje que empiece a hervir. Cueza 30 minutos a fuego suave.

Saque el pollo de la olla y páselo a un platón de servicio. Guarde 2 tazas del caldo y déjelas aparte.

Caliente la mantequilla en una cacerola. Cuando esté caliente, agregue la harina y cocine 1 minuto a fuego suave.

Vacíe 2 tazas del caldo que apartó; deje que empiece a hervir. Sazone y cocine de 5 a 6 minutos a fuego medio.

Agregue ¾ del queso a la salsa; revuelva bien y siga cociendo 1 minuto más.

Vierta la salsa y el queso sobre el pollo.

* Vea Cómo Desmembrar el Pollo, página 175.

1 PORCION	461 CALORIAS	6 g. CARBOHIDRATOS
53 g. PROTEINAS	25 g. GRASAS	0 g. FIBRAS

Pollo al Curry Nueva Ola *(4 porciones)*

a .5 kg.	**(4 a 5 lb.) pollo para asar, cortado en 8 presas*, sin pellejo y limpio**
taza	**harina sazonada**
c/das	**aceite vegetal**
c/das	**mantequilla**
	cebolla pequeña, pelada y picada
c/das	**curry en polvo**
	manzanas sin corazón, peladas y rebanadas
tazas	**caldo de pollo caliente**
0	**vainas de chícharo, sumergidas unos minutos en agua hirviendo**
½ tazas	**germinados de soya**
c/da	**salsa de soya**
c/da	**fécula de maíz**
c/das	**agua fría**
	unos cuantos chiles machacados
	un poco de jengibre molido
	sal y pimienta

Enharine las presas de pollo.
Caliente el aceite en una olla para saltear.
Cuando esté caliente, agregue el pollo y fríalo de
4 a 5 minutos a fuego medio.
Voltee el pollo. Fríalo 5 minutos.
Ponga en la olla 1 c/da de mantequilla, cebolla y
el curry en polvo. Revuelva bien y cocine de 8 a
10 minutos, tapado, a fuego suave.
Agregue las manzanas y siga cociendo tapado,
de 3 a 4 minutos.
Vacíe el caldo de pollo, agréguele las especias y
sazone bien. Tape parcialmente y cueza
15 minutos a fuego suave.
Mientras tanto, caliente la mantequilla restante
en una sartén para freír. Cuando esté caliente,
ponga las vainas de chícharo y los germinados;
saltéelos 3 minutos a fuego medio. Vacíe la salsa
de soya y siga cociendo 2 minutos. Cuando el
pollo esté cocido, sáquelo y póngalo en un
platón de servicio. Deje la olla sobre la estufa,
con el líquido dentro.
Mezcle la fécula de maíz con agua fría; agréguela
al líquido de cocción. Cocine la salsa de 1 a 2
minutos a fuego medio.

* Vea Cómo Desmembrar el Pollo, página 175.

Pollo Doradito Mamá Knox *(4 porciones)*

2 c/das	aceite vegetal
2 a 2.5 kg.	(*4 a 5 lb.*) pollo tierno, cortado en 10 presas*, despellejado y limpio
1	cebolla, pelada y en trozos grandes
1 c/da	mantequilla
3 tazas	caldo de res caliente
¼ c/dita	tomillo
¼ c/dita	orégano
¼ c/dita	mejorana
3 c/das	pasta de tomate
2	zanahorias cortadas en palitos
1 taza	papas pequeñas
250 g.	(*½ lb.*) cabezas pequeñas de champiñones
	unos cuantos chiles machacados
	un poco de salvia
	sal y pimienta

Caliente el horno previamente a 190 °C (*375 °F*).

Caliente el aceite en una cacerola refractaria grande. Cuando esté caliente, agregue el pollo y dórelo de 4 a 5 minutos a fuego medio.

Voltee las piezas, y siga dorándolo de 4 a 5 minutos.

Agregue la cebolla y mantequilla; cocine de 6 a 7 minutos.

Eche el caldo de res y agregue las hierbas aromáticas, dejando que empiece a hervir.

Agregue la pasta de tomate y hierva a fuego suave 1 minuto. Ponga la cacerola en el horno y deje que se cueza, tapado, durante 20 minutos.

Agregue las zanahorias y las papitas; déjelo tapado 15 minutos más.

Agregue los champiñones y deje 5 minutos más en el horno.

Sirva.

* Vea Cómo Desmembrar el Pollo, página 175.

1 PORCION	442 CALORIAS	10 g. CARBOHIDRATOS
51 g. PROTEINAS	22 g. GRASAS	0.9 g. FIBRAS

TECNICA: POLLO DORADITO MAMA KNOX

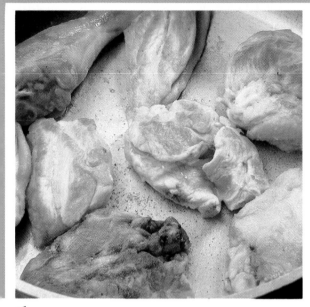

1 Dore las presas de pollo en aceite caliente de 4 a 5 minutos por lado para sellar los jugos.

2 Agregue la cebolla y mantequilla y cocine de 6 a 7 minutos.

3 Vacíe el caldo de res y agregue las hierbas aromáticas; deje que empiece a hervir.

4 Incorpore la pasta de tomate y deje hervir a fuego suave 1 minuto. Tape y hornee 20 minutos.

Continúa en la página siguiente.

5 Agregue las zanahorias y papitas; siga horneando 15 minutos más, tapado.

6 Agregue los champiñones y hornee otros 5 minutos.

Relleno de Arroz

1 c/da	mantequilla
2	cebollitas de Cambray, picadas
½	tallo de apio, finamente picado
4	castañas de agua, finamente rebanadas
¼ taza	tallos de bambú, picados
2 tazas	arroz salvaje y arroz de grano largo cocidos
5	rebanadas de pan blanco
1 c/da	perejil picado
¼ taza	crema espesa
	un poco de tomillo
	un poco de jengibre
	un poco de allspice
	sal y pimienta

Caliente la mantequilla en una sartén para freír. Cuando esté caliente, agregue las verduras y revuélvalas bien; hornee 2 minutos a fuego medio. Sazone generosamente.

Agregue el arroz y las hierbas aromáticas; revuelva muy bien. Saque la sartén del fuego y deje enfriar.

Ponga el pan, perejil y crema en un tazón grande. Deshaga el pan y agregue el arroz; revuelva hasta que se mezclen bien.

Rectifique el sazón.

1 RECETA   982 CALORIAS   158 g. CARBOHIDRATO
20 g. PROTEINAS   30 g. GRASAS   1.8 g. FIBRAS

Fricasé de Pollo   *(4 a 6 porciones)*

2.5 kg.	**(5 *lb*.) pollo para asar, cortado en 8 presas*, despellejado y limpio**
2	**zanahorias, peladas y cortadas en bastones**
2	**cebollas, peladas y cortadas en 4**
1	**tallo de apio, cortado en bastones**
1 c/dita	**perejil picado**
4	**papas chicas, peladas y cortadas a la mitad, si es necesario**
3 c/das	**mantequilla**
3½ c/das	**harina**
	bastante orégano
	pizca de salvia
	un poco de paprika
	unas cuantas semillas de apio
	sal y pimienta

Ponga el pollo en una cacerola grande y échele suficiente agua para que lo cubra; deje que empiece a hervir. Cocine de 5 a 6 minutos a fuego suave.

Escurra el pollo y póngalo otra vez en la cacerola. Agregue las verduras, el perejil y las hierbas aromáticas. Cubra con agua fría y sazónelo bien. Tape la cacerola y deje que empiece a hervir a fuego alto.

Cueza el pollo tapado durante 30 minutos a fuego bajo. Saque de la olla la carne blanca y las verduras que ya estén cocidas; deje aparte.

Siga cociendo los ingredientes restantes de 10 a 15 minutos a fuego bajo. Cuando estén cocidos, saque el pollo y las verduras restantes y póngalas aparte con las otras. Guarde 3 tazas del caldo.

Caliente la mantequilla en una cacerola separada. Cuando esté caliente, agregue la harina; revuelva y cocine 1 minuto.

Vierta las 3 tazas de caldo y sazone bien la salsa. Cocine 8 minutos destapado. Agregue el pollo y las verduras a la salsa y deje hervir a fuego suave de 3 a 4 minutos o hasta que esté bien caliente.

* Vea Cómo Desmembrar el Pollo, página 175.

1 PORCION	338 CALORIAS	17 g. CARBOHIDRATOS
36 g. PROTEINAS	14 g. GRASAS	0.9 g. FIBRAS

Pollo Asado con Relleno de Arroz *(4 a 6 porciones)*

2 a 2.5 kg.	(*5 a 5½ lb.*) pollo limpio y preparado para asarlo
1	receta de relleno de arroz*
1 c/da	mantequilla
1 c/da	aceite vegetal
	sal y pimienta

Caliente el horno previamente a 200 °C (*400 °F*).

Sazone la cavidad del pollo con sal y pimienta; llene con el relleno de arroz. Cierre con cordel para cocina.

Ponga la mantequilla y el aceite en el molde para asar y caliéntelos sobre la estufa. Ponga el pollo con la pechuga hacia arriba y báñelo con las grasas; sazone bien.

Hornéelo 45 minutos, bañando frecuentemente el pollo.

Voltee el pollo de un lado y siga horneándolo 15 minutos.

Baje el fuego a 190 °C (*375 °F*) y ponga de nuevo el pollo con la pechuga hacia arriba. Hornee de 35 a 45 minutos más. Báñelo frecuentemente.

* Vea Relleno de arroz, página 200.

1 PORCION   890 CALORIAS   26 g. CARBOHIDRATOS
57 g. PROTEINAS   62 g. GRASAS   0.3 g. FIBRAS

Alitas en Freidora *(4 porciones)*

1 taza	harina sazonada
½ c/dita	paprika
½ c/dita	jengibre
½ c/dita	orégano
¼ c/dita	tomillo
¼ c/dita	salvia
½ c/dita	semillas de apio
20	alitas de pollo, limpias y cortadas en dos
4	huevos batidos
3 tazas	pan molido

Caliente previamente el aceite de maní (cacahuate) en la freidora a 180 °C (*350 °F*). Caliente previamente el horno a 200 °C (*400 °F*).

Revuelva la harina y las hierbas aromáticas en un tazón grande. Agregue las alas y revuelva hasta que se cubran bien.

Moje las alas con los huevos batidos y cúbralas con el pan molido.

Meta unas cuantas a la freidora cada vez, de 5 a 6 minutos.

Sáquelas y acabe de cocinarlas de 10 a 12 minutos en el horno.

Sírvalas.

1 PORCION	560 CALORIAS	36 g. CARBOHIDRATOS
23 g. PROTEINAS	36 g. GRASAS	0.2 g. FIBRAS

203

Pollo en Hojaldre *(4 porciones)*

2	pechugas de pollo enteras, deshuesadas, sin pellejo, limpias y cortadas a la mitad
1	huevo batido
	pasta comercial de hojaldre
	sal y pimienta

Caliente el horno previamente a 220 °C (*425 °F*).

Engrase y enharine una charola de hornear y déjela aparte.

Extienda la pasta sobre una superficie enharinada hasta que esté muy delgada.

Sazone las pechugas de pollo y ponga una en una parte de la pasta. Humedezca la parte interior de la pasta con un poco de agua, y dóblela sobre la pechuga. Apriete las orillas para que selle y recorte el sobrante.

Repita el procedimiento para las pechugas restantes.

Ponga el pollo ya envuelto sobre una charola de hornear y pique la pasta con un tenedor. Barnice con huevo batido. Hornéelas 10 minutos.

Disminuya el fuego a 200 °C (*400 °F*) y hornee 15 minutos más.

Acompáñelas con Salsa de Mandarina, página 205.

1 PORCION	552 CALORIAS	23 g. CARBOHIDRATOS
61 g. PROTEINAS	24 g. GRASAS	0 g. FIBRAS

Salsa de Mandarina

1 c/da	mantequilla
125 g.	(¼ *lb*.) champiñones, limpios y en cubitos
1 lata	(284 ml. / *10 0z.*) gajos de mandarina
¼ taza	jugo de mandarina
1¼ taza	caldo de pollo caliente
1 c/dita	perejil picado
1 c/da	fécula de maíz
2 c/das	agua fría
	sal y pimienta

Caliente la mantequilla en una sartén para freír. Cuando esté caliente, agregue los champiñones y sazone; cocínelos de 3 a 4 minutos a fuego medio.

Agregue los gajos de mandarina, el jugo y el caldo de pollo; revuelva bien y siga cocinando 2 ó 3 minutos.

Espárzale el perejil. Revuelva la fécula con el agua e incorpórela a la salsa. Sazone y hierva a fuego suave por 2 ó 3 minutos antes de servirla.

1 RECETA	248 CALORIAS	31 g. CARBOHIDRATOS
4 g. PROTEINAS	12 g. GRASAS	2.7 g. FIBRAS

Chow Mein de Pollo *(4 porciones)*

3 c/das	aceite vegetal
2	pechugas de pollo enteras, deshuesadas, sin pellejo, limpias y cortadas en trozos tamaño bocado
2	cebollitas de Cambray, picadas
125 g.	(¼ *lb*.) champiñones rebanados
1	tallo de apio, rebanado
½ taza	brotes de bambú
½ taza	castañas de agua, cortadas
1 taza	germinados de soya, frescos
¼ taza	pimiento dulce, picado
1 taza	caldo de pollo caliente
¼ c/dita	jengibre
1 c/dita	fécula de maíz
2 c/das	agua fría
1 c/da	salsa de soya

Caliente 2 c/das de aceite en una sartén para freír o wok. Cuando esté caliente, agregue el pollo y saltéelo 6 minutos a fuego medio.

Saque el pollo y déjelo aparte.

Agregue el resto del aceite a la sartén. Saltee las cebollitas, champiñones y apio durante 4 minutos; sazónelos bien.

Agregue los tallos de bambú, las castañas de agua, germinados de soya y pimiento; saltéelos 2 minutos.

Agregue el caldo de pollo y el jengibre; deje que empiece a hervir. Cocine 1 minuto más.

Ponga de nuevo el pollo en la sartén. Revuelva la fécula de maíz con el agua y vacíela a la salsa. Agregue mezclando la salsa de soya y cocine 1 minuto para que espese.

Sirva inmediatamente.

1 PORCION	434 CALORIAS	8 g. CARBOHIDRATOS
60 g. PROTEINAS	18 g. GRASAS	1.2 g. FIBRAS

Pollo Distinto *(4 porciones)*

2 tazas	harina
¼ c/dita	tomillo
¼ c/dita	clavos molidos
¼ c/dita	jengibre
½ c/dita	canela
1 c/dita	orégano
1 c/dita	paprika
1 c/dita	albahaca
4	piernas de pollo enteras, limpias
1 c/dita	aceite vegetal
	sal de ajo y pimienta

Ponga la harina en un tazón y revuélvale las especias y las hierbas aromáticas; deje aparte.

Hierva 10 minutos las piernas de pollo. Cuando estén frías, quíteles el pellejo.

Ponga la harina sazonada en una bolsa de papel. Agregue las piernas de pollo, de una en una, y agite la bolsa para enharinarlas bien.

Caliente el aceite en una sartén grande. Cuando esté caliente, agregue el pollo y cocínelo tapado, a fuego medio por 6 ó 7 minutos. Voltee las piernas una vez.

Quite la tapa y siga cocinándolas 6 ó 7 minutos más, o hasta que estén a su gusto.

Sírvalas.

1 PORCION	279 CALORIAS	12 g. CARBOHIDRATOS
33 g. PROTEINAS	11 g. GRASAS	0 g. FIBRAS

Hígado de Pollo Supremo *(4 porciones)*

2 c/das	aceite vegetal
500 g.	(*1 lb.*) hígados de pollo, sin grasa y limpios
1	diente de ajo, machacado y picado
3 c/das	cebolla picada
1	tallo de apio, rebanado
1	pimiento amarillo, cortado en trozos grandes
2	tomates, cortados en trozos grandes o gajos
1 c/dita	perejil picado
¼ c/dita	salsa Worcestershire
1½ tazas	caldo de pollo caliente
1 c/da	fécula de maíz
2 c/das	agua fría
	sal y pimienta

Caliente el aceite en una sartén. Cuando esté caliente, agregue los hígados y sazone bien. Revuelva y cocine 2 minutos a fuego medio.

Revuelva bien y voltéelos; siga cocinándolos 2 minutos más.

Agregue el ajo y la cebolla; sazone y revuelva bien. Cocine de 2 a 3 minutos a fuego medio.

Agregue el apio y el pimiento verde; siga cocinando 3 a 4 minutos.

Agregue los tomates, perejil, salsa Worcestershire, sal y pimienta. Revuelva y cocine 3 minutos.

Vacíe el caldo de pollo y revuelva bien; deje que empiece a hervir. Deje que se cueza de 4 a 5 minutos a fuego suave.

Revuelva la fécula de maíz con agua; mézclela con la salsa. Deje a fuego suave de 1 a 2 minutos.

1 PORCION   248 CALORIAS   9 g. CARBOHIDRATOS
26 g. PROTEINAS   12 g. GRASAS   0.9 g. FIBRAS

207

Pollo Relleno de Queso con Salsa de Uvas *(4 porciones)*

2	pechugas de pollo enteras, deshuesadas, sin pellejo y limpias
4	rebanadas pequeñas de queso Gruyère
1 taza	harina sazonada
3	huevos batidos
1 taza	pan molido (grueso)
2 c/das	mantequilla
1 c/da	aceite vegetal
1 taza	uvas verdes sin semilla
1 c/da	perejil picado
2 a 3 c/das	oporto
½ taza	crema espesa
	unas gotas de salsa Tabasco
	sal y pimienta

Caliente el horno previamente a 180 °C (*350 °F*).

Haga una pequeña incisión en cada pechuga y ponga el queso dentro. Enharine bien el pollo y mójelo con los huevos batidos; empanícelas ligeramente.

Caliente la mantequilla y el aceite en una sartén grande para freír. Cuando esté caliente, agregue el pollo y fríalo de 5 a 6 minutos de cada lado, a fuego medio.

Saque el pollo de la sartén y póngalo en un molde refractario. Acabe de cocinarlo metiéndolo de 8 a 10 minutos en el horno.

Mientras tanto, ponga las uvas y el perejil en la sartén; cocínelas de 1 a 2 minutos a fuego medio.

Vierta el oporto y cocine 2 minutos más a fuego alto. Agregue la crema, salsa Tabasco, sal y pimienta; revuelva bien. Cocine de 3 a 4 minutos más a fuego medio.

Bañe el pollo cocinado con la salsa y sírvalo. Si le agrada, adórnelo con uvas escarchadas con azúcar.

1 PORCION	670 CALORIAS	22 g. CARBOHIDRATOS
69 g. PROTEINAS	34 g. GRASAS	0.2 g. FIBRAS

Pollo con Tocino *(4 porciones)*

3	rebanadas de tocino, en cubitos
4	piernas de pollo enteras, sin pellejo y limpias
1 taza	harina sazonada
1	cebolla pequeña, pelada y picada en trozos grandes
1	diente de ajo, machacado y picado
1 c/dita	paprika
250 g.	(½ *lb*.) cabezas de champiñones, limpias
5 c/das	crema ácida
1 c/dita	cebollinos frescos picados
	jugo de ¼ limón
	sal y pimienta

Ponga el tocino en una sartén para freír y caliéntela; fríalo de 4 a 5 minutos a fuego medio.

Saque el tocino y déjelo aparte; deje la grasa en la sartén.

Enharine el pollo y ponga las piernas en la grasa del tocino. Dórelo a fuego medio, 4 minutos de cada lado.

Agregue los champiñones y ponga el tocino en la sartén. Tápelo y cocine de 5 a 6 minutos a fuego suave, dependiendo del tamaño de las piernas.

Saque la sartén del fuego y agréguele el jugo de limón.

Ponga otra vez la sartén en la estufa, a fuego muy suave.

Agregue la crema ácida y los cebollinos; sazone generosamente. Revuelva hasta que se mezclen bien.

1 PORCION   354 CALORIAS   17 g. CARBOHIDRATOS
40 g. PROTEINAS 14 g. GRASAS   1.1 g. FIBRAS

Piernas de Pollo en Harina de Maíz *(4 porciones)*

1 taza	harina de maíz
1½ tazas	pan molido
1 c/dita	semillas de apio
¼ c/dita	tomillo
¼ c/dita	nuez moscada
4	piernas de pollo enteras, limpias
1 taza	harina
4	huevos batidos
	sal y pimienta

Caliente previamente el aceite de maní (cacahuate) en la freidora a 180 °C (*350 °F*).

Revuelva la harina de maíz, pan molido, hierbas aromáticas y especias en un tazón grande; deje aparte.

Ponga el pollo en una olla grande y cúbralo con agua; sazone y deje que empiece a hervir.

Espúmelo y deje que se siga cociendo parcialmente tapado, de 20 a 22 minutos, a fuego suave.

Saque el pollo de la olla y quítele el pellejo.

Enharine las piernas y métalas en los huevos batidos; cúbralas después con la mezcla de harina de maíz.

Meta en la freidora por 6 ó 7 minutos. Asegúrese de que todos los lados estén dorados al mismo color.

Acompáñelo con Frituras de Elote, página 211.

1 PORCION	723 CALORIAS	65 g. CARBOHIDRATOS
46 g. PROTEINAS	31 g. GRASAS	0.3 g. FIBRAS

Alitas Dulces *(4 porciones)*

2 c/das	aceite vegetal
1.2 kg	(2½ *lb.*) alas de pollo, limpias
2	dientes de ajo, machacados y picados
2 c/das	salsa de soya
2 c/das	miel de arce (maple)
	sal y pimienta

Caliente el aceite en una olla grande. Cuando esté caliente, ponga las alas y sazone bien. Fríalas de 2 a 3 minutos a fuego medio.

Voltee las alas y cocínelas 3 minutos más.

Voltee otra vez las alas y cocínelas 8 minutos a fuego medio. Durante este tiempo, voltéelas 3 ó 4 veces.

Saque el pollo de la olla y escurra la grasa. Ponga las alas de nuevo y agregue el ajo; revuelva bien. Rocíe con la salsa de soya y la miel de arce; tape y deje de 6 a 7 minutos a fuego medio.

Rectifique el sazón y acompáñelas con su salsa favorita.

1 PORCION	298 CALORIAS	7 g. CARBOHIDRATOS
27 g. PROTEINAS	18 g. GRASAS	0 g. FIBRAS

Frituras de Elote *(6 a 8 porciones)*

3 c/das	mantequilla
3 c/das	harina
1 taza	leche
2 tazas	elote en granos, cocido, escurrido
1	yema de huevo
	sal y pimienta
	unas cuantas gotas de salsa Tabasco
	para recubrir: harina, huevo batido y pan molido

Caliente la mantequilla en una cacerola. Cuando esté caliente, agregue 3 c/das de harina y mezcle bien; cocine 1 minuto a fuego suave.

Agregue la leche, revuelva y sazone; ponga la salsa Tabasco. Cocine 5 minutos a fuego suave.

Agregue el elote y la yema; revuelva hasta que esté perfectamente combinado. Cocine de 1 a 2 minutos a fuego medio.

Pase la mezcla a un platón grande y cubra con envoltura plástica. Refrigere 1 hora.

Haga tortitas como hamburguesas. Enharínelas, moje con el huevo batido y cubra con pan molido.

Fríalas en la freidora o en aceite caliente durante 4 minutos. Mientras las dora, voltéelas una vez.

Acompáñelas con pollo.

1 PORCION	201 CALORIAS	17 g. CARBOHIDRATOS
4 g. PROTEINAS	13 g. GRASAS	0.4 g. FIBRAS

Croquetas de Pollo con Elote *(4 porciones)*

3 c/das	mantequilla
3 c/das	harina
1 taza	leche caliente
2 tazas	elote en granos, cocido
1	yema de huevo
1½ tazas	pollo cocido, finamente picado
	sal y pimienta
	para recubrir: harina, huevos batidos y pan molido

Caliente la mantequilla en una cacerola. Cuando esté caliente, agregue 3 c/das de harina y revuelva bien; cocine 1 minuto a fuego bajo.

Agregue la leche y sazone; cocine 5 minutos a fuego suave.

Agregue el elote, la yema y el pollo; revuelva hasta que estén bien combinados. Cocine de 1 a 2 minutos a fuego medio.

Pase la mezcla a un platón grande, cubra con envoltura plástica. Refrigere 1 hora.

Haga rollos cilíndricos con la mezcla. Enharine, moje con los huevos batidos y cubra con el pan molido.

Fría en la freidora o saltee en aceite caliente durante 4 minutos. Voltee para que doren por todos lados.

Acompáñelas con salsa para coctel.

1 PORCION	607 CALORIAS	46 g. CARBOHIDRATOS
27 g. PROTEINAS	35 g. GRASAS	0.8 g. FIBRAS

Guisado Sustancioso de Pavo con Verduras *(4 a 6 porciones)*

2 c/das	mantequilla
2	cebollas peladas y en cubitos
1	tallo de apio, cortado en palitos de 2.5 cm. (*1 pulg.*)
2	papas, peladas y en cubitos
3 c/das	harina
3 tazas	caldo de pollo caliente
¼ c/dita	mejorana
1	pechuga de pavo, sin pellejo y en cubitos
1	pimiento verde, en cubitos
	varias gotas salsa Tabasco
	sal y pimienta

Caliente la mantequilla en una sartén para saltear. Cuando esté caliente, agregue las cebollas; tape y fría 3 minutos.

Agregue el apio y las zanahorias; revuelva bien y sazone. Cocine de 3 a 4 minutos más.

Revuelva las papas y la harina; cocine 1 minuto.

Agregue el caldo de pollo, mejorana y salsa Tabasco. Revuelva y rectifique el sazón.

Agregue el pavo y deje que empiece a hervir. Deje cocer a fuego suave de 40 a 45 minutos.

Ocho minutos antes que transcurra el tiempo de cocción, agregue el pimiento verde. Sirva.

1 PORCION   403 CALORIAS   15 g. CARBOHIDRATOS
58 g. PROTEINAS   19 g. GRASAS   1.5 g. FIBRAS

Pollo Tierno en Vino Tinto *(6 a 8 porciones)*

2	pollos tiernos de 2.3 kg. (*5 lb.*) cada uno, cortados en 8 presas*, despellejados y limpios
1¹/₂ tazas	harina sazonada
3 c/das	aceite vegetal
3 c/das	mantequilla
1	cebolla pelada y en cubitos
2	dientes de ajo, picados
1 c/dita	estragón
1 c/ditas	albahaca
3 c/das	harina
4 tazas	vino tinto seco
2 c/das	extracto comercial de res
250 g.	(¹/₂ *lb.*) champiñones, limpios y en cubitos
1 c/da	perejil fresco picado
	sal y pimienta
	unas cuantas gotas salsa Tabasco

Caliente el horno previamente a 180 °C (*350 °F*).

Enharine las piezas de pollo con la harina sazonada. Caliente la mitad del aceite en una olla grande para saltear. Cuando esté caliente, agregue la mitad del pollo y dórela de 3 a 4 minutos por cada lado. Sáquelo y deje aparte. Repita el procedimiento con el pollo restante. Caliente la mitad de la mantequilla en la misma olla. Agregue la cebolla, ajo y todas las hierbas aromáticas; cocine de 6 a 7 minutos a fuego bajo. Revuelva una o dos veces.

Incorpore 3 c/das de harina y cocine 1 minuto más. Ponga de nuevo en la olla las piezas de pollo que doró y sazónelo bien. Agregue el vino tinto y el extracto de res; deje que empiece a hervir.

Tape la olla y deje cocer 1¼ horas en el horno. Después de 1 hora de cocción, vea si la carne blanca ya está cocida. Si es así, sáquela y deje que se acabe de cocer la carne oscura.

Aproximadamente 10 minutos antes del momento de servir, prepare el complemento. Caliente el resto de la mantequilla en una sartén para freír. Cuando esté caliente, saltee los champiñones 5 minutos a fuego medio. Sazónelos bien y sírvalos con el pollo.

* Vea Cómo Desmembrar el Pollo, página 175.

1 PORCION	304 CALORIAS	13 g. CARBOHIDRATOS
27 g. PROTEINAS	16 g. GRASAS	0.7 g. FIBRAS

Pollo Elegante con Fresas *(4 porciones)*

2 c/das	mantequilla
2	pechugas de pollo grandes, enteras, deshuesadas, sin pellejo y limpias
½ taza	fresas congeladas, descongeladas
4	mitades de pera
1 taza	caldo de pollo caliente
1 c/da	fécula de maíz
2 c/das	agua fría
	sal y pimienta
	unas gotas de jugo de limón sin semilla

Caliente la mantequilla en una olla para saltear. Cuando esté caliente, agregue el pollo y rocíelo con jugo de limón. Tape y cocínelo 4 minutos a fuego medio-bajo.

Sazone el pollo y voltéelo; siga cocinándolo, tapado, 4 minutos.

Voltee otra vez el pollo, tápelo y deje 8 minutos a fuego medio-bajo.

Ponga las fresas y peras en la olla; déjelas de 3 a 4 minutos.

Saque las peras y el pollo de la olla; deje aparte.

Agregue el caldo de pollo al líquido que queda en la olla y deje que empiece a hervir. Cocine la salsa de 2 a 3 minutos a fuego medio.

Mezcle la fécula de maíz con agua; revuélvala en la salsa. Deje hervir 2 minutos a fuego medio-suave.

Rectifique el sazón y vierta la salsa sobre el pollo y la fruta.

1 PORCION	*408 CALORIAS*	17 g. CARBOHIDRATOS	
58 g. PROTEINAS	12 g. GRASAS	0.5 g. FIBRAS	

215

Indicaciones Utiles para las Parrilladas

— Puesto que existen tantas variedades de asadores en la actualidad, le sugerimos que tome nuestros tiempos de cocción como guía.

— Aceite la parrilla de su asador antes de ponerle encima cualquier alimento; de otra manera, se pegará.

— Acostúmbrese a calentar su asador con anticipación. Consulte su manual para temperaturas y sugerencias.

— Ya que la mayoría parte de las carnes se cocinan rápidamente en el asador, voltee las piezas con frecuencia para evitar que se quemen.

— Puede utilizar muchos de nuestros escabeches para otros alimentos que le agradaría preparar a la parrilla.

— Tomar bien el tiempo a los distintos alimentos de una parrillada, requiere un poco de práctica; pero con algo de paciencia y quizá unos cuantos ayudantes, resulta tan fácil como cocinar en la estufa.

Pollo Delicioso a la Parrilla *(4 porciones)*

1 c/da	salsa de soya
3 c/das	catsup
2 c/das	miel de arce (maple)
¼ c/dita	salsa Tabasco
1 c/da	jugo de limón
1	diente de ajo, machacado y picado
½	pollo cortado en 4 partes y limpio
2 c/das	aceite vegetal
	sal y pimienta

Caliente previamente el asador a temperatura media.

Combine la salsa de soya, catsup, miel de arce y salsa Tabasco en un tazón. Agregue jugo de limón y ajo y revuelva bien. Sazone y deje aparte.

Ponga el pollo en una olla para asar o en un plato grande; bañe generosamente con aceite y sazone bien. Ponga el pollo en la parrilla del asador; tape y cocine 3 minutos.

Bañe el pollo con el escabeche y voltee las piezas; cocine 2 minutos destapado.

Bañe de nuevo, tape parcialmente y cocine 3 minutos más.

Pase las piezas a la parrilla superior; tape y cocínelas 7 minutos. Abra la tapa del asador y siga cocinándolas de 20 a 25 minutos, dependiendo del tamaño de las piezas. Mójelas frecuentemente.

Nota: La carne blanca se cocina más pronto que la oscura.

Si le agrada, sírvala con salsa agridulce como dip.

1 PORCION	268 CALORIAS	9 g. CARBOHIDRATOS
31 g. PROTEINAS	12 g. GRASAS	0 g. FIBRAS

Verduras Empapeladas con Salchichas *(4 porciones)*

350 g.	**(12 oz.) zanahorias miniatura, lavadas**
1	**cebolla roja, pelada y cortada en cuatro**
2	**rebanadas grandes de mantequilla de ajo**
1	**calabacita, cortada en tiras**
1	**pimiento verde, cortado en trozos grandes**
1	**salchicha polaca rebanada diagonalmente**
	sal y pimienta

Caliente previamente el asador a temperatura medio-alta.

Tome una hoja larga de papel de aluminio y dóblela a la mitad. Póngala sobre una superficie plana.

Agregue las zanahorias, cebolla y mantequilla de ajo; con las manos, déle forma de canasta al papel de aluminio.

Tape con otra hoja de papel de aluminio y selle las orillas. Póngalo sobre la parrilla y tápelo, déjelo 30 minutos.

Quite la hoja de encima y ponga las calabacitas, pimiento verde y salchicha; tape de nuevo. Cocine otros 30 minutos sin destapar.

Sirva.

1 PORCION	677 CALORIAS	15 g. CARBOHIDRATOS
26 g. PROTEINAS	57 g. GRASAS	1.5 g. FIBRAS

Filetes Nueva York *(4 porciones)*

4	filetes Nueva York de 2.5 cm (*1 pulg.*) de grueso
1	receta de escabeche de catsup*
	sal y pimienta

Caliente previamente el asador a temperatura alta.

Unte la carne generosamente con el escabeche y colóquela sobre la parrilla del asador. Siga los siguientes tiempos de cocción para obtener el término deseado:

Término medio : 7 a 8 minutos
Tres cuartos : 8 a 10 minutos
Bien cocida : 10 a 12 minutos

Voltee la carne 2 ó 3 veces durante la cocción y sazónela bien.

Si le agrada, acompáñela con papas y otras verduras. Como detalle diferente, ponga encima de la carne un trozo de mantequilla de ajo.

* Vea Escabeche de Catsup, página 225.

1 PORCION   550 CALORIAS   24 g. CARBOHIDRATOS
55 g. PROTEINAS   26 g. GRASAS   0.3 g. FIBRAS

Rebanadas de Salmón a la Parrilla *(4 porciones)*

4 c/das	mantequilla clarificada
1 c/dita	perejil fresco picado
1 c/dita	orégano
½ c/dita	albahaca
4	rebanadas de salmón, de 2 cm. (¾ *pulg.*) de grueso
	jugo de 2 limones sin semilla
	sal y pimienta

Caliente previamente el asador a temperatura media.

Revuelva en un tazón pequeño la mantequilla con el perejil, hierbas aromáticas y jugo de limón.

Unte la vinagreta sobre el salmón y sazónelo con sal y pimienta. Déjelo 4 minutos en la parrilla sin taparlo.

Humedézcalo y déle la vuelta; siga cocinándolo parcialmente cubierto durante 15 minutos. Humedézcalo y voltéelo frecuentemente para evitar que se queme.

Sírvalo con verduras a la parrilla.

1 PORCION 329 CALORIAS 0 g. CARBOHIDRATOS
35 g. PROTEINAS 21 g. GRASAS 0 g. FIBRAS

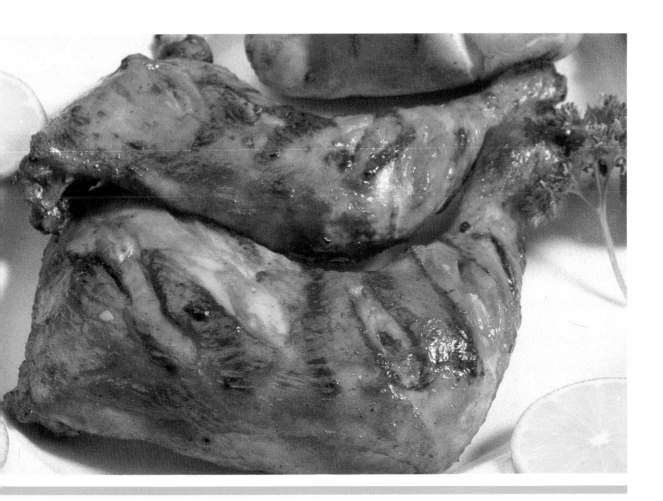

Piernas de Pollo a la Parrilla *(4 porciones)*

½ taza	catsup
¼ taza	vinagre de vino
3	dientes de ajo, machacados y picados
¼ c/dita	comino
¼ c/dita	curry en polvo
½ taza	clamato
2 c/das	aceite
4	piernas de pollo enteras, limpias
	unas gotas salsa Tabasco
	pizca de azúcar morena
	sal y pimienta

Caliente previamente el asador a temperatura media.

Ponga el catsup y el vinagre en un tazón; revuelva bien.

Agregue el ajo, especias y clamato; revuelva bien. Agregue el azúcar morena.

Incorpórele el aceite y rectifique el sazón.

Haga unos cortes en las piernas y únteles el escabeche; sazone bien.

Ponga el pollo sobre la parrilla; tape y cocínelo 3 minutos.

Humedezca el pollo y voltéelo; cocínelo destapado por 2 minutos.

Humedezca de nuevo, tápelo en parte y cocínelo 3 minutos más.

Páselo a la parrilla superior; tápelo y cocine por 7 minutos.

Abra la tapa del asador y siga cocinando de 20 a 25 minutos o más, si es necesario. Humedezca frecuentemente.

Acompáñelo con papas al horno.

Medio Pollo Parrillado *(4 porciones)*

2	dientes de ajo, machacados y picados
3 c/das	aceite de oliva
1 c/da	salsa de soya
1 c/da	pasta de tomate
½ taza	caldo de pollo caliente
2	pollos de 1.5 kg. (2¼ *lb.*) cada uno, limpios y cortados a la mitad
	unas gotas de salsa Worcestershire
	jugo de 1 limón sin semilla
	pizca de paprika
	sal y pimienta

Caliente previamente la parrilla a temperatura media.

Mezcle todos los ingredientes, excepto los pollos, en un tazón.

Ponga los pollos en un platón y úntelos con el escabeche; sazónelos bien.

Ponga los pollos en la parrilla y cocínelos 8 minutos.

Voltee los pollos, úntelos de nuevo con el escabeche y siga cocinándolos 8 minutos.

Unte los pollos de nuevo con el escabeche. Voltéelos y cocine de 24 a 34 minutos más, según el tamaño. Durante la cocción, humedézcalos y voltéelos varias veces.

Cuando estén cocinados, quítelos de la parrilla y sírvalos con ensalada.

1 PORCION   465 CALORIAS   1 g. CARBOHIDRATOS
68 g. PROTEINAS   21 g. GRASAS   0 g. FIBRAS

Brochetas de Carnero *(4 porciones)*

1.5 kg.	**(3 *lb*.) lomo de carnero**
1	**receta de escabeche al vino tinto***
8	**papitas, cocidas con cáscara**
1	**cebolla roja, pelada y en trozos**
2	**calabacitas, rebanadas**
	sal y pimienta

Quite la grasa del carnero y córtela en trozos grandes. Póngala en un platón y cúbrala con el escabeche. Refrigere 8 horas.

Caliente previamente la parrilla a temperatura media-alta.

Escurra la carne y guarde el escabeche.

Ensarte en la brocheta el carnero, alternando con las papas, cebolla y calabacita. Unte con el escabeche y sazónelas bien.

Ponga las brochetas sobre la parrilla; cocínelas destapadas de 5 a 6 minutos. Humedézcalas frecuentemente.

Voltee las brochetas y siga cocinándolas de 5 a 6 minutos; humedézcalas frecuentemente.

Sírvalas.

* Vea Escabeche al Vino Tinto, página 235.

1 PORCION	572 CALORIAS	21 g. CARBOHIDRATOS
50 g. PROTEINAS	32 g. GRASAS	1.O g. FIBRAS

Shish Kebabs de Puerco *(4 porciones)*

1	lomo de puerco, sin grasa y rebanado
1	receta de escabeche de salsa de soya o de catsup*
2	manzanas peladas y cortadas en gajos
1	salchicha polaca (gruesa), rebanada
4	cebollitas de Cambray, cortadas en trozos
1	pimiento verde en trozos
	sal y pimienta

Ponga el puerco en un plato y cúbralo con el escabeche. Refrigérelo 2 horas. Mientras se escabecha, voltee una vez las rebanadas de puerco.

Caliente previamente el asador a temperatura medio-alta

Escurra el puerco y guarde el escabeche.

Ensarte manzanas, salchicha, cebollitas de Cambray, puerco y pimiento verde alternándolos en los alambres. Únte con el escabeche y sazone bien.

Ponga los alambres en la parrilla del asador; cocínelos destapados de 6 a 7 minutos. Humedézcalos ocasionalmente.

Voltee los alambres y siga cocinándolos de 6 a 7 minutos; humedézcalos ocasionalmente.

Sírvalos con ensalada.

* Vea Escabeche de Catsup, página 225.

1 PORCION	627 CALORIAS	37 g. CARBOHIDRATOS
32 g. PROTEINAS	39 g. GRASAS	1.4 g. FIBRAS

Escabeche de Catsup

3 c/das	aceite de oliva
1/2 taza	catsup
1/4 taza	salsa de chile
1/2 c/dita	salsa de rábano picante
1/4 taza	vinagre de vino
3 c/das	jarabe o miel
1 c/da	cebollinos finamente picados
	unas gotas de salsa Tabasco
	varias gotas de salsa de soya
	pimienta recién molida

Revuelva todos los ingredientes en un tazón.

Refrigere hasta que lo vaya a usar.

Este escabeche resulta especialmente bueno para carne de res y pollo.

1 RECETA	787 CALORIAS	96 g. CARBOHIDRATOS
4 g. PROTEINAS	43 g. GRASAS	1.2 g. FIBRAS

Escabeche de Salsa de Soya

1/4 taza	salsa de soya
2 c/das	vermouth seco
1 c/da	azúcar
1/4	cebolla, finamente picada
1	rebanada delgada de jengibre fresco, finamente picado

Ponga todos los ingredientes en un tazón y revuélvalos bien.

Refrigere hasta que lo vaya a usar.

1 RECETA	72 CALORIAS	12 g. CARBOHIDRATOS
6 g. PROTEINAS	0 g. GRASAS	0.2 g. FIBRAS

Conejo en Barbacoa *(4 porciones)*

1.4 a 2 kg.	(3½ a 4 lb.) conejo, limpio
4 c/das	mantequilla suave
2 c/das	mostaza de Dijon
¼ taza	vino blanco seco
	pizca de paprika
	sal y pimienta

Caliente el horno previamente a 190 °C (*375 °F*).

Tiempo de cocción: 20 minutos por cada 500 g. (*1 lb.*).

Ponga una hoja de papel de aluminio en el fondo de un molde para asar. Ponga el conejo en el aluminio y sazónelo generosamente con sal y pimienta. Espolvoree con paprika.

Revuelva la mantequilla con la mostaza y úntela sobre el conejo. Viértale el vino blanco. Cubra el molde con otra hoja de papel de aluminio; séllelo bien. Métalo al horno.

Acompañe con coles de Bruselas y papas al horno. Antes de servirlo, humedezca el conejo con el jugo de la cocción.

1 PORCION   612 CALORIAS   0 g. CARBOHIDRATOS
72 g. PROTEINAS   36 g. GRASAS   0 g. FIBRAS

Filetes de Londres a la Parilla *(4 porciones)*

c/das	salsa de soya
c/da	miel
	diente de ajo, machacado y picado
c/da	aceite vegetal
	filetes, corte 'London broil' de 170 g. (6 oz.) cada uno
	papas cocidas con cáscara, cortadas a la mitad
	pepino, rebanado en trozos de 5 cm. (2 pulg.)
	jugo de ½ limón
	sal y pimienta

Caliente el asador previamente a temperatura media.

Combine en un tazón la salsa de soya con la miel, ajo, aceite, jugo de limón y pimienta.

Ponga los filetes en la parrilla del asador durante 10 ó 12 minutos. Humedézcalos frecuentemente y voltee la carne sólo 4 veces.

Antes de que esté completamente cocinada, ponga las verduras en la parrilla. Cuézalas de 3 a 4 minutos por ambos lados, bañándolas frecuentemente.

Sirva.

Filetes Mariposa *(4 porciones)*

2 c/das	aceite vegetal
1 c/da	salsa de soya
2	dientes de ajo, machacados y picados
½ taza	vino blanco seco
8	rebanadas gruesas de berenjena
4	filetes de lomo abiertos de 227 g. (*8 oz.*)
	unas gotas de salsa Tabasco
	sal y pimienta

Caliente previamente el asador a temperatura media-alta.

Revuelva el aceite con la salsa de soya, ajo, vino y salsa Tabasco.

Ponga las rebanadas de berenjena en un tazón y viértales encima el escabeche; refrigérelas 15 minutos.

Bañe generosamente la carne con el escabeche. Cocine la berenjena y la carne en la parrilla de 10 a 12 minutos, o al gusto.

Humedezca la carne frecuentemente con el escabeche y voltee por lo menos tres veces la carne y verduras; sazone bien.

Sirva con elotes tiernos, ya sea cocidos o asados.

1 PORCION	583 CALORIAS	6 g. CARBOHIDRATOS
70 g. PROTEINAS	31 g. GRASAS	0.9 g. FIBRAS

Alitas al Jengibre   *(4 porciones)*

2	dientes de ajo, machacados y picados
2 c/das	jengibre fresco picado
2 c/das	salsa de soya
¼ taza	jugo de limón
1 c/dita	salsa picante o Tabasco
1 c/da	vinagre de vino
½ taza	aceite de oliva
900 g.	*(2 lb.)* alas de pollo, limpias
	sal y pimienta recién molida

Caliente previamente el asador a temperatura media.

Combine en un tazón grande el ajo con el jengibre, salsa de soya, jugo de limón, salsa picante y el aceite; sazone con pimienta.

Ponga las alas en el tazón y refrigérelas 1 hora.

Ponga las alas en la parrilla del asador y cocínelas de 12 a 15 minutos, dependiendo del tamaño.

Voltee las alas de 4 a 5 veces durante la cocción y humedézcalas ocasionalmente. Sazónelas generosamente.

Acompañe con una ensalada ligera y pepinillos encurtidos.

Brochetas de Veneras Envueltas en Tocino *(4 porciones)*

500 g.	(*1 lb.*) veneras frescas (almeja gigante)
5	rebanadas tocino cocido
1	manzana pelada y rebanada
¼	pepino, rebanado
8	tomates miniatura
3 c/das	mantequilla derretida
1 c/dita	salsa Worcestershire
1 c/da	jugo de limón
	sal y pimienta

Caliente el asador previamente a temperatura media.

Corte el tocino del tamáno adecuado para envolver las veneras.

Alterne en la brocheta las manzanas, veneras envueltas, pepino y tomate. Trate de terminar con una rebanada de manzana.

Mezcle la mantequilla, salsa Worcestershire y jugo de limón y sazónelo con pimienta.

Unte la mezcla sobre las brochetas y póngalas en la parrilla del asador. Cocínelas de 5 a 6 minutos, dependiendo de su gusto.

Asegúrese de darle la vuelta a las brochetas, así como de humedecerlas y sazonarlas mientras se cuecen.

Alambres Vegetarianos *(4 porciones)*

	receta de escabeche de salsa de soya*
	tomates miniatura
½	pepino, rebanado
½	pimiento verde, rebanado
	cebolla blanca, pelada y rebanada
	tallos de brócoli, puestos unos minutos en agua hirviendo y rebanados
	cebollitas de Cambray, cortadas en trozos de 2.5 cm. (*1 pulg.*)
	sal y pimienta

Caliente previamente el asador a temperatura media.

Alterne las verduras en los alambres y úntelas con el escabeche.

Ponga los alambres en la parrilla del asador y cocínelos entre 6 y 7 minutos, dependiendo del gusto personal. Humedezca ocasionalmente y sazone muy bien.

Gire los alambres para que las verduras se cuezan parejo.

Las verduras deben estar todavía crujientes cuando las sirva.

* Vea Escabeche de Salsa de Soya, página 225.

1 PORCION	60 CALORIAS	11 g. CARBOHIDRATOS
4 g. PROTEINAS	0 g. GRASAS	1.4 g. FIBRAS

Alambres de Camarón *(4 porciones)*

750 g.	(1½ *lb.*) camarones frescos o congelados, pelados y desvenados
2 c/das	jugo de limón
2	dientes de ajo, machacados y picados
¼	pepino, rebanado
12	tomates miniatura
1	pimiento verde, rebanado
	unas gotas salsa mexicana comercial
	pizca de semillas de apio
	sal y pimienta

Ponga los camarones en un tazón y agregue el jugo de limón y el ajo; mezcle bien.

Agregue la salsa mexicana, semillas de apio y pimiento y revuelva. Refrigere 1½ horas.

Caliente previamente el asador a temperatura alta.

Alterne en los alambres pepinos, tomates, camarones y pimientos verdes. Unte generosamente con el escabeche y sazone.

Póngalos en la parrilla del asador y cocínelos de 7 a 8 minutos, o al gusto. Déles vuelta 3 veces durante la cocción y humedézcalos frecuentemente.

Sírvalos.

1 PORCION   190 CALORIAS   7 g. CARBOHIDRATOS
36 g. PROTEINAS   2 g. GRASAS   0.7 g. FIBRAS

Salchichas en Barbacoa Dulzona *(4 porciones)*

1 c/da	salsa de soya
¼ taza	catsup
1 c/da	aceite vegetal
8	salchichas gruesas
	sal y pimienta

Combine la salsa de soya con el catsup y aceite vegetal.

Haga unos cortes ligeros en las salchichas con un cuchillo y báñelas con el escabeche. Póngalas en la parrilla del asador y cocínelas de 8 a 10 minutos.

Voltee las salchichas de 3 a 4 veces mientras se cocinan y humedézcalas frecuentemente. Sazónelas bien.

Acompáñelas con elotes recién cocidos.

Rebanadas de Salmón
en Escabeche de Vino *(4 porciones)*

2 c/das	aceite vegetal
¼ taza	vino blanco seco o sake
1 c/da	jengibre fresco picado
1 c/dita	salsa de soya
1 c/dita	jugo de limón
4	rebanadas de salmón de 2 cm. (¾ *pulg.*) de grueso
	unas gotas de salsa Tabasco
	sal y pimienta

Caliente el asador previamente a temperatura media.

Combine en un tazón grande el aceite con el vinagre, jengibre, salsa de soya, jugo de limón y salsa Tabasco; sazónela con pimienta.

Ponga las rebanadas de salmón en el escabeche y refrigérelas 15 minutos.

Ase el salmón en la parrilla del asador, tapado, de 12 a 14 minutos. Voltee las rebanadas dos veces y humedézcalas ocasionalmente; sazónelas.

Acompáñelas con Arroz al Pimiento, página 235.

1 PORCION	370 CALORIAS	0 g. CARBOHIDRATOS
52 g. PROTEINAS	18 g. GRASAS	0 g. FIBRAS

Escabeche al Vino Tinto *(4 porciones)*

2 tazas	vino tinto seco
¼ taza	vinagre de vino
¼ taza	aceite de oliva
2	dientes de ajo, machacados y picados
½	tallo de apio, cortado en tiritas
¼ c/dita	perifollo
2 c/das	cebollinos picados
	un poco de menta
	un poco de nuez moscada
	sal y pimienta recién molida

Ponga todos los ingredientes en un tazón y revuélvalos con un batidor de alambre.

Refrigere hasta que lo utilice.

Este escabeche se utiliza para carnero, puerco y carne de res.

1 RECETA	504 CALORIAS	0 g. CARBOHIDRATOS
0 g. PROTEINAS	56 g. GRASAS	0 g. FIBRAS

Arroz al Pimiento *(4 porciones)*

1 c/da	aceite vegetal
1	chalote, picado
1	diente de ajo, machacado y picado
½	pimiento amarillo o rojo, en cubitos
½	pimiento verde, en cubitos
2	tomates pequeños, en cubitos
2 tazas	arroz cocido
1 c/dita	cebollinos picados
	sal y pimienta

Caliente el aceite en una sartén grande. Cuando esté caliente, agregue el chalote y el ajo; sazone.

Agregue las verduras y mezcle bien. Cocine 3 minutos a fuego alto.

Incorpore el arroz y siga cocinando de 3 a 4 minutos. Mueva para impedir que se pegue.

Esparza los cebollinos y rectifique el sazón.

Sirva con una parrillada.

1 PORCION	132 CALORIAS	22 g. CARBOHIDRATOS
2 g. PROTEINAS	4 g. GRASAS	0.7 g. FIBRAS

Rajas de Pollo Picantes *(4 porciones)*

2	dientes de ajo, machacados y picados
2 c/das	jengibre fresco picado
2 c/das	salsa de soya
¼ taza	jugo de limón
1 c/dita	salsa picante o Tabasco
1 c/da	vinagre de vino
¼ taza	aceite de oliva
¼ c/dita	pimienta molida
2	pechugas de pollo enteras, despellejadas y cortadas en tiras

Caliente previamente el asador a temperatura media.

Combine en un tazón el ajo, jengibre, salsa de soya, jugo de limón, salsa picante, vinagre, aceite y pimienta.

Ponga las tiras de pollo en el escabeche y refrigere 15 minutos.

Ponga el pollo en la parrilla y cocínelo de 6 a 8 minutos, dependiendo del tamaño. Sazónelo mientras lo cocina y humedézcalo frecuentemente. Voltee las tiras de pollo por lo menos 3 veces.

Acompáñelo con papas.

1 PORCION	212 CALORIAS	0 g. CARBOHIDRATOS
26 g. PROTEINAS	12 g. GRASAS	0 g. FIBRAS

Chuletas de Carnero   *(4 porciones)*

¼ taza	aceite de oliva
2 c/das	vinagre de vino
4	hojas de menta, frescas
½ taza	vino blanco seco
2	dientes de ajo, machacados y picados
4	chuletas de carnero, con hueso, de 2 cm. (¾ *pulg.*) de grueso
	sal y pimienta

Combine el aceite y el vinagre en un tazón. Agregue la menta y sazone bien.

Vierta el vino y agregue el ajo; mezcle.

Ponga el carnero en un platón hondo y vierta el escabeche encima. Refrigere 4 horas.

Caliente previamente el asador a temperatura media-alta.

Ponga la carne sobre la parrilla. Cocínela de 5 a 6 minutos por lado. Sazónela mientras se cocina.

Acompañe con papas.

Vea la técnica en la página siguiente.

1 PORCION	238 CALORIAS	0 g. CARBOHIDRATOS	
28 g. PROTEINAS	14 g. GRASAS	0 g. FIBRAS	

TECNICA: CHULETAS DE CARNERO

1 Escoja las chuletas con hueso.

2 Combine el aceite con el vinagre en un tazón. Agregue la menta y sazone bien. Vierta el vino.

3 Agregue el ajo y revuelva. Ponga el carnero en un platón hondo y viértale el escabeche. Refrigere 4 horas.

4 Ponga el carnero sobre la parrilla. Cocine de 5 a 6 minutos por lado. Sazónelo mientras lo cocina.

Parrillada Mixta *(4 porciones)*

250 g.	(½ *lb.*) **carne de res magra, molida**
1	**huevo**
1 c/da	**perejil fresco picado**
1 c/dita	**chiles machacados**
¼ c/dita	**tomillo**
¼ c/dita	**albahaca**
¼ c/dita	**jengibre**
2 c/das	**cebolla picada, cocinada**
1	**salchicha polaca (gruesa), cortada en rebanadas de 2 cm (¾ *pulg.*)**
4	**alas de pollo**
2	**chuletas de puerco, cortadas en cubos**
4	**rebanadas de tocino cocido**
1	**pechuga de pollo entera, cocida, sin pellejo y en rebanadas gruesas**
	sal y pimienta

Ponga la carne molida en un tazón y agregue el huevo; revuelva. Sazone bien y revuelva otra vez.

Agregue el perejil, los chiles, tomillo, albahaca, jengibre y cebolla; mezcle bien. Forme bolas pequeñas de carne.

Ponga las bolas de carne en el escabeche*. Agregue las rebanadas de salchicha, alas y puerco. Refrigere 1 hora.

Caliente previamente el asador a temperatura media-alta.

Saque la carne y el pollo del escabeche; páselo a un platón. Envuelva los trozos de pollo cocido en el tocino y fíjelo con palillos. Bañe con el escabeche.

Cocine al gusto todos los trozos de la parrillada. Voltéelos con frecuencia para evitar que se quemen y sazónelos generosamente.

Humedézcalos conforme lo necesitan y sirva con una salsa tipo dip.

* Vea Escabeche Sencillo, página 241.

Vea la técnica en la página siguiente.

1 PORCION	713 CALORIAS	4 g. CARBOHIDRATOS
64 g. PROTEINAS	49 g. GRASAS	0 g. FIBRAS

TECNICA: PARRILLADA MIXTA

1 Prepare sus ingredientes por anticipado.

2 Ponga la carne molida en un tazón y agréguele el huevo; revuelva. Sazone bien y revuelva de nuevo.

3 Agregue las especias y la cebolla; revuelva todo bien.

4 Forme bolas pequeñas de carne.

5 Vierta el aceite y la salsa de soya en un tazón grande. Agregue el ajo y el catsup e incorpórelos bien. Acabe el escabeche agregando jugo de limón y salsa Worcestershire al gusto.

6 Ponga las bolas de carne en el escabeche. Agregue las rebanadas de salchicha, alas y puerco; refrigere 1 hora.

Escabeche Sencillo

¼ taza	aceite de oliva
3 c/das	salsa de soya
2	dientes de ajo, machacados y picados
¼ taza	catsup
	varias gotas de jugo de limón
	salsa Worcestershire al gusto

Vierta el aceite y la salsa de soya en un tazón grande. Agregue ajo y catsup; incorpórelos bien.

Agregue el jugo de limón y la salsa Worcestershire; revuelva y rectifique el sazón.

241

Filete Salisbury   *(4 porciones)*

2½ c/das	aceite vegetal
1	cebolla mediana, pelada y finamente picada
900 g.	(*2 lb.*) carne magra de res, molida
1	huevo
2	cebollas peladas, en rebanadas delgadas
1 c/dita	mantequilla
1½ tazas	salsa comercial tipo gravy, caliente
	pizca de albahaca dulce
	un poco de clavo molido
	unos chiles molidos
	sal y pimienta

Caliente el horno previamente a 70 °C (*150 °F*).

Caliente 1 c/da de aceite en una sartén pequeña; póngale la cebolla picada y las especias; tape y sofría a fuego suave durante 4 minutos.

Ponga la carne en un tazón grande y hágale un hueco en el centro, donde deja caer el huevo; revuelva bien con las manos. Agregue la cebolla sofrita y revuelva hasta que se incorporen bien. Rectifique el sazón.

Forme tortitas de 2 cm. (*¾ pulg.*) de grueso y tráceles líneas con un cuchillo.

Caliente el resto del aceite en una sartén grande para freír; póngale la carne y dórela de 10 a 12 minutos a fuego medio. Voltee 3 ó 4 veces mientras dora y, cuando esté lista, sazónela bien. Pase la carne a un platón refractario y manténgala caliente en el horno.

Vacíe las cebollas rebanadas y la mantequilla a la sartén. Sofríalas de 6 a 7 minutos a fuego medio. Viértales la salsa tipo gravy y sazone bien; revuelva y cueza 3 minutos más.

Vea la técnica en la página siguiente.

1 PORCION	517 CALORIAS	11 g. CARBOHIDRATOS
62 g. PROTEINAS	25 g. GRASAS	0.5 g. FIBRAS

TECNICA: FILETE SALISBURY

1 Ponga la carne en un tazón grande y hágale un hueco en el centro, donde deja caer el huevo.

2 Revuelva bien con las manos.

3 Agregue la cebolla sofrita y revuelva hasta que se incorpore bien. Rectifique el sazón.

4 Forme tortitas de 2 cm. (¾ *pulg.*) de grueso. Hágales cortes con un cuchillo. Cocine la carne como se indica en la receta.

5 Ponga las cebollas rebanadas y la mantequilla en una sartén. Fríalas de 6 a 7 minutos a fuego medio. Las cebollas deben quedar doradas pero no quemarse, por lo que hay que revolverlas.

6 Viértale la salsa tipo gravy y sazone bien; revuelva y cueza 3 minutos más.

Carne Cocida Nueva Inglaterra *(4 porciones)*

2 kg.	(*4 lb.*) espaldilla de res
3	ramas de perejil
1	hoja de laurel
2	ramas de menta fresca
¼ c/dita	tomillo
5	zanahorias grandes peladas, cortadas en dos
5	papas grandes, sin cáscara, cortadas en dos
4	cebollas pequeñas, peladas
1	calabacita redonda, cortada en rebanadas gruesas
	sal y pimienta

Ponga la carne en una cacerola grande y cúbrala con agua fría. Deje que empiece a hervir y espúmela.

Sazone bien y agregue las hierbas aromáticas. Tape parcialmente y deje hervir a fuego medio-bajo durante 2 horas.

Ponga las zanahorias y papas en la cacerola; cueza todo otra hora.

Cuarenta minutos antes de que termine el tiempo de cocción, agregue el resto de las verduras.

Cuando estén cocidas, saque la carne y acomódela en un platón de servicio. Vacíele algo del jugo encima y sírvala con las verduras. Tenga a mano mostaza y pepinillos encurtidos.

Carne Molida de Res al Horno *(6 a 8 porciones)*

1 c/da	aceite vegetal
2	cebollas peladas y finamente picadas
2	dientes de ajo, machacados y picados
1 c/da	perejil picado
625 g.	(*1¼ lb.*) carne magra de res, molida
1½ tazas	tomates picados
3 c/das	pasta de tomate
4 tazas	papas calientes molidas
	pizca de tomillo
	sal y pimienta
	mantequilla derretida

Caliente el horno previamente a 190 °C (*375 °F*).

Caliente el aceite en una olla para saltear y póngale las cebollas, ajo y perejil; revuelva y sofría a fuego medio por 3 minutos.

Agregue la carne y el tomillo, revolviendo bien. Sofría de 5 a 6 minutos más a fuego suave.

Extienda la mitad de las papas molidas en el fondo de un molde refractario grande. Cubra con la mezcla de carne.

Extienda el resto de las papas sobre la carne y vierta encima un poco de mantequilla derretida.

Hornee de 25 a 30 minutos.

Sírvalo caliente y recaliente lo que le sobre para otra ocasión.

1 PORCION   290 CALORIAS   29 g. CARBOHIDRATOS
21 g. PROTEINAS   10 g. GRASAS   0.7 g. FIBRAS

Hamburguesas con Queso *(4 porciones)*

2 c/das	aceite vegetal
1	cebolla pequeña pelada, finamente picada
1 kg.	(*2 lb.*) carne magra de res, molida
1	huevo
1 c/da	perejil picado
4	rebanadas queso Roquefort
	unas gotas salsa Worcestershire
	unas gotas salsa Tabasco
	sal y pimienta

Caliente 1 c/da de aceite en una sartén pequeña. Ponga la cebolla, tape y fría 4 minutos a fuego suave.

Ponga la carne en un tazón grande y haga un hueco en el centro, donde deja caer el huevo; revuelva bien con las manos.

Agregue la cebolla frita, perejil, salsas Worcestershire y Tabasco. Revuelva otra vez hasta que se incorporen bien.

Forme hamburguesas grandes con la mezcla y tráceles líneas con un cuchillo.

Caliente el aceite restante en una sartén grande para freír. Póngale las hamburguesas y dórelas de 10 a 12 minutos a fuego medio. Voltéelas 4 veces mientras se cuecen y, una vez doradas, sazónelas bien.

Cuando las hamburguesas estén cocidas, páselas a un molde refractario. Agregue las rebanadas de queso y deje que se derritan por 2 ó 3 minutos en el horno.

Acompañe con papas y cebollitas de Cambray, página 264.

1 PORCION	380 CALORIAS	2 g. CARBOHIDRATOS
57 g. PROTEINAS	16 g. GRASAS	0.2 g. FIBRAS

Filetes de Londres con Manzanas *(4 porciones)*

2	manzanas peladas y en rebanadas gruesas
2 c/das	aceite vegetal
4	rollos de espaldilla de 170 g. (*6 oz.*)
1 c/da	mantequilla
1 taza	pepino rebanado
1	tallo de apio, rebanado
¼ c/dita	semillas de apio
¼ c/dita	tomillo
1 taza	caldo de pollo caliente
1 c/da	fécula de maíz
2 c/das	agua fría
2 c/das	salsa de soya
	jugo de limón
	sal y pimienta

Caliente el horno previamente a 70 °C (*150 °F*).

Ponga las manzanas rebanadas en un tazón y agrégueles un poco de jugo de limón. Esto evitará que se decoloren.

Caliente el aceite en una sartén grande. Ponga la carne y dórela de 8 a 10 minutos a fuego medio. Voltee la carne 3 ó 4 veces mientras la cocina y, una vez dorada, sazónela bien.

Pase la carne a un platón refractario y consérvela caliente en el horno.

Ponga la mantequilla en la sartén. Cuando esté caliente, agregue las manzanas, pepino y apio; revuélvale las hierbas aromáticas y sazone bien. Sofría de 4 a 5 minutos a fuego medio.

Vierta el caldo de pollo y cueza 2 minutos a fuego medio.

Revuelva la fécula de maíz con el agua; Agréguela a la salsa. Ponga la salsa de soya y cocine 2 minutos para que espese.

Vierta la salsa sobre la carne y sirva.

1 PORCION   428 CALORIAS   16 g. CARBOHIDRATOS
46 g. PROTEINAS   20 g. GRASAS   0.9 g. FIBRAS

Filetes de Londres con Salsa de Tomate y Champiñones *(4 porciones)*

2 c/das	aceite vegetal
4	rollos de espaldilla de 170 g. (*6 oz.*)
1 c/da	mantequilla
2	cebollitas de Cambray, rebanadas
250 g.	(*½ lb.*) champiñones limpios y rebanados
2 tazas	tomates de lata, escurridos y picados
1	diente de ajo, machacado y picado
1½ tazas	salsa comercial tipo gravy, caliente sal y pimienta

Caliente el horno previamente a 70 °C (*150 °F*).

Caliente el aceite en una sartén grande; póngale la carne y dórela de 8 a 10 minutos a fuego medio. Voltee la carne 3 ó 4 veces mientras la dora y sazónela bien cuando esté lista.

Pase la carne a un platón refractario y consérvela caliente en el horno.

Ponga la mantequilla en la sartén. Cuando esté caliente, agregue las cebollitas y champiñones, sazonando bien. Sofría 3 minutos a fuego medio-alto.

Agregue los tomates y el ajo y revuelva bien. Cueza 3 minutos a fuego medio.

Incorpore la salsa tipo gravy y cocine de 3 a 4 minutos, rectifique el sazón.

Vierta la salsa sobre la carne y sirva.

Vea la técnica en la página siguiente.

1 PORCION	437 CALORIAS	13 g. CARBOHIDRATOS
49 g. PROTEINAS	21 g. GRASAS	1.0 g. FIBRAS

TECNICA: FILETES DE LONDRES

1 Los rollos de espaldilla (London Broil) son una manera económica de servir carne. Pida a su carnicero que aplane unos bisteques, los rellene con carne molida, y los corte 2 cm. (3/4 *pulg.*) de grueso. Sujételos con un palillo.

2 Prepare la carne como se indica en la receta. Ponga la mantequilla en la sartén. Cuando se derrita, agregue las cebollas y champiñones y sazone bien. Sofría 3 minutos a fuego medio-alto.

3 Agregue los tomates y el ajo y revuelva bien. Cocine 3 minutos más a fuego medio.

4 Incorpórele la salsa tipo gravy y cocine de 3 a 4 minutos; rectifique el sazón.

Filetes del Sur *(4 porciones)*

2 c/das	aceite vegetal
4	rollos de espaldilla de 170 g. (*6 oz.*)
1 c/da	mantequilla
1	cebolla pelada y finamente picada
2	dientes de ajo, machacados y picados
1 c/da	perejil picado
1/2 taza	vino blanco seco
1 lata	tomates de 796 ml. (*28 oz.*) escurridos y picados
1/2 c/dita	orégano
1/4 c/dita	jengibre
	sal y pimienta
	unos cuantos chiles molidos

Caliente el horno previamente a 70 °C (*150 °F*).

Caliente el aceite en una sartén grande; ponga la carne y dórela de 8 a 10 minutos a fuego medio. Voltee la carne 3 ó 4 veces mientras la cocina y, una vez dorada, sazónela bien.

Pase la carne a un platón refractario y consérvela caliente en el horno.

Caliente la mantequilla en otra sartén. Cuando esté caliente, ponga la cebolla, ajo y perejil; revuelva y sofría 3 minutos a fuego medio.

Viértale el vino y cueza de 3 a 4 minutos a fuego medio-alto o hasta que evapore la mayor parte del vino.

Agregue los tomates y especias y cocine de 8 a 10 minutos a fuego suave. Revuelva ocasionalmente. Vierta la salsa sobre la carne y acompáñela con hortalizas verdes.

Vea la técnica en la página siguiente.

1 PORCION	412 CALORIAS	11 g. CARBOHIDRATOS
47 g. PROTEINAS	20 g. GRASAS	1.0 g. FIBRAS

TECNICA: FILETES DEL SUR

1 Prepare la carne como se indica en la receta. Para cocinar la salsa, caliente la mantequilla en una sartén por separado. Agregue la cebolla, ajo y perejil; revuelva y sofría 3 minutos a fuego medio.

2 Viértale el vino y cueza de 3 a 4 minutos a fuego medio-alto.

3 Tal vez necesite cocer la salsa por más tiempo, ya que es importante que se evapore la mayor parte del vino.

4 Agregue los tomates y especias; cueza de 8 a 10 minutos a fuego suave. Revuelva ocasionalmente.

Hamburguesas al Curry *(4 porciones)*

1 kg.	**(2 *lb*.) carne magra de res, molida**
1	**huevo**
1	**cebolla pelada, finamente picada y sofrita**
1½ c/das	**aceite vegetal**
1 c/da	**mantequilla**
3 c/das	**cebolla picada**
2 c/das	**curry en polvo**
2	**manzanas peladas, rebanadas y rociadas con jugo de limón**
1½ tazas	**caldo de pollo caliente**
1½ c/das	**fécula de maíz**
2 c/das	**agua fría**
¼ taza	**pasas blancas**
	sal y pimienta

Caliente el horno previamente a 70 °C (150 °F).

Ponga la carne en un tazón grande y forme un hueco en el centro, donde deja caer un huevo y lo mezcla bien con la carne. Agregue la cebolla sofrita, sal y pimienta y revuelva hasta que todo esté bien mezclado.

Haga hamburguesas con la mezcla y tráceles líneas con un cuchillo. Caliente el aceite en una sartén grande; fría la carne por 10 ó 12 minutos, a fuego medio. Voltee las hamburguesas 4 veces y sazónelas.

Una vez que estén cocidas, páselas a un platón refractario. Ponga en la sartén la mantequilla y el resto de la cebolla picada; revuélvale el curry y sofría 2 minutos. Agregue las manzanas y revuelva bien. Cueza 2 minutos más a fuego medio.

Viértale el caldo de pollo y cueza de 5 a 6 minutos. Revuelva la fécula de maíz con agua y agréguela a la salsa. Cocínela de 1 a 2 minutos.

Agregue las pasas y deje que hiervan a fuego suave por 1 ó 2 minutos.

Sirva con las hamburguesas.

1 PORCION	504 CALORIAS	22 g. CARBOHIDRATOS
59 g. PROTEINAS	20 g. GRASAS	0.7 g. FIBRAS

Albóndigas en Salsa de Crema Acida *(4 porciones)*

1 kg.	(*2 lb.*) carne magra de res, molida
1	huevo
1	cebolla pelada, finamente picada y sofrita
2 c/das	aceite vegetal
2 c/das	cebollas picadas
250 g.	(*½ lb.*) champiñones limpios y rebanados grueso
1 c/da	perejil picado
1½ tazas	salsa comercial tipo gravy, caliente
2 c/das	crema ácida
	sal y pimienta
	semillas de apio al gusto

Caliente el horno previamente a 70 °C (*150 °F*). Ponga la carne en un tazón grande y haga un hueco en el centro, donde deja caer un huevo; revuelva bien. Agregue la cebolla sofrita, sal y pimienta y revuelva hasta que se incorporen bien.

Forme albóndigas grandes con la mezcla. Caliente el aceite en una sartén grande para freír; ponga las albóndigas y fríalas de 6 a 7 minutos a fuego medio. Voltee con frecuencia para dorarlas un poco por todos lados y sazónelas bien.

Agregue las cebollas y revuelva bien; cocine a fuego medio por 3 ó 4 minutos, tapando la sartén.

Saque las albóndigas y consérvelas calientes en el horno.

Ponga los champiñones y el perejil en la sartén. Revuelva y sofría de 3 a 4 minutos, sin tapar. Vierta la salsa tipo gravy y cueza de 5 a 6 minutos. Rectifique el sazón. Ponga de nuevo las albóndigas en la salsa y saque la sartén del fuego. Agregue la crema ácida y sirva sobre tallarines calientes. Espárzale encima semillas de apio al gusto.

1 PORCION	508 CALORIAS	10 g. CARBOHIDRATOS
63 g. PROTEINAS	24 g. GRASAS	0.7 g. FIBRAS

Hamburguesas Rellenas *(4 porciones)*

3 c/das	mantequilla
2 c/das	cebolla finamente picada
1	diente de ajo, machacado y picado
1 c/da	perejil picado
250 g.	(½ *lb.*) champiñones limpios y picados
½ taza	papas machacadas
750 g.	(1½ *lb.*) carne magra de res, molida y en tortitas*
1½ c/das	aceite vegetal
	rebanadas de queso cheddar
	sal y pimienta

Caliente la mitad del aceite en una cacerola y póngale la cebolla, ajo y perejil; sofría 2 minutos a fuego medio.

Agregue el resto de la mantequilla y los champiñones; sazone bien. Sofría de 6 a 7 minutos más, revolviendo ocasionalmente.

Ponga las papas y sofríalas de 2 a 3 minutos a fuego alto.

Saque la cacerola del fuego y rellene las hamburguesas como se indica al explicar la técnica.

Caliente el aceite en una sartén grande; ponga las hamburguesas y deje que se doren de 12 a 15 minutos a fuego medio. Mientras se cuecen, voltéelas 4 veces y, una vez doradas, sazónelas bien.

Cuando ya estén cocidas, páselas a un platón refractario. Póngales las rebanadas de queso y métalas en el horno hasta que el queso se derrita.

* Las instrucciones aparecen en la técnica para el Filete Salisbury, ilustraciones 1 a 4, página 244.

Vea la técnica en la página siguiente.

1 PORCION	509 CALORIAS	8 g. CARBOHIDRATOS
54 g. PROTEINAS	29 g. GRASAS	0.8 g. FIBRAS

TECNICA: HAMBURGUESAS RELLENAS

1 Sofría la cebolla, ajo y perejil en mantequilla caliente durante 2 minutos.

2 Agregue el resto de la mantequilla e incorpore los champiñones; sazone bien. Sofría de 6 a 7 minutos más a fuego medio.

3 Agregue las papas y sofría de 2 a 3 minutos a fuego alto.

4 Para rellenar las hamburguesas, presione el centro de la carne y ponga varias cucharadas de relleno. Envuelva con la carne hasta que no estén a la vista.

Picadillo con Papas *(4 porciones)*

1½ c/das	aceite vegetal
750 g.	(1½ *lb.*) sobrantes de carne cocinada (asados, guisos, etc.), picados
3	papas cocidas, picadas
1	cebolla pequeña, pelada y picada
½ c/dita	orégano
	pizca de clavo molido
	un poco de jengibre
	sal y pimienta
	huevos estrellados (opcional)

Caliente el aceite en una sartén y póngale la carne, papas y cebolla; revuelva todo bien.

Agregue también las hierbas aromáticas y especias y rectifique el sazón. Sofría 15 minutos a fuego medio-alto. Revuelva ocasionalmente.

Si le agrada, sírvalo con huevos estrellados.

Picadillo con Cebollas *(4 porciones)*

2 c/das	aceite vegetal
2	cebollas rojas, peladas y rebanadas
1	diente de ajo, machacado y picado
750 g.	(1½ *lb.*) sobrantes de carne cocinada (asados, guisos, etc.), picados
2 c/das	perejil picado
	sal y pimienta

Caliente el aceite en la sartén; póngale las cebollas y fríalas de 5 a 6 minutos a fuego alto, revolviendo ocasionalmente.

Agregue el ajo y fría de 3 a 4 minutos a fuego medio-alto.

Ponga la carne y revuelva bien; sazone y sofría de 8 a 10 minutos a fuego medio-alto.

Espárzale perejil y sírvalo acompañado de verduras frescas.

1 PORCION	456 CALORIAS	4 g. CARBOHIDRATOS
65 g. PROTEINAS	20 g. GRASAS	0.3 g. FIBRAS

Agujas en Salsa Sabrosa *(4 a 6 porciones)*

1½ c/das	aceite vegetal
2 kg.	(*4 lb.*) agujas, sin grasa
2	cebollas rojas, peladas y en cubitos
2	dientes de ajo, machacados y picados
1½ latas	796 ml. (*28 oz.*) tomates enlatados
½ taza	salsa comercial tipo gravy, caliente
1	hoja de laurel
½ c/dita	albahaca
½ c/dita	orégano
¼ c/dita	semillas de apio
3	zanahorias peladas, cortadas en trozos grandes
1	nabo pelado, cortado en trozos grandes
4	papas peladas, cortadas en trozos grandes
	sal y pimienta

Caliente el horno previamente a 180 °C (*350 °F*).

Caliente el aceite en una cacerola grande, que pueda meter al horno; ponga la carne y dórela por 6 ó 7 minutos a fuego medio-alto.

Voltee los trozos y sazónelos bien. Dore de 6 a 7 minutos más.

Agregue las cebollas y ajos y revuelva bien. Sofría de 5 a 6 minutos.

Ponga los tomates con todo y jugo, la salsa tipo gravy y las hierbas aromáticas; sazone bien y deje que empiece a hervir.

Tape la cacerola y hornee por 2 horas.

Agregue las verduras y deje que se cuezan en el horno por 1 hora más.

Vea la técnica en la página siguiente.

1 PORCION	590 CALORIAS	23 g. CARBOHIDRATOS
66 g. PROTEINAS	26 g. GRASAS	1.8 g. FIBRAS

TECNICA: AGUJAS EN SALSA

1 Quítele a las costillitas toda la grasa posible.

2 Dore la carne en aceite caliente de 6 a 7 minutos por cada lado; sazónela bien.

3 Agregue las cebollas y ajos; revuelva bien. Sofría de 5 a 6 minutos más.

4 Agregue los tomates con el jugo, la salsa tipo gravy y las hierbas aromáticas; sazone bien. Cuando empiece a hervir, deje que acaben de cocerse en el horno.

Agujas en Escabeche *(4 a 6 porciones)*

1.5 kg.	(3½ *lb.*) agujas en escabeche de vino tinto*
2 c/das	aceite vegetal
1	cebolla pelada, en trozos grandes
3 c/das	harina
4 tazas	caldo de res, caliente
4 c/das	pasta de tomate
3	papas peladas, cortadas en trozos grandes
3	zanahorias peladas, cortadas en trozos grandes
4	cebollas pequeñas, peladas
	unas gotas de salsa Tabasco
	un poco de salsa Worcestershire
	sal y pimienta

Caliente el horno previamente a 180 °C (*350 °F*).

Escurra la carne y cuele el escabeche; deje aparte.

Caliente el aceite en una cacerola grande que pueda meter al horno; póngale la carne y dórela a fuego medio-alto de 8 a 9 minutos. Voltee la carne para que dore por todos lados.

Ponga la cebolla y revuelva bien. Dórela otros 5 ó 6 minutos, revolviendo ocasionalmente.

Mézclele la harina y cocine de 3 a 4 minutos a fuego medio-alto. Revuelva conforme sea necesario. La harina y la cebolla se deben dorar, pegándose al fondo de la cacerola.

Vacíele el escabeche colado junto con el caldo de res; revuelva bien y deje que empiece a hervir.

Agregue la pasta de tomate, salsas Tabasco y Worcestershire; sazone bien y deje que empiece a hervir.

Tape la cacerola y hornee por 1 hora.

Agregue las verduras y cueza 1½ horas más en el horno.

* Vea la página 264.

1 PORCION	472 CALORIAS	16 g. CARBOHIDRATOS
39 g. PROTEINAS	28 g. GRASAS	0.7 g. FIBRAS

TECNICA: AGUJAS EN ESCABECHE

1 Deje las agujas en el escabeche y refrigérelas de 12 a 24 horas.

2 Escurra la carne y cuele el escabeche; déjelo aparte. Dore la carne de 8 a 9 minutos en aceite caliente, a fuego medio-alto

3 Agregue la cebolla y revuelva bien; dore otro poco.

4 Agregue la harina y cocine a fuego medio-alto de 3 a 4 minutos. Revuelva conforme sea necesario.

5 La harina y la cebolla deben dorar y pegarse al fondo de la cacerola.

6 Vacíele el escabeche colado.

7 Agregue el caldo de res, revuelva bien y deje que empiece a hervir.

8 Después de hornear 1 hora, agregue las verduras y deje que se cuezan en el horno 1½ horas más.

Escabeche de Vino Tinto

1.5 kg.	(3½ *lb.*) agujas sin hueso, cortadas en cubos de 2.5 cm. (*1 pulg.*)
2 tazas	vino tinto seco
1	hoja de laurel
1	diente de ajo pelado, cortado en dos a lo largo
4	rebanadas de cebolla
3	ramas de perejil
2 c/das	aceite
¼ c/dita	tomillo
	pimienta molida fresca

Ponga en un tazón grande la carne y los otros ingredientes. Cubra con envoltura de plástico y refrigere de 12 a 24 horas.

Papas y Cebollitas de Cambray   *(4 porciones)*

1 c/da	aceite vegetal
3	papas peladas, cortadas por mitad y rebanadas
1 c/dita	mantequilla
1	diente de ajo, machacado y picado
2	cebollitas de Cambray, rebanadas
1 c/da	perejil picado
	pizca de paprika
	sal y pimienta

Caliente el aceite en una sartén grande; póngale las papas; tape y fríalas de 6 a 7 minutos. Revuelva dos veces mientras las fríe.

Sazónelas bien y agregue la mantequilla. Cuando se derrita, ponga el ajo, cebollitas e ingredientes restantes. Fría de 3 a 4 minutos sin tapar, a fuego medio.

Sirva inmediatamente con hamburguesas.

1 PORCION	105 CALORIAS	13 g. CARBOHIDRATOS
2 g. PROTEINAS	5 g. GRASAS	0.5 g. FIBRAS

Rosbif con Salsa *(4 a 6 porciones)*

2 kg.	**(4 *lb*.) rosbif preparado para asado**
1	**cebolla en trozos**
1	**tallo de apio, en trozos grandes**
1	**zanahoria pelada, en trozos grandes**
½ c/dita	**tomillo**
½ c/dita	**albahaca**
½ c/dita	**perifollo**
1 c/da	**perejil picado**
1	**hoja de laurel**
1½ tazas	**caldo ligero de res, caliente**
	aceite vegetal
	sal y pimienta

Caliente el horno previamente a 200 °C (*400 °F*). Ponga la carne en un molde para asar y úntela con el aceite vegetal. Póngale suficiente pimienta y hornee 30 minutos.

Saque el molde del horno y sazone bien la carne. Acomode las verduras alrededor de la carne y esparza las hierbas aromáticas sobre las verduras. Meta el molde de nuevo al horno y hornee 30 minutos.

Baje la temperatura a 190 °C (*375 °F*) y hornee otros 20 minutos.

Saque el asado del molde y déjelo aparte. Ponga el molde sobre la estufa, a fuego alto y deje que hierva 2 minutos. Agregue el caldo de res y condimente; debe hervir de 5 a 6 minutos más.

Cuele la salsa por un cedazo y sírvala con el asado.*

* Si la salsa está muy aguada para su gusto, espésela con un poco de fécula de maíz mezclada con agua fría. Haga esto después de agregar el caldo de res.

Vea la técnica en la página siguiente.

1 PORCION	319 CALORIAS	3 g. CARBOHIDRATOS
43 g. PROTEINAS	15 g. GRASAS	0.3 g. FIBRAS

TECNICA: ROSBIF CON SALSA

1 Ponga la carne en el molde para asar.

2 Unte la carne con el aceite vegetal. Póngale suficiente pimienta y hornee 30 minutos.

3 Saque el molde del horno y sazone bien la carne.

4 Acomode las verduras alrededor de la carne.

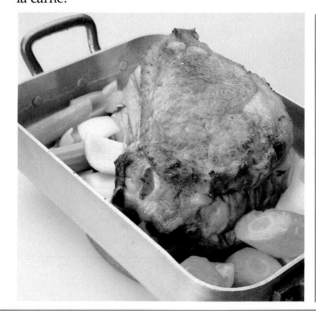

5 Esparza las hierbas aromáticas sobre las verduras.

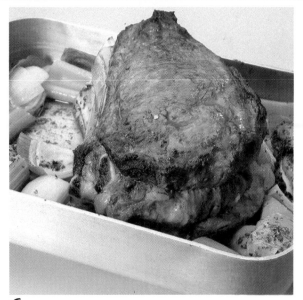

6 Cuando el asado esté cocido, saque el molde del horno y deje la carne aparte.

7 Ponga el molde encima de la estufa a fuego alto y ponga a hervir 2 minutos.

8 Agregue el caldo de res y condimente; cocine otros 5 ó 6 minutos.

Cuete al Horno *(4 a 6 porciones)*

1 c/da	aceite vegetal
1.5 kg.	(*3½ lb.*) cuete limpio
2 c/das	mantequilla derretida
1	diente de ajo pelado, en tiritas
1	cebolla pelada y picada
½	tallo de apio, picado
1	hoja de laurel
¼ c/dita	tomillo
1¼ tazas	caldo de res, caliente
1 c/dita	fécula de maíz
1 c/dita	agua fría
	sal y pimienta

Caliente el horno previamente a 220 °C (*425 °F*).

Tiempo de cocción: 10 minutos por cada ½ kg. (*1 lb.*).

Caliente el aceite en la estufa en un molde para asar; póngale la carne y dórela de 4 a 6 minutos a fuego alto. Voltee la carne para que dore por todos lados y sazónela bien.

Unte la carne con mantequilla derretida y hágale varios cortes, insertando en ellos las tiras de ajo. Hornee aproximadamente 30 minutos, o hasta que esté a su gusto.

Saque el molde del horno y deje la carne aparte. Ponga las verduras y las hierbas aromáticas en el molde; cuézalas de 4 a 5 minutos a fuego medio-alto.

Agregue el caldo de res y deje hervir 4 a 5 minutos.

Mezcle la fécula de maíz con agua, agréguela a la salsa y deje que hierva de 1 a 2 minutos. Cuele la salsa y sírvala con la carne.

1 PORCION	444 CALORIAS	3 g. CARBOHIDRATOS
72 g. PROTEINAS	16 g. GRASAS	0.2 g. FIBRAS

Estofado Familiar *(4 a 6 porciones)*

1 c/da	aceite vegetal
1.5 kg.	(*3 lb.*) rollo de costilla en cubitos
1	cebolla redonda pelada, en trozos grandes
1	diente de ajo, machacado y picado
1 c/da	perejil picado
2	tallos de apio, en trozos grandes
1½ tazas	salsa comercial tipo gravy, caliente
1½ tazas	caldo de res, caliente
2	zanahorias peladas, en trozos grandes
3	papas peladas, en trozos grandes
2	nabos pequeños pelados, en trozos grandes
½ c/dita	tomillo
½ c/dita	albahaca
	sal y pimienta

Caliente el horno previamente a 180 °C (*350 °F*).

Caliente el aceite en una cacerola grande que pueda meter al horno; ponga la carne y dórela a fuego medio-alto de 6 a 8 minutos. Voltee la carne para que dore por todos lados y sazónela bien.

Agregue la cebolla, ajo y perejil; sazone bien. Sofría de 6 a 7 minutos a fuego medio-alto.

Ponga el apio y sofría 5 a 6 minutos más.

Viértale la salsa tipo gravy y el caldo de res; revuelva y deje que empiece a hervir. Tape la cacerola y hornee 1 hora.

Ponga las zanahorias, papas, nabos y hierbas aromáticas; tape la cacerola y cueza 1 hora más en el horno.

Vea la técnica en la página siguiente.

1 PORCION	541 CALORIAS	18 g. CARBOHIDRATOS
43 g. PROTEINAS	33 g. GRASAS	1.2 g. FIBRAS

TECNICA: ESTOFADO FAMILIAR

1 Dore la carne en una cacerola grande que pueda meter al horno. Asegúrese de voltear la carne para que dore por todos lados y sazónela bien.

2 Agregue la cebolla, ajo y perejil; sazone bien. Sofría de 6 a 7 minutos a fuego medio-alto.

3 Póngale el apio y sofría 5 a 6 minutos.

4 Viértale la salsa tipo gravy y deje que empiece a hervir.

Asado Especial   *(4 a 6 porciones)*

1 c/da	aceite vegetal
2 kg.	(*4 lb.*) aguayón, diezmillo o espaldilla para asar
1	cebolla redonda , pelada y en trozos
2	dientes de ajo, pelados
¼ c/dita	tomillo
½ c/dita	orégano
½ c/dita	albahaca
1	hoja de laurel
1 c/da	perejil picado
1 taza	vino tinto seco
1 lata	(*796 ml. / 28 oz.*) tomates, con jugo
3 c/das	pasta de tomate
	sal y pimienta
	unas gotas salsa Tabasco

Caliente el horno previamente a 180 °C (*350 °F*).

Caliente el aceite en una cacerola muy grande para hornear. Ponga la carne y dórela a fuego alto de 7 a 8 minutos. Voltee la carne para que dore por todos lados y sazónela bien.

Agregue la cebolla, ajo y hierbas; revuelva bien. Sofría de 7 a 8 minutos a fuego medio alto.

Póngale el vino y siga cocinando de 3 a 4 minutos.

Vacíele los tomates con todo y jugo y revuelva otra vez.

Sazone bien y agregue la pasta de tomate y salsa Tabasco. Deje que empiece a hervir.

Tape la cacerola y hornee por 3 horas.

Vea la técnica en la página siguiente.

1 PORCION	333 CALORIAS	9 g. CARBOHIDRATOS
45 g. PROTEINAS	13 g. GRASAS	0.8 g. FIBRAS

TECNICA: ASADO ESPECIAL

1 Dore la carne en una cacerola refractaria muy grande. Cerciórese de dorar la carne por todos lados y sazónela bien.

2 Ponga la cebolla, ajo y hierbas aromáticas y revuelva bien. Sofría de 7 a 8 minutos a fuego medio-alto.

3 Viértale el vino y cocine de 3 a 4 minutos más.

4 Póngale los tomates con el jugo y revuelva de nuevo. Agregue el resto de los ingredientes y acabe de cocinar en el horno.

Filete Mignon a la Pimienta Doble *(4 porciones)*

1 c/da	aceite vegetal
4	filetes mignon de 225 g. (*8 oz.*) cada uno
2 c/das	mantequilla
2	chalotes picados
250 g.	(½ *lb.*) champiñones frescos, limpios y rebanados
2 c/das	pimienta verde
¼ taza	crema espesa
1 c/da	pimienta negra, molida
1 c/dita	cebollinos picados
1¼ tazas	salsa comercial tipo gravy, caliente
	sal y pimienta

Caliente el horno previamente a 70 °C (*150 °F*).

Caliente el aceite en una sartén grande; póngale la carne y dórela 2 minutos a fuego medio-alto.

Voltee la carne y sazónela; dórela 6 minutos más. Voltéela 3 veces más mientras se cocina.

Ponga la carne en un platón refractario y manténgala caliente en el horno.

Caliente la mantequilla en una sartén. Póngale los chalotes y champiñones; sofría de 3 a 4 minutos a fuego medio. Revuelva ocasionalmente.

Machaque la pimienta verde con la crema y agréguele la pimienta negra y los cebollinos.

Vierta la mezcla de pimientas y salsa tipo gravy en la cacerola y cuézala de 3 a 4 minutos a fuego medio-alto.

Sazone la salsa al gusto y cocine 2 minutos más.

Filete Mignon a la Parisina *(4 porciones)*

3	papas grandes, peladas
1	nabo, pelado
2	zanahorias grandes, peladas
1 c/da	aceite vegetal
4	filetes mignon de 225 g. (*8 oz.*) cada uno
2 c/das	mantequilla
1	diente de ajo, machacado y picado
	sal y pimienta
	mantequilla de ajo (opcional)

Utilice una cuchara de ahuecar melones para cortar las verduras en esferas. Cuézalas 8 minutos en 1½ tazas de agua hirviendo con sal.

Mientras tanto, empiece a freír la carne. Caliente aceite en una sartén grande para freír; ponga la carne y fríala 2 minutos a fuego medio-alto.

Voltee la carne y sazónela bien; fríala 6 minutos más. Voltéela 3 veces mientras se cocina.

Escurra las verduras y séquelas. Caliente la mantequilla en otra sartén y saltee las verduras con el ajo durante 2 ó 3 minutos. Sazónelas bien.

Sirva la carne con la mantequilla de ajo y rodéela con las verduras.

1 PORCION   522 CALORIAS   18 g. CARBOHIDRATOS
45 g. PROTEINAS   30 g. GRASAS   1.2 g. FIBRAS

Filetes T-Bone al Coñac *(4 porciones)*

2 c/das	aceite vegetal
4	filetes T-bone de 2.5 cm. (*1 pulg.*) de grueso
1 c/da	mantequilla
500 g.	(*1 lb.*) champiñones frescos, limpios y rebanados
2	chalotes, picados
1 c/da	perejil fresco picado
¼ taza	coñac
⅔ taza	crema espesa
	sal y pimienta
	unas gotas de salsa Tabasco
	unas gotas de jugo de limón

Caliente el horno previamente a 70 °C (*150 °F*).

Cocine los filetes en dos tantos, siguiendo este procedimiento: caliente la mitad del aceite en una sartén grande; ponga la mitad de la carne y fríala de 4 a 5 minutos a fuego alto.

Voltee la carne, sazónela bien y fríala otros 4 ó 5 minutos. Saque la carne de la sartén y consérvela caliente en el horno. Repita para la otra mitad de la carne.

Ponga en la sartén la mantequilla, champiñones, chalotes y perejil. Sazone bien y sofríalos de 4 a 5 minutos a fuego medio.

Vacíeles el coñac y cocine 3 minutos a fuego alto.

Agregue la crema y salsa Tabasco; cocine de 5 a 6 minutos a fuego alto. Mézclele el jugo de limón y sírvala con la carne.

Vea la técnica en la página siguiente.

1 PORCION   798 CALORIAS   9 g. CARBOHIDRATOS
78 g. PROTEINAS   50 g. GRASAS   1.1 g. FIBRAS

TECNICA: FILETES T-BONE AL COÑAC

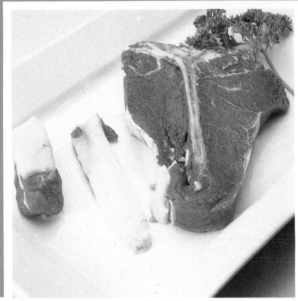

1 Compre filetes T-bone de 2.5 cm. (*1 pulg.*) de grueso. Posiblemente les tenga que quitar casi toda la grasa.

2 Fría los filetes en dos tantos, en aceite caliente. Cerciórese de sazonarlos al voltear la carne.

3 Para preparar la salsa, ponga en la sartén la mantequilla, champiñones, chalotes y perejil. Sazone bien y sofría de 4 a 5 minutos a fuego medio.

4 Vacíele el coñac y cocine 3 minutos a fuego alto. Agregue la crema y la salsa Tabasco y cocine de 5 a 6 minutos a fuego alto.

Filete a la Pimienta *(4 porciones)*

4	**bisteques de bola de 2 cm. (¾ *pulg.*) cada uno**
¼ taza	**pimienta negra, machacada**
1½ c/das	**aceite vegetal**
1 c/da	**mantequilla**
500 g.	**(*1 lb.*) champiñones, limpios y rebanados**
1	**chalote, picado**
1 c/da	**perejil picado**
2 c/das	**coñac**
1 taza	**crema espesa**
	sal y pimienta

Caliente el horno previamente a 70 °C (*150 °F*).

Cubra ambos lados de los bisteques con las pimientas machacadas y presiónelas en la carne.

Cocine los bisteques en dos tantos, siguiendo este procedimiento: caliente la mitad del aceite en una sartén grande; ponga la mitad de la carne y fríala de 4 a 5 minutos a fuego alto.

Voltee la carne, échele la sal y cocínela de 3 a 4 minutos. Saque la carne de la sartén y conserve los bisteques calientes en el horno. Repita para la otra mitad de la carne.

Ponga la mantequilla, champiñones, chalotes y perejil en la sartén y sofría a fuego medio por 3 ó 4 minutos.

Sazone y agregue el coñac; cocine 1 minuto.

Póngale la crema y sazone bien; cocine de 3 a 4 minutos a fuego medio-alto. Saque la carne del horno y vacíe el jugo en la salsa. Ponga de nuevo los bisteques en el horno. Revuelva la salsa y cocínela 2 minutos. Viértala sobre los bisteques y sirva.

1 PORCION	520 CALORIAS	9 g. CARBOHIDRATOS
49 g. PROTEINAS	32 g. GRASAS	1.1 g. FIBRAS

Costillas a la Cerveza *(4 porciones)*

1½ c/das	aceite vegetal
4	bisteques de costilla de 2 cm. (¾ *pulg.*) de grueso
1	cebolla pelada y picada
¼ c/dita	semillas de apio
¼ c/dita	estragón
¼ c/dita	paprika
1 c/dita	perejil picado
1 taza	cerveza
1½ tazas	salsa comercial tipo gravy, caliente
	sal y pimienta

Caliente el horno previamente a 70 °C (*150 °F*).

Fría los bisteques en dos tantos, siguiendo este procedimiento: caliente la mitad del aceite en una sartén grande; póngale la carne y fríala de 3 a 4 minutos a fuego alto.

Voltee la carne, sazónela bien y cocínela de 3 a 4 minutos más. Saque la carne de la sartén y consérvela caliente en el horno.

Repita para la otra mitad de la carne.

Ponga la cebolla en la sartén y fríala de 4 a 5 minutos a fuego medio.

Espárzale las hierbas aromáticas y sofría por 1 minuto; revuelva bien.

Agregue la cerveza y cueza de 5 a 6 minutos a fuego alto. El líquido debe consumirse hasta quedar ⅓.

Revuelva la salsa tipo gravy y rectifique el sazón. Cocine de 2 a 3 minutos a fuego medio.

Vierta la salsa sobre los bisteques y sirva.

1 PORCION	499 CALORIAS	9 g. CARBOHIDRATOS
46 g. PROTEINAS	31 g. GRASAS	0.2 g. FIBRAS

Brochetas de Res *(4 porciones)*

1	**cebolla pelada y picada**
3 c/das	**aceite de oliva**
1 c/da	**jugo de limón**
½ taza	**vino de Madeira**
750 g.	**(1½ lb.) de bola, cortada en cubos de 2.5 cm. (1 pulg.)**
1	**cebolla roja pelada, cortada en 6 pedazos**
8	**tomates miniatura**
16	**hojas de menta, frescas**
	sal y pimienta
	unas gotas de salsa Tabasco

Ponga la cebolla y el aceite en un tazón grande; revuelva.

Agréguele el jugo de limón y el vino y revuelva otra vez. Sazone con sal, pimienta y salsa Tabasco.

Ponga la carne en este escabeche, tápelo con envoltura plástica y refrigérelo 6 horas.

Escurra la carne y cuele el escabeche; deje aparte.

Ensarte las brochetas, alternando la carne, cebolla, tomate y hojas de menta. Untelas con el escabeche y sazone.

Dore 4 minutos de cada lado, o hasta que queden a su gusto. Báñelas con el escabeche ocasionalmente.

Vea la técnica en la página siguiente.

1 PORCION	410 CALORIAS	6 g. CARBOHIDRATOS
56 g. PROTEINAS	18 g. GRASAS	0.5 g. FIBRAS

TECNICA: BROCHETAS DE RES

1 Ponga la cebolla y el aceite en un tazón grande; mézclelos.

2 Agregue el jugo de limón y el vino y revuelva otra vez. Sazone con sal, pimienta y salsa Tabasco.

3 Ponga la carne de res en el escabeche y tápelo con envoltura plástica. Refrigere 6 horas.

4 Ensarte las brochetas alternando la carne, cebolla, tomate y hojas de menta. Unte con el escabeche, sazone y dore.

Salteado Long Island (4 porciones)

2 c/das	aceite vegetal
750 g.	(1½ lb.) filete Nueva York, cortado diagonalmente
1 c/da	mantequilla
1	pepino, rebanado delgado
1	tallo de apio, rebanado delgado
1	pimiento verde, rebanado delgado
250 g.	(½ lb.) champiñones frescos, limpios y rebanados
½ taza	pimiento dulce, rebanado
1½ tazas	salsa comercial tipo gravy, caliente
2 c/das	crema ácida
	sal y pimienta
	pizca de paprika

Caliente el aceite en una sartén grande; póngale la carne y dórela 1½ minutos por lado; sazónela bien.

Cuando haya dorado toda la carne, sáquela de la sartén y deje aparte.

Ponga la mantequilla, pepino, apio y pimiento verde en la sartén y sofríalos a fuego medio por 2 ó 3 minutos.

Agregue los champiñones, pimiento y paprika; revuelva bien y sofría otros 3 minutos.

Viértale la salsa tipo gravy y sazone bien; cueza 2 minutos.

Ponga la carne en la sartén y hierva 2 minutos a fuego suave para recalentar.

Quite la sartén de la estufa y revuélvale la crema ácida. Sirva inmediatamente.

Vea la técnica en la página siguiente.

1 PORCION   465 CALORIAS   10 g. CARBOHIDRATOS
44 g. PROTEINAS   24 g. GRASAS   1.1 g. FIBRAS

TECNICA: SALTEADO LONG ISLAND

1 Dore la carne 1½ minutos por cada lado en aceite caliente. Posiblemente tenga que hacer esto en dos tantos, dependiendo del tamaño de la sartén.

2 Cuando toda la carne esté dorada, sáquela de la sartén y deje aparte.

3 Ponga la mantequilla, pepino, apio y pimiento verde en la sartén y sofría de 2 a 3 minutos a fuego medio.

4 Agregue los champiñones, pimiento y paprika; revuelva bien y sofría 3 minutos.

Filete Nueva York a la Pimienta Verde *(4 porciones)*

1½ c/das	aceite vegetal
4	filetes Nueva York de 2.5 cm (*1 pulg.*) de grueso
1 c/da	pimienta verde
2 c/das	crema espesa
1 c/da	mantequilla
375 g.	(¾ *lb.*) champiñones limpios cortados en 3 rebanadas
2	chalotes picados
1 c/da	perejil picado
¼ taza	coñac
1 taza	crema espesa
	sal y pimienta

Caliente el horno previamente a 70 °C (*150 °F*).

Fría los filetes en dos tantos utilizando el procedimiento siguiente: caliente la mitad del aceite en una sartén grande; póngale la carne y fríala de 3 a 4 minutos a fuego alto.

Voltee la carne, sazone bien y fría otros 3 ó 4 minutos. Saque la carne de la sartén y consérvela caliente en el horno. Repita para el resto de la carne.

Ponga la pimienta en un tazón pequeño y agréguele 2 c/das de crema. Macháquela y deje aparte.

Ponga la mantequilla en la sartén y caliente. Sofría los champiñones, chalotes y perejil por 3 minutos. Sazone.

Agregue el coñac y cueza 3 minutos a fuego alto.

Ponga el resto de la mezcla de crema y pimienta; cueza a fuego alto por 4 ó 5 minutos.

Vea la técnica en la página siguiente.

1 PORCION	669 CALORIAS	8 g. CARBOHIDRATOS
58 g. PROTEINAS	45 g. GRASAS	0.9 g. FIBRAS

TECNICA: FILETE NUEVA YORK

1 Compre filete abierto, que quede de 2.5 cm. (*1 pulg.*) de grueso.

2 Fría los filetes en aceite caliente, en dos tantos. Sazone al voltear la carne.

3 La pimienta verde se compra en frascos y hay que machacarla antes de cocinar con ella.

4 Machaque la pimienta en un poco de crema espesa, con la mano de un mortero o la parte de atrás de una cuchara.

5 Sofría los champiñones, chalotes y perejil por 3 minutos a fuego medio, en mantequilla caliente. Condimente bien. Vierta el coñac y cueza 3 minutos a fuego alto.

6 Incorpórele el resto de la mezcla de crema y pimienta; revuelva bien y cueza 4 ó 5 minutos a fuego medio.

Puntas de Filete Alfredo *(4 porciones)*

2 c/das	aceite vegetal
750 g.	(1½ lb.) punta de filete en tiras delgadas
4 c/das	mantequilla suave
1½ tazas	crema espesa
¼ taza	agua en que coció los tallarines *
1¼ tazas	queso parmesano rallado
500 g.	(1 lb.) tallarines cocidos
	cebollinos picados
	perejil picado
	sal y pimienta

Caliente el horno previamente a 70 °C (150 °F).

Caliente el aceite en una sartén grande; póngale la carne y fría 1½ minutos por cada lado. Agregue los cebollinos picados y sazone bien. Nota: posiblemente tenga que freír la carne en dos tantos, dependiendo del tamaño de la sartén.

Saque la carne frita y manténgala caliente en el horno.

Caliente la mantequilla en una cacerola grande. Viértale la crema y revuélvalas bien; deje que empiece a hervir.

Cocine 3 minutos más a fuego alto.

Agregue el agua en que coció los tallarines y la mitad del queso, incorpórelos bien.

Agregue los tallarines cocidos y rectifique el sazón. Agregue las tiras de filete y revuelva de nuevo.

Sirva con el queso y hierbas aromáticas restantes.

* Aparte algo del agua en que coció los tallarines.

1 PORCION	941 CALORIAS	32 g. CARBOHIDRATOS
57 g. PROTEINAS	65 g. GRASAS	0.2 g. FIBRAS

Chuleta de Res en Salsa de Aceitunas *(4 porciones)*

4 c/ditas	aceite vegetal
4	chuletas de res de 4 cm. (*1½ pulg.*) de grueso
1 c/da	aceite de piñón (o de oliva)
3	dientes de ajo, machacados y picados
½ taza	aceitunas verdes rellenas, picadas
½ taza	aceitunas negras deshuesadas, picadas
1½ tazas	tomates picados
2 c/das	pasta de tomate
1 c/das	salsa Worcestershire
	sal y pimienta
	chiles machacados al gusto
	unas gotas de jugo de limón

Caliente el horno previamente a 200 °C (*400 °F*).

Dore las chuletas de una en una siguiendo este procedimiento: caliente 1 c/dita de aceite vegetal en una sartén; póngale la carne y dórela 3 minutos por cada lado; sazónela bien.

Cuando las chuletas estén doradas, páselas a un platón refractario y hornéelas de 8 a 10 minutos.

Mientras la carne está en el horno, prepare la salsa. Caliente el aceite de piñón (o de oliva) en una cacerola. Cuando esté caliente, ponga el ajo y las aceitunas; tape y sofría 3 minutos.

Agregue los tomates y todas las especias; revuelva bien. Cueza 3 ó 4 minutos sin tapar, a fuego medio-alto.

Ponga los ingredientes restantes y revuelva bien. Cocine de 3 a 4 minutos sin tapar, a fuego medio.

1 PORCION	774 CALORIAS	6 g. CARBOHIDRATOS
75 g. PROTEINAS	50 g. GRASAS	0.5 g. FIBRAS

Chuletas de Res *(4 porciones)*

2		chalotes, picados
1 c/da		perejil picado
250 g.		(½ *lb.*) mantequilla suave
¼ c/dita		paprika
¼ c/dita		salsa Tabasco
1 c/da		mostaza fuerte
1 c/dita		jugo de limón
4 c/ditas		aceite vegetal
4		chuletas de res de 4 cm. (1½ *pulg.*) de grueso
		sal y pimienta

Caliente el horno previamente a 200 °C (*400 °F*).

Para preparar la mantequilla de chalote, ponga los chalotes en un tazón junto con el perejil.

Agregue la mantequilla y aplaste los ingredientes con una cuchara.

Agregue la paprika y salsa Tabasco. Incorpore la mostaza y rectifique el sazón.

Ponga el jugo de limón y revuelva hasta que se mezclen bien. Deje aparte hasta que la utilice.

Dore las chuletas de una en una siguiendo este procedimiento: caliente 1 c/dita de aceite en una sartén; póngale la carne y dórela 3 minutos por cada lado; sazónela bien.

Cuando la carne esté dorada, pásela a un platón refractario y hornéela de 8 a 10 minutos.

Saque las chuletas del horno y úntelas con mantequilla de chalote. Ponga 2 minutos en el asador.

Vea la técnica en la página siguiente.

1 PORCION	1050 CALORIAS	4 g. CARBOHIDRATOS
74 g. PROTEINAS	82 g. GRASAS	0.1 g. FIBRAS

TECNICA: CHULETAS DE RES

1 Por lo general, las chuletas de res son muy grandes y requieren dorarse de una en una.

2 Para preparar la mantequilla de chalote, ponga los chalotes en un tazón junto con el perejil.

3 Agregue la mantequilla y machaque los ingredientes con una cuchara. Agregue la paprika y salsa Tabasco.

4 Incorpórele la mostaza y rectifique el sazón. Ponga jugo de limón y revuelva hasta que se mezclen bien.

T-Bone Lyonnaise *(4 porciones)*

3 c/das	aceite vegetal
3	cebollas peladas, rebanadas delgado
1 c/da	mantequilla
1	diente de ajo, machacado y picado
1 c/da	perejil picado
2 c/das	vinagre de vino
¼ taza	vino tinto seco
1½ tazas	salsa comercial tipo gravy, caliente
¼ c/dita	albahaca
¼ c/dita	tomillo
4	T-bone de 2.5 cm. (*1 pulg.*) de grueso
	sal y pimienta

Caliente el horno previamente a 70 °C (*150 °F*).

Empiece por preparar la salsa. Caliente 1 c/da de aceite en una sartén grande. Ponga las cebollas y fríalas de 6 a 7 minutos a fuego medio-alto, revolviendo ocasionalmente.

Agregue la mantequilla, ajo y perejil y sofría 2 minutos a fuego medio.

Vierta el vinagre y el vino y cueza 3 ó 4 minutos a fuego alto.

Agregue la salsa tipo gravy y las hierbas aromáticas y cocine 2 ó 3 minutos más.

Conserve la salsa caliente a fuego suave o dentro del horno.

Dore la carne en dos tantos siguiendo este procedimiento: caliente 1 c/da de aceite en una sartén grande; póngale la carne y dórela de 4 a 5 minutos a fuego alto.

Voltee la carne, sazónela bien y dore otros 4 ó 5 minutos. Consérvela caliente en el horno hasta el momento de servirla. Repita para el otro tanto.

Vierta la salsa sobre la carne y sirva.

Vea la técnica en la página siguiente.

1 PORCION	668 CALORIAS	11 g. CARBOHIDRATOS
75 g. PROTEINAS	36 g. GRASAS	0.5 g. FIBRAS

TECNICA: T-BONE LYONNAISE

1 Agregue la mantequilla, ajo y perejil a las cebollas que se están dorando; sofría 2 minutos a fuego medio.

2 Vierta el vinagre y el vino; revuelva y cueza 3 ó 4 minutos a fuego alto.

3 Agregue la salsa tipo gravy y las hierbas aromáticas y cocine de 2 a 3 minutos más. Conserve la salsa caliente mientras prepara la carne.

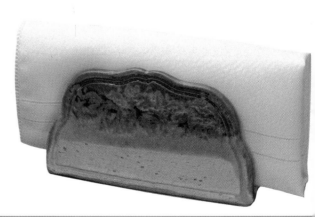

Bisteques de Diezmillo *(4 porciones)*

1 c/da	aceite vegetal
2	bisteques de diezmillo de 625 g. (1¼ *lb.*) cada uno, sin grasa
1	cebolla redonda grande, pelada y en trozos grandes
1 c/dita	orégano
1	diente de ajo, machacado y picado
2	tallos de apio, en trozos grandes
3	tomates cortados en gajos
1 c/da	perejil picado
1 taza	clamato
2 tazas	caldo de res, caliente
1	nabo mediano, pelado y en cubitos
	sal y pimienta

Caliente el horno previamente a 180 °C (*350 °F*).

Caliente el aceite en una olla grande para saltear; póngale la carne y dore de 2 a 3 minutos por cada lado. Sazónela bien.

Ponga la cebolla y orégano y cocine de 5 a 6 minutos a fuego medio.

Revuélvale el ajo, apio y tomates. Voltee la carne y póngale el perejil, sal y pimienta. Cueza 5 ó 6 minutos.

Viértale el clamato y caldo de res. Sazone bien y agregue el nabo. Deje que empiece a hervir.

Tape la olla y hornee 2 horas.

Cuando esté cocida, saque la carne y rebánela. Sírvala con las verduras.

Vea la técnica en la página siguiente.

1 PORCION	563 CALORIAS	13 g. CARBOHIDRATOS
49 g. PROTEINAS	35 g. GRASAS	1.3 g. FIBRAS

TECNICA: BISTEQUES DE DIEZMILLO

1 Dore la carne en aceite caliente de 2 a 3 minutos por lado.

2 Ponga la cebolla y el orégano en la olla; sofría 5 ó 6 minutos a fuego medio.

3 Agregue el ajo, apio y tomates. Voltee la carne y ponga el perejil, sal y pimienta. Cueza de 5 a 6 minutos.

4 Agregue el clamato y caldo de res. Ponga los nabos y acabe de cocer en el horno.

Carne con Verduras *(4 porciones)*

1 c/da	aceite vegetal
750 g.	(1½ *lb.*) tapa de aguayón cortada en tiras
1	pimiento verde, rebanado
2	cebollitas de Cambray, rebanadas
2	tomates, rebanados
1	diente de ajo, machacado y y picado
2 tazas	salsa comercial clara tipo gravy, caliente
¼ c/dita	orégano
4	porciones espagueti cocido
	sal y pimienta

Caliente el aceite en una sartén honda. Ponga la carne y dórela 2 minutos por cada lado, a fuego alto. Sazónela bien.

Saque la carne de la sartén y deje aparte.

Ponga las verduras en la sartén y sofríalas de 3 a 4 minutos a fuego alto.

Ponga el ajo, salsa clara tipo gravy y orégano; revuelva bien y cueza 2 ó 3 minutos a fuego suave.

Ponga de nuevo la carne en la sartén y revuelva. Deje hervir 1 minuto a fuego suave para que se caliente bien.

Sirva sobre el espagueti.

Bola en Escabeche *(4 a 6 porciones)*

2 kg.	*(4 lb.)* bola en escabeche
1 c/da	aceite vegetal
1	tallo de apio, en cubitos
1	zanahoria pelada, en cubitos
1	cebolla pequeña pelada, en cubitos
3 c/das	pasta de tomate
	sal y pimienta

Caliente el horno previamente a 180 °C (*350 °F*).

Saque la carne de la olla y cuele el escabeche; deje aparte.

Caliente el aceite en una olla alta, grande. Ponga la carne y dore de 5 a 6 minutos a fuego medio-alto. Voltee la carne para que dore por todos lados y sazone bien.

Ponga las verduras en la olla y sofría 2 minutos.

Viértale el escabeche colado y revuélvale la pasta de tomate. Deje que empiece a hervir.

Tape la olla y deje 2½ horas en el horno.

Rebane la carne y sirva.

Vea la técnica en la página siguiente

1 PORCION	617 CALORIAS	11 g. CARBOHIDRATOS
78 g. PROTEINAS	29 g. GRASAS	0.4 g. FIBRAS

Escabeche

1 c/dita	mostaza en polvo
2 tazas	vino tinto seco
¼ taza	vinagre de vino
1 c/dita	cebollinos picados
2 kg.	*(4 lb.)* bola para asado
2	zanahorias peladas y rebanadas
1	cebolla grande, pelada y rebanada
1 taza	agua
2 c/das	azúcar morena
1	hoja de laurel
¼ c/dita	semillas de alcaravea
½ c/dita	albahaca
1	clavo
	pimienta

Ponga la mostaza y el vino en un tazón y mézclelos bien. Agregue el vinagre y cebollinos y revuelva de nuevo.

Ponga la carne en una olla grande y viértale la mezcla de vino. Agregue las zanahorias, cebolla y agua.

Espolvoree la carne con azúcar, hierbas aromáticas y especias; póngale suficiente pimienta.

Tape la olla y refrigere 12 horas

TECNICA

1 Ponga la mostaza y el vino en un tazón y mézclelos bien. Agregue el vinagre y cebollinos y revuelva de nuevo.

2 Ponga la carne en una olla grande y viértale la mezcla de vino. Agregue las zanahorias, cebolla y agua.

3 Espolvoree la carne con azúcar, hierbas aromáticas y especias; póngale suficiente pimienta.

4 Después de macerar la carne por 12 horas, comience a cocinarla dorándola en aceite caliente.

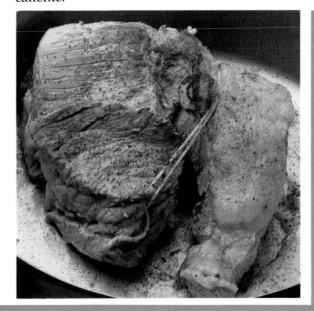

Filete Diana al Coñac *(4 porciones)*

2 c/das	mantequilla
800 g.	(*1³⁄₄ lb.*) entrecot en rebanadas delgadas
¼ taza	coñac Courvoisier
2	chalotes, finamente picados
1 c/da	perejil picado
2 tazas	salsa comercial tipo gravy, caliente
1 c/da	pasta de tomate
¼ c/dita	salsa Worcestershire
	sal y pimienta

Caliente la mantequilla en una sartén grande; póngale la carne y dórela 1½ minutos de cada lado a fuego medio alto. Sazónela bien y no permita que la mantequilla se queme.

Vacíele el coñac y flamee.

Saque la carne y deje aparte.

Ponga los chalotes y el perejil en la sartén y cocínelos 2 minutos.

Vierta la salsa tipo gravy y la pasta de tomate; revuelva bien y sazone con la salsa Worcestershire. Deje que empiece a hervir y cueza 2 minutos más. Ponga de nuevo la carne en la sartén y deje hervir a fuego suave durante varios minutos.

Acompáñelo con pastas.

1 PORCION	456 CALORIAS	28 g. CARBOHIDRATOS
23 g. PROTEINAS	11 g. GRASAS	1.5 g. FIBRAS

Rollitos Rellenos de Rábano Picante *(4 porciones)*

3 c/das	rábano picante
1 c/dita	perejil picado
3 c/das	pan molido
1	huevo
4	bisteques de bola de 5 cm. (*2 pulg.*) de ancho
2 c/das	aceite vegetal
1	zanahoria grande pelada, en cubitos
1	cebolla pelada, en cubitos
1	tallo de apio, en cubitos
¼ c/dita	tomillo
1½ tazas	caldo de res, caliente
¼ c/dita	albahaca
1 c/da	pasta de tomate
1 c/da	fécula de maíz
2 c/das	agua fría
	sal y pimienta

Caliente el horno previamente a 180 °C (*350 °F*). Ponga en un tazón el rábano picante y el perejil. Agréguele el pan molido y mezcle; sazónelo bien. Agréguele el huevo y revuelva hasta que se incorpore; deje aparte.

Aplane los bisteques con un mazo de madera. Póngalos sobre una superficie plana y únteles un poco de relleno. Enrolle las rebanadas de carne y fíjelas con palillos. Caliente el aceite en una olla grande que pueda meter al horno. Ponga los rollos de carne y dórelos de 4 a 5 minutos. Voltee la carne para que dore por todos lados y sazónela bien.

Ponga en la olla las verduras y hierbas aromáticas; sofría 3 ó 4 minutos.

Vierta el caldo de res y la pasta de tomate; rectifique el sazón. Deje que empiece a hervir. Tape la olla y métala al horno por 1½ horas. Sáquela y acomode la carne en un platón de servicio. Ponga la cacerola en la estufa, a fuego medio. Revuelva la fécula de maíz con agua y agréguela a la salsa. Hierva por 1 minuto. Vierta la salsa sobre la carne y sirva.

Vea la técnica en la página siguiente.

1 PORCION	456 CALORIAS	28 g. CARBOHIDRATOS
23 g. PROTEINAS	11 g. GRASAS	1.5 g. FIBRAS

TECNICA: ROLLITOS RELLENOS

1 Ponga el rábano y el perejil en un tazón. Agregue el pan molido y mezcle bien: sazone. Agregue el huevo y revuelva hasta que se mezclen bien. Deje aparte el relleno.

2 Aplane las rebanadas de carne con un mazo. Póngalas sobre una superficie plana y extienda un poco de relleno en cada una.

3 Enrolle la carne como se ve en la ilustración. Fíjela con palillos.

4 Dore la carne en aceite caliente y sazónela bien.

Carbonada de Res *(4 porciones)*

1 kg.	**(2 *lb*.) bisteques de bola, aplanados**
1 taza	**harina sazonada**
2 c/das	**aceite vegetal**
1	**cebolla pelada, finamente picada**
2	**dientes de ajo, machacados y picados**
2 c/das	**vinagre de vino**
1 taza	**cerveza**
1½ tazas	**salsa comercial tipo gravy, caliente**
¼ c/dita	**nuez moscada**
	sal y pimienta

Caliente el horno previamente a 180 °C (*350 °F*).

Enharine los bisteques.

Caliente el aceite en una sartén grande. Cuando esté caliente, ponga la carne y dórela de 2 a 3 minutos por cada lado. Sazone bien.

Saque la carne y pásela a una cacerola refractaria; deje aparte.

Ponga la cebolla y ajo en la sartén; sofría 3 minutos a fuego medio.

Viértale el vinagre y cerveza y cocine de 3 a 4 minutos a fuego alto.

Agregue la salsa tipo gravy y la nuez moscada; cocine 1 minuto y rectifique el sazón.

Vierta la salsa sobre la carne. Tape la cacerola y hornee 1¼ horas.

Vea la técnica en la página siguiente.

1 PORCION   456 CALORIAS   28 g. CARBOHIDRATOS
23 g. PROTEINAS   11 g. GRASAS   1.5 g. FIBRAS

TECNICA: CARBONADA DE RES

1 Caliente el aceite en una sartén grande. Cuando esté caliente, ponga la carne y dore de 2 a 3 minutos por cada lado. Sazone bien.

2 Saque la carne y pásela a una cacerola refractaria. Ponga la cebolla y el ajo en la sartén y sofría 3 minutos.

3 Vierta el vinagre y la cerveza en la sartén; cocine de 3 a 4 minutos a fuego alto.

4 Agregue la salsa tipo gravy y la nuez moscada; hierva 1 minuto y rectifique el sazón. Vierta la salsa sobre la carne y deje que acabe de cocerse en el horno.

Torta de Papas con Carne *(4 porciones)*

4	papas grandes peladas, cortadas en tiras julianas delgadas
3 c/das	aceite vegetal
750 g.	(*1½ lb.*) tapa de aguayón en bisteques delgados
2 c/das	cebolla picada
250 g.	(*½ lb.*) champiñones, limpios y rebanados
1½ tazas	salsa comercial tipo gravy caliente
1 c/da	perejil finamente picado
	sal y pimienta

Caliente el horno previamente a 190 °C (*375 °F*).

Ponga las papas en un tazón con agua para cubrirlas.

Caliente 2 c/das de aceite en un sartén. Ponga las papas y sazone bien. Aplane las papas con una espátula y fríalas a fuego medio de 3 a 4 minutos.

Tape y deje que se cocinen 8 minutos más. Quite la tapa y hornee de 10 a 15 minutos, hasta que estén bien cocidas y doradas.

Durante este tiempo, prepare la carne. Caliente el aceite restante en una sartén grande. Ponga la carne y dore de 1 a 2 minutos por cada lado; sazone bien y deje aparte.

Ponga la cebolla, champiñones, sal y pimienta en la sartén. Cocine 3 minutos a fuego medio; revuelva. Vierta la salsa tipo gravy y agregue el perejil; cocine 2 minutos más.

Ponga la carne de nuevo en la salsa y hierva a fuego suave varios minutos para calentarla.

Vea la técnica en la página siguiente.

1 PORCION	571 CALORIAS	39 g. CARBOHIDRATOS
61 g. PROTEINAS	19 g. GRASAS	1.2 g. FIBRAS

TECNICA: TORTA DE PAPAS CON CARNE

1 Ponga las papas en un tazón con agua suficiente para cubrirlas. Déjelas 1 hora. Escurra las papas y quíteles el agua en un secador de lechuga.

2 Ponga las papas en el aceite caliente y sazónelas bien. Comprima las papas con una espátula y cocínelas de 3 a 4 minutos a fuego medio.

3 Tape y cocine 8 minutos más a fuego medio-bajo.

4 Quite la tapa y deje en el horno de 10 a 15 minutos para dorar la parte superior.

Filete Suizo *(4 porciones)*

1.5 kg.	(3½ *lb.*) bisteques de bola o espaldilla	
1 taza	harina sazonada	
3 c/das	grasa de tocino o aceite	
1	cebolla pelada, finamente rebanada	
1	diente de ajo, machacado y picado	
1 lata	796 ml. (*28 oz.*) de tomates, escurridos y picados	
1 taza	salsa comercial tipo gravy, caliente	
¼ c/dita	tomillo	
¼ c/dita	albahaca	
1	hoja de laurel	
	sal y pimienta	
	menta fresca picada	
	perejil picado	

Caliente previamente el horno a 180 °C (*350 °F*).

Rebane la carne como se muestra en la técnica y aplánela con un mazo; enharínela.

Caliente 2 c/das de grasa en una sartén grande; ponga la carne y dore de 2 a 3 minutos por cada lado. Sazone bien.

Pase la carne a una cacerola refractaria y deje aparte.

Si es necesario, ponga la grasa restante en la sartén. Sofría la cebolla y el ajo a fuego medio por 8 ó 10 minutos. Revuelva ocasionalmente.

Saque la mezcla de cebolla de la sartén y póngala sobre la carne.

Coloque de nuevo la sartén sobre la estufa. Ponga los tomates y sazone bien. Hierva de 3 a 4 minutos a fuego medio.

Vierta la salsa tipo gravy y las hierbas aromáticas; revuelva muy bien y cocine 1 minuto. Vacíe la salsa sobre la carne.

Tape la cacerola y cocine 1½ horas en el horno.

Vea la técnica en la página siguiente.

1 PORCION	835 CALORIAS	34 g. CARBOHIDRATOS
114 g. PROTEINAS	27 g. GRASAS	1.0 g. FIBRAS

TECNICA: FILETE SUIZO

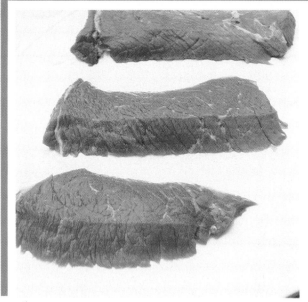

1 La carne se debe cortar diagonalmente.

2 Golpee la carne por ambos lados con un mazo. Esto se puede hacer directamente sobre una superficie plana, entre dos hojas de papel encerado.

3 Enharine ligeramente la carne.

4 Dore la carne y pásela a una cacerola refractaria; deje aparte.

5 Sofría juntos la cebolla y el ajo y póngalos sobre la carne.

6 Cocine los tomates, salsa tipo gravy y las hierbas aromáticas y vierta la salsa sobre la carne.

Sirloin con Calabaza *(4 porciones)*

2 c/das	aceite vegetal
2 kg.	(*4 lb.*) filete limpio
4 c/das	mantequilla
750 g.	(*1½ lb.*) calabaza amarilla en rebanadas de 1.2 cm. (*½ pulg.*)
1 taza	caldo de res caliente
1 c/dita	fécula de maíz
2 c/das	agua fría
	sal y pimienta

Caliente el horno previamente a 200 °C (*400 °F*).

Tiempo de cocción: de 12 a 14 minutos por cada 500 g. (*lb.*).

Caliente el aceite a fuego alto en una olla grande para asar. Póngale la carne y dore por 6 ó 7 minutos. Voltee la carne para que dore por todos lados y sazónela bien.

Ponga la olla en el horno y deje 50 minutos o hasta que esté suave. Báñela ocasionalmente.

30 minutos antes de que esté el asado, prepare la calabaza. Caliente mantequilla en una sartén grande. Cuando esté caliente, ponga la calabaza y sazónela bien; tape y deje de 25 a 30 minutos a fuego medio. Revuelva ocasionalmente.

Cuando el asado esté listo, sáquelo del horno y pase la carne a un platón de servicio.

Ponga la olla en la estufa y agregue el caldo de carne; cocine de 2 a 3 minutos a fuego alto.

Revuelva la fécula de maíz con el agua y agréguela a la salsa. Cocine 2 minutos.

Rebane el asado y sírvalo con salsa y calabaza.

1 PORCION	735 CALORIAS	17 g. CARBOHIDRATOS
79 g. PROTEINAS	39 g. GRASAS	1.9 g. FIBRAS

Cocido a la Francesa *(4 a 6 porciones)*

2 kg.	(*4 lb.*) agujas
500 g.	(*1 lb.*) huesos de ternera
2 c/ditas	sal marina
3	ramitas de perejil
2	hojas de laurel
2	ramitas de menta
4	zanahorias grandes peladas
4	cebollas peladas
4	papas grandes, peladas
4	puerros cortados en 4 a lo largo, hasta 2.5 cm (*1 pulg.*) de la parte gruesa
¼ c/dita	clavo molido
2	clavos enteros
	unos cuantos granos de pimienta
	pimienta recién molida

Ponga la carne y los huesos en una olla grande para caldo. Cubra con agua fría y deje reposar 1 hora.

Escurra y póngale agua fresca. Deje que se cocine a fuego medio y deje que hierva suavemente durante 1 hora, espume frecuentemente.

Nota: es importante que la carne esté cubierta todo el tiempo con agua. Hay que cambiar el agua varias veces y seguir cociéndola.

Después de 1 hora de hervor, el agua debe estar clara. Cuando esto suceda, agregue los ingredientes restantes y sazone con pimienta.

Cueza 3 horas a fuego suave.

Tiene que ponerle agua varias veces para continuar el proceso de cocción.

Sirva la carne con verduras cocidas y el caldo en que la coció. Si desea, rocíe la carne con un poco de aceite y vinagre.

1 PORCION	509 CALORIAS	8 g. CARBOHIDRATOS
45 g. PROTEINAS	33 g. GRASAS	1.0 g. FIBRAS

Costillas 'Big Apple' *(4 porciones)*

1½ c/das	aceite vegetal
4	costillas de 2 cm. (¾ *pulg.*) de grueso
1 c/da	mantequilla
3 c/das	cebolla picada
500 g.	(*1 lb.*) champiñones limpios, rebanados
1 c/dita	cebollinos picados
3 c/das	salsa comercial para carne
1 c/dita	perejil fresco picado
	sal y pimienta

Caliente el horno previamente a 70 °C (*150 °F*).

Dore la carne en dos tantos siguiendo este procedimiento: caliente la mitad del aceite en una sartén grande para freír; ponga la mitad de la carne y dore de 3 a 4 minutos.

Voltee la carne, sazónela bien y dórela de 3 a 4 minutos más. Saque la carne de la sartén y consérvela caliente en el horno. Repita para el otro tanto.

Ponga la mantequilla en la sartén. Cuando se derrita, ponga la cebolla y tape; fría 2 minutos a fuego medio.

Agregue los champiñones y cebollinos; sazone bien. Sofría de 3 a 4 minutos.

Agregue la salsa para carne y cocine 1 minuto.

Saque la carne del horno y vierta a la sartén con los champiñones el jugo que haya soltado; revuelva.

Ponga la salsa sobre la carne y sírvala con perejil fresco.

1 PORCION	509 CALORIAS	8 g. CARBOHIDRATOS
45 g. PROTEINAS	33 g. GRASAS	1.0 g. FIBRAS

Carne Tártara *(4 porciones)*

750 g.	**(1½ *lb*.) entrecot sin grasa, molido**
¼ c/dita	**salsa Tabasco**
1 c/dita	**salsa Worcestershire**
1 c/dita	**aceite de oliva**
4	**yemas**
4 c/das	**cebolla picada**
4 c/das	**alcaparras**
4 c/das	**perejil fresco picado**
4	**filetes de anchoa picados**
	sal y pimienta
	hojas de lechuga romanita
	hojas de achicoria
	alfalfa germinada

Revuelva la carne con las salsas Tabasco, Worcestershire y aceite de oliva. Condimente muy bien.

Acomode los platos individuales de esta manera:

Ponga en el centro del plato una torta grande de carne. Haga un hueco en el centro y ponga allí una yema de huevo.

Acomode varias hojas de lechuga alrededor de la orilla del plato y llénelas con cebollas y alcaparras.

Adorne con el resto de los ingredientes.

Carne Bourguignonne *(4 a 6 porciones)*

1½ c/das	aceite vegetal
1.5 kg.	(*3½ lb.*) espaldilla en escabeche
2	dientes de ajo, machacados y picados
2	chalotes, picados
1 c/da	perejil picado
4 c/das	harina
1 taza	vino tinto seco
2 c/das	pasta de tomate
1 c/da	mantequilla
250 g.	(*½ lb.*) champiñones, limpios y partidos en cuatro
1 taza	cebollas miniatura cocidas
	sal y pimienta

Caliente el horno previamente a 180 °C (*350 °F*). Saque la carne, zanahoria y cebolla del escabeche. Cuele el líquido y deje aparte.

Dore la carne y verduras en dos tantos siguiendo este procedimiento: caliente la mitad del aceite en una cacerola refractaria grande. Ponga la carne y dore a fuego medio-alto durante 8 minutos. Voltéela para que dore por todos lados y sazónela bien.

Cuando haya dorado toda la carne, ponga el ajo, chalotes y perejil y cocine 2 minutos. Agregue la harina y revuelva muy bien. Cocine de 2 a 3 minutos a fuego alto.

Ponga el escabeche colado en otra cacerola y agréguele el vino; cocínelo de 5 a 6 minutos a fuego medio. Vierta el escabeche a la cacerola con la carne e incorpórele la pasta de tomate. Deje que empiece a hervir.

Tape la cacerola y hornee 1½ horas. Aproximadamente 20 minutos antes de que la carne esté cocida, prepare los champiñones. Caliente la mantequilla en una sartén. Agregue los champiñones y cebollas; sofríalos de 3 a 4 minutos y sazónelos bien. Ponga los champiñones con la carne y acabe de hornearla.

1 PORCION	641 CALORIAS	9 g. CARBOHIDRATOS
68 g. PROTEINAS	37 g. GRASAS	0.5 g. FIBRAS

TECNICA

1 Ponga la carne en un tazón grande. Agréguele la cebolla, zanahoria, pimientas, hoja de laurel, ajo y vino. Rocíe el aceite sobre la carne, pero no lo revuelva. Cubra con una envoltura plástica y refrigere 8 horas.

2 Dore la carne y las verduras en aceite caliente. Voltee la carne para que dore por todos lados y sazónela bien. Cuando toda la carne esté dorada, ponga en la cacerola el ajo, chalotes y perejil; sofría 2 minutos y mezcle.

3 Ponga la harina y revuelva muy bien. Deje de 2 a 3 minutos a fuego alto. Utilice una espátula de madera para limpiar el fondo de la cacerola.

4 Vacíe el escabeche colado en otra cacerola y agréguele el vino. Cocínelo de 5 a 6 minutos a fuego medio.

Continúa en la página siguiente.

5 Vierta el escabeche en la cacerola con la carne y revuélvale la pasta de tomate; deje que empiece a hervir.

6 Mientras la carne está en el horno, prepare los champiñones. Sofríalos en mantequilla caliente por 3 ó 4 minutos junto con las cebollas; agréguelos a la carne aproximadamente 15 minutos antes de que esté totalmente cocida.

Escabeche

1.5 kg.	**(3½ *lb*.) espaldilla sin hueso, en trozos de 2.5 cm. (*1 pulg.*)**
3 a 4	**rebanadas de cebolla**
½	**zanahoria pelada y rebanada**
5	**granos de pimienta negra**
1	**hoja de laurel**
1	**diente de ajo, pelado**
1 taza	**vino tinto seco**
2 c/das	**aceite vegetal**

Ponga la carne en un tazón grande. Agréguele la cebolla, zanahoria, pimienta, hoja de laurel, ajo y vino.

Rocíe el aceite encima de la carne, pero no lo revuelva. Cubra con envoltura plástica y refrigere 8 horas.

Crema de Nabos con Rábano Picante *(4 a 6 porciones)*

1 kg.	(*2 lb.*) nabos pequeños
3 c/das	mantequilla
½ taza	crema espesa, caliente
3 c/das	rábano picante
1 c/da	vinagre de vino
1 c/dita	mostaza fuerte
1 c/dita	crema espesa, fría
	sal y pimienta
	pizca de azúcar

Pele los nabos y cuézalos en una cacerola llena de agua hirviendo con sal.

Cuando estén cocidos, escurra y muela.

Revuélvales la mantequilla y crema caliente, incorporándolos bien. Deje la salsa aparte, pero consérvela caliente.

Mezcle el rábano picante, vinagre y mostaza en un tazón pequeño.

Bata la crema fría y agréguela a la mezcla de rábano picante; agréguela a los nabos.

Espolvoréele el azúcar, rectifique el sazón y sirva con carne.

1 PORCION	218 CALORIAS	12 g. CARBOHIDRATOS
2 g. PROTEINAS	18 g. GRASAS	1.5 g. FIBRAS

Budín Yorkshire *(4 a 6 porciones)*

1½ tazas	harina
½ c/dita	sal
2	huevos extra grandes
¾ taza	leche
¾ taza	agua tibia
2½ c/das	pringue de res

Caliente el horno previamente a 200 °C (*400 °F*).

Cierna en un tazón la sal y la harina.

Haga un hueco en el centro y ponga allí los huevos. Vierta la mitad de la leche y la mitad del agua; revuelva todo.

Ponga el resto de la leche y el agua; revuelva a que se incorporen perfectamente.

Cubra con papel encerado y deje reposar 1 hora.

Caliente el jugo y grasa que soltó la carne en una cacerola pequeña; viérta en moldes de panqué y llene hasta la mitad con la pasta anterior.

Hornee 20 minutos.

Sírvalo con un asado.

1 PORCION	216 CALORIAS	28 g. CARBOHIDRATOS
8 g. PROTEINAS	8 g. GRASAS	0.1 g. FIBRAS

Filete Wellington *(4 a 6 porciones)*

2 c/das	aceite vegetal
1 kg.	(*2 lb.*) filete, de la parte más ancha
	sal y pimienta
	pasta de hojaldre
	huevo batido
	salsa Wellington *

Caliente el horno previamente a 220 °C (*425 °F*).

Tiempo de cocción: 12 minutos por cada 500 g. (*1 lb.*).

Caliente la mitad del aceite en una olla grande; ponga la carne y dórela de 4 a 5 minutos a fuego medio-alto. Voltee para que dore por todos lados y sazónela bien.

Saque la carne de la olla y deje aparte para que enfríe.

Con el aceite restante, engrase un molde para asar y déjelo aparte.

Extienda la pasta hojaldrada en una superficie enharinada. Debe quedar muy delgada y bastante grande para cubrir la carne. Ponga la carne en el centro de la pasta extendida. Humedezca un poco la parte interior de la pasta con agua, lo que le ayuda a pegarse. Doble ahora la pasta a la mitad y presione las orillas sobre la carne.

Humedezca de nuevo la pasta si es necesario, y doble la otra mitad sobre la parte superior. Meta las esquinas hacia el interior y recorte la pasta sobrante.

Acomode la carne envuelta en hojaldre con el lado de unión hacia abajo, en el centro del molde del asador. Haga unos cortes ligeros en la parte superior y unte con huevo batido para que dore.

Hornee 25 minutos.

* Sirva con Salsa Wellington, vea página 314.

1 PORCION	558 CALORIAS	20 g. CARBOHIDRATOS
34 g. PROTEINAS	38 g. GRASAS	0.4 g. FIBRAS

TECNICA: FILETE WELLINGTON

1 Pida al carnicero que le corte el filete de la parte superior, que es la más ancha.

2 Dore la carne en aceite caliente por 4 ó 5 minutos, a fuego medio-alto. Voltee para que dore por todos lados y sazónela bien.

3 Acomode la carne en el centro de la pasta hojaldrada ya extendida. Humedezca la parte interior con agua para que se adhiera bien.

4 Doble ahora la pasta a la mitad y oprima las orillas sobre la carne.

Continúa en la página siguiente.

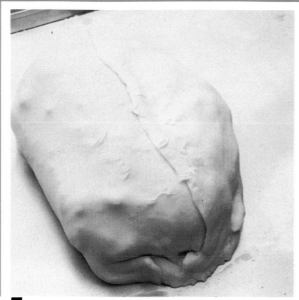

5 Si es necesario, humedezca la pasta de nuevo y cubra la parte superior con la otra mitad de pasta. Meta las esquinas hacia el interior y recorte la pasta sobrante.

6 Acomode la carne con el lado de unión hacia abajo en el centro del molde. Hágale unos cortes ligeros en la parte superior. Unte con huevo batido e insértele una chimenea de papel de aluminio, para permitir que escape el exceso de vapor durante la cocción.

Salsa Wellington

1 c/da	mantequilla
250 g.	(½ *lb.*) champiñones frescos, limpios y rebanados
1	chalote picado
¼ taza	vino de Madeira
1 c/da	cebollinos picados
1¼ tazas	salsa comercial tipo gravy, caliente
¼ taza	crema espesa
	sal y pimienta
	unas gotas de jugo de limón

Caliente la mantequilla en una sartén honda. Cuando esté caliente, ponga los champiñones y chalote y fría 3 minutos a fuego medio.

Agregue el vino y espárzale los cebollinos; revuelva bien. Hierva a fuego medio de 2 a 3 minutos.

Agregue la salsa tipo gravy y revuelva bien; sazone y cocine de 3 a 4 minutos.

Incorpórele la crema y jugo de limón; cocine de 2 a 3 minutos a fuego medio.

1 PORCION	488 CALORIAS	29 g. CARBOHIDRATOS
12 g. PROTEINAS	36 g. GRASAS	2.1 g. FIBRAS

TECNICA: SALSA WELLINGTON

1 Fría por 3 minutos los champiñones y chalote en mantequilla caliente, a fuego medio.

2 Vacíele el vino y espárzale los cebollinos; revuelva bien. Hierva a fuego medio de 2 a 3 minutos.

3 Agregue la salsa tipo gravy y revuelva bien; sazone y cocine de 3 a 4 minutos.

4 Incorpórele la crema y jugo de limón; cocine de 2 a 3 minutos a fuego medio.

Asado de Costilla con Crema de Nabos y Rábano Picante *(4 a 6 porciones)*

2 kg.	(*4 lb.*) costillar para asado
1½ tazas	caldo de res caliente
1 c/dita	hierbas aromáticas frescas, picadas
1 c/da	fécula de maíz
2 c/das	agua fría
	aceite vegetal
	sal y pimienta

Caliente el horno previamente a 200 °C (*400 °F*).

Ponga la carne en el molde del asador y úntela con el aceite vegetal. Ponga suficiente pimienta y cocine 30 minutos en el horno.

Saque el molde del horno y sazone la carne de nuevo; báñela con el jugo que haya escurrido. Ponga el molde de nuevo en el horno y cocine 30 minutos más. Baje el fuego a 190 °C (*375 °F*) y hornee 20 minutos más.

Saque el asado del molde y deje aparte.

Ponga el molde en la estufa y agréguele el caldo de res; deje que empiece a hervir y cocine de 4 a 5 minutos. Agregue las hierbas aromáticas. Revuelva la fécula de maíz con agua y agréguela a la salsa. Cocine 1 minuto para que espese.

Sirva con crema de nabos, vea página 311.

1 PORCION	284 CALORIAS	1 g. CARBOHIDRATOS
43 g. PROTEINAS	12 g. GRASAS	0 g. FIBRAS

Salsa de Pimientos

1 c/da	aceite vegetal
1	pimiento verde, rebanado
½	pimiento rojo, rebanado
1½ tazas	caldo de res, caliente
1 c/da	pasta de tomate
1 c/da	fécula de maíz
2 c/das	agua fría
1 c/dita	cebollinos molidos
	sal y pimienta

Caliente el aceite en una sartén; póngale los pimientos y sazone bien. Sofría a fuego medio de 3 a 4 minutos.

Agregue el caldo de res y deje que empiece a hervir. Rectifique el sazón y cocine 2 minutos a fuego medio.

Ponga la pasta de tomate y revuelva bien; hierva 1 minuto.

Revuelva la fécula de maíz con agua; agréguela a la salsa. Deje que empiece a hervir y cocine 2 minutos a fuego medio.

Agregue los cebollinos y sirva.

Esta salsa resulta deliciosa con pastel de carne o hamburguesas.

1 PORCION	37 CALORIAS	6 g. CARBOHIDRATOS
1 g. PROTEINA	1 g. GRASAS	0.6 g. FIBRAS

Almuerzo Rápido de Tostadas   *(4 porciones)*

1 c/dita	aceite vegetal
1	cebolla pelada y picada
½	pimiento verde, finamente picado
2	dientes de ajo, picados
1 c/da	perejil
½	calabacita finamente picada
½ c/dita	perifollo
¼ c/dita	tomillo
¼ c/dita	jengibre
625 g.	(1¼ *lb.*) carne magra de res, molida
1 c/dita	salsa de soya
¼ c/dita	salsa Tabasco
1 taza	tomates enlatados, picados
1 c/da	pasta de tomate
¼ taza	caldo de pollo caliente
¾ taza	queso suizo rallado
	tostadas

Caliente el aceite en una sartén grande; ponga la cebolla, pimiento verde, ajo, perejil, calabacita y especias. Sofría de 4 a 5 minutos.

Revuélvale la carne molida y cocine de 3 a 4 minutos. Sazone bien. Revuélvale las salsas de soya y Tabasco; rectifique el sazón.

Agregue los tomates y la pasta de tomate; revuelva bien. Viértale el caldo de pollo y cocine de 3 a 4 minutos a fuego medio-alto.

Agregue casi todo el queso y revuelva hasta que se incorpore. Saque la sartén del fuego.

Unte la mezcla de carne sobre las tostadas y cubra con otra tostada. Esparza encima el queso restante y póngalas en un molde refractario. Deje en el horno de 3 a 4 minutos o hasta que el queso se derrita.

1 PORCION	547 CALORIAS	26 g. CARBOHIDRATOS
41 g. PROTEINAS	31 g. GRASAS	0.7 g. FIBRAS

Salsa de Carne para Espagueti *(4 porciones)*

1 c/da	aceite vegetal
2	cebollas pequeñas, peladas y picadas
1	tallo de apio en cubitos
2	dientes de ajo, picados
1 c/da	jengibre fresco picado (opcional)
1 c/dita	orégano
½ c/dita	albahaca
¼ c/dita	tomillo
1	hoja chica de laurel
625 g.	(1¼ *lb.*) carne magra de res, molida
1 lata	796 ml. (*28 oz.*) tomates, escurridos y picados
1 c/dita	azúcar morena
½ taza	caldo de pollo, caliente
1 lata	125 ml. (*5½ oz.*) pasta de tomate
	sal y pimienta

Caliente el aceite en una cacerola o sartén hondos; póngale las cebollas, apio, ajo, hierbas aromáticas y hoja de laurel. Revuelva bien y cocine de 4 a 6 minutos a fuego suave.

Agregue la carne y cocine 4 minutos más.

Incorpórele los tomates y sazone bien; espolvoréele el azúcar morena.

Vierta el caldo de pollo y agregue la pasta de tomate. Deje que empiece a hervir. Cocine la salsa por 2 horas a fuego suave. No la tape.

Nota: Si es necesario, agréguele más caldo de pollo mientras se cuece.

Tomates Rellenos *(4 porciones)*

8	tomates medianos
1 c/dita	aceite de oliva
1 c/da	aceite vegetal
1	cebolla pelada, finamente picada
½	tallo de apio, finamente picado
2	dientes de ajo, machacados y picados
250 g.	(½ lb.) carne magra de res, molida
1 taza	tomates picados
¾ taza	arroz cocido
½ c/dita	orégano
½ taza	queso suizo rallado
	sal y pimienta

Caliente el horno previamente a 180 °C (*350 °F*).

Saque el centro de los tomates y póngalos con la parte abierta hacia abajo sobre la tabla de picar. Utilice un cuchillo afilado para cortarles la parte superior, ya sea en forma decorativa o sencilla.

Sáqueles las semillas, pero deje la parte sólida junto a la cáscara; rocíe el interior con aceite de oliva.

Caliente el aceite vegetal en una cacerola; póngale la cebolla, apio y ajo; cocine de 3 a 4 minutos a fuego medio.

Revuélvale la carne y sazone bien; cocine 3 a 4 minutos más.

Agregue los tomates picados, arroz, hierbas aromáticas y especias. Revuelva muy bien y cocine de 6 a 7 minutos a fuego medio.

Ponga las conchas de tomate en un molde refractario engrasado y llénelas con la mezcla de carne.

Espolvoréelos con queso y hornee 25 minutos.

1 PORCION	324 CALORIAS	24 g. CARBOHIDRATOS
21 g. PROTEINAS	16 g. GRASAS	1.8 g. FIBRAS

Pimientos Verdes Rellenos *(4 porciones)*

4	pimientos verdes o amarillos, grandes
1 c/da	aceite vegetal
1	cebolla roja pequeña, pelada y finamente picada
1	tallo de apio, finamente picado
10	champiñones, limpios y finamente picados
1	diente de ajo, machacado y picado
500 g.	(*1 lb.*) carne magra de res, molida
¼ c/dita	albahaca
1½ tazas	tomates picados
2 c/das	pasta de tomate
¼ taza	queso parmesano rallado
1 taza	jugo de tomate
½ taza	salsa comercial tipo gravy
	pizca de tomillo

Caliente el horno previamente a 180 °C (*350 °F*).

Ponga los pimientos sobre la tabla de picar. Quíteles la parte superior y sáqueles las semillas y fibras. Déjelos de 5 a 10 minutos en agua hirviendo con sal. Enfríelos al chorro del agua. Caliente el aceite en una sartén grande; póngale la cebolla y apio. Tape y fría de 2 a 3 minutos a fuego medio-alto.

Agregue los champiñones, ajo, sal y pimienta; revuelva bien. Tape y sofría 2 a 3 minutos más. Agregue la carne y especias y cocine 3 ó 4 minutos sin tapar, a fuego medio-alto.

Agregue los tomates y cocine por 3 ó 4 minutos sin tapar, a fuego medio.

Ponga ahora la pasta de tomate y revuelva bien; cocine 2 ó 3 minutos a fuego medio.

Agregue el queso y rectifique el sazón; revuelva bien. Sazone el interior de los pimientos y llénelos con la mezcla de carne. Póngalos en un molde para hornear y viértales el jugo de tomate y la salsa tipo gravy.

Hornéelos de 30 a 35 minutos.

1 PORCION	400 CALORIAS	20 g. CARBOHIDRATOS
35 g. PROTEINAS	20 g. GRASAS	2.7 g. FIBRAS

Hígado de Res con Cebollas *(4 porciones)*

	rebanadas de hígado de res	
taza	harina sazonada	
c/da	aceite vegetal	
c/das	mantequilla	
	cebolla redonda pelada finamente picada	
c/da	azúcar morena	
¼ c/dita	semillas de apio	
c/da	vinagre de vino	
c/dita	salsa de soya	
¼ tazas	caldo de pollo caliente	
c/da	fécula de maíz	
c/das	agua fría	
	sal y pimienta	

Caliente el horno previamente a 70 °C *(150 °F)*.

Enharine el hígado.

Caliente el aceite y 1 c/da de mantequilla en una sartén grande; ponga el hígado y fría 3 minutos a fuego medio.

Voltee el hígado y sazónelo bien; fríalo otros 3 minutos. No lo cueza demasiado, porque se sigue cocinando en el horno. Sáquelo y manténgalo caliente en el horno.

Ponga el resto de la mantequilla en la sartén; échele la cebolla y fría de 6 a 7 minutos a fuego medio; revuelva ocasionalmente.

Agregue el azúcar y las semillas de apio; sazone. Sofría 2 minutos y revuelva bien.

Viértale el vinagre y hierva 2 minutos.

Agregue la salsa de soya y el caldo de res; deje que empiece a hervir. Revuelva la fécula de maíz con agua y agréguela a la salsa. Hierva 2 minutos más a fuego medio. Rectifique el sazón y vierta la salsa sobre el hígado.

Sírvalo con ejotes amarillos.

Hígado de Res con Manzanas *(4 porciones)*

4	rebanadas de hígado de res
1 taza	harina sazonada
1 c/da	aceite vegetal
1 c/da	mantequilla
2 c/das	cebolla roja picada
2	manzanas, peladas y en trozos gruesos
1 c/dita	perejil picado
1 taza	tomates picados
1½ tazas	caldo de pollo, caliente
¼ c/dita	perifollo
1 c/da	fécula de maíz
2 c/das	agua fría
	sal y pimienta
	pizca de tomillo

Caliente el horno previamente a 70 °C (*150 °F*).

Enharine el hígado.

Caliente ambas grasas en una sartén grande; ponga el hígado y fríalo 3 minutos a fuego medio.

Voltee el hígado y sazónelo bien; fría 3 minutos o más, dependiendo de su gusto. Sáquelo de la sartén y consérvelo caliente en el horno.

Ponga las cebollas y manzanas en la sartén; espárzales el perejil. Revuelva bien y sofría de 3 a 4 minutos a fuego medio.

Agregue los tomates y sazone bien. Ponga el caldo de pollo y las hierbas aromáticas; cuando empiece a hervir, baje el fuego a medio y cueza de 3 a 4 minutos.

Revuelva la fécula de maíz con agua; incorpórelas a la salsa. Deje que empiece a hervir y cocine 1 minuto.

1 PORCION   389 CALORIAS   22 g. CARBOHIDRATOS
37 g. PROTEINAS   17 g. GRASAS   0.8 g. FIBRAS

Carne a la Parmesana *(4 porciones)*

1 c/da	aceite vegetal
1 c/da	mantequilla
8	bisteques delgados de aguayón de 0.65 cm (¼ *pulg.*) de grueso
½ taza	champiñones rebanados
1	pimiento amarillo o rojo rebanado
2	corazones de palmito, rebanados
¼ taza	vino blanco seco
1½ tazas	caldo de res caliente
¼ c/dita	orégano
1 c/da	fécula de maíz
2 c/das	agua fría
3 c/das	crema espesa
¼ taza	queso parmesano rallado
	sal y pimienta
	pizca de paprika

Caliente el aceite y la mantequilla en una sartén grande; ponga la carne y dórela 2 minutos a fuego medio-alto.

Voltee las rebanadas y sazone bien; dore otros 2 minutos y saque de la sartén.

Ponga los champiñones, pimiento y palmitos en la sartén: revuelva y sofría 3 minutos a fuego alto.

Agregue el vino y hierva 2 minutos.

Ponga el caldo de res y las especies y deje que empiece a hervir. Cocine 2 minutos más a fuego medio.

Revuelva la fécula de maíz con agua y mezcle con la salsa. Cocine 1 minuto. Agregue la crema y hierva 2 minutos más. Rectifique el sazón.

Espolvoree el queso y mezcle bien; cocine 1 minuto.

Ponga de nuevo la carne en la salsa y hierva a fuego suave hasta que esté bien caliente. Sirva inmediatamente.

Puntas de Filete con Espagueti *(4 porciones)*

2 c/das	aceite vegetal
1 kg.	(*2 lb.*) puntas de filete en tiras delgadas
1	cebolla pelada y picada
2	dientes de ajo, machacados y picados
¼ c/dita	orégano
1	calabacita en tiras
16	tomates miniatura, partidos a la mitad
1 taza	salsa comercial de tomate, caliente
½ taza	queso parmesano rallado
4	porciones de espagueti cocido, caliente
	sal y pimienta

Caliente el aceite en una sartén grande; ponga la carne y dore 1½ minutos de cada lado; sazónela bien. Nota: posiblemente tenga que dorar la carne en dos lotes, dependiendo del tamaño de la sartén.

Saque la carne y déjela aparte.

Ponga la cebolla y ajo en la sartén; tape y fría a fuego medio por 2 minutos.

Agregue el orégano, calabacitas y tomates; sofría de 3 a 4 minutos a fuego medio.

Viértale las salsas tipo gravy y de tomate; revuelva bien y sazone al gusto. Cocine 3 ó 4 minutos a fuego medio-suave.

Ponga de nuevo la carne en la sartén y caliéntela varios minutos. Vierta la mezcla de carne en un platón de servicio. Espolvoréele la mitad del queso y agregue el espagueti cocido; revuelva. Ponga encima el queso restante y sírvalo inmediatamente.

1 PORCION	687 CALORIAS	46 g. CARBOHIDRATOS
56 g. PROTEINAS	31 g. GRASAS	1.0 g. FIBRAS

Aguayón con Papas *(4 a 6 porciones)*

2 c/das	aceite vegetal
2 kg.	(*4 lb.*) aguayón para asado, sin hueso
8	papas pequeñas, peladas
1	diente de ajo pelado, cortado en dos
1½ tazas	caldo de res, caliente
1 c/da	fécula de maíz
2 c/das	agua fría
	sal y pimienta

Caliente el horno previamente a 200 °C (*400 °F*). El tiempo de cocción es de 12 a 15 minutos por cada 500 g. (*1 lb.*).

Caliente el aceite en un molde para asador grande a fuego medio-alto; ponga la carne y dore por 6 ó 7 minutos. Voltee la carne para que dore por todos lados y sazónela bien.

Ponga el molde en el horno y deje que se cueza aproximadamente 50 minutos o hasta que esté a su gusto. Báñela ocasionalmente.

10 minutos después de meter el asado al horno, ponga las papas y el ajo en el mismo molde y meta al horno de nuevo.

Cuando el asado esté cocido, páselo al platón de servicio y rodéelo con las papas. Baje el calor del horno para conservar caliente la carne.

Ponga el molde sobre la estufa y agréguele el caldo de res. Cueza de 2 a 3 minutos a fuego alto.

Revuelva la fécula de maíz con agua y agréguelas a la salsa. Cocine 2 minutos más a fuego medio.

Sirva la salsa con la carne y las papas.

1 PORCION	655 CALORIAS	16 g. CARBOHIDRATOS
78 g. PROTEINAS	31 g. GRASAS	0.4 g. FIBRAS

Carne con Verduras al Sake *(4 porciones)*

2 c/das	aceite vegetal
750 g.	(1½ *lb.*) bisteques de aguayón
1½ tazas	vainas de chícharo
125 g.	(¼ *lb.*) champiñones frescos
1	calabacita cortada a la mitad y rebanada
4	cebollitas de Cambray, cortadas en pedazos cortos
1	diente de ajo, machacado y picado
1 c/da	jengibre fresco picado
¼ c/da	sake
1 c/da	salsa de soya
1½ tazas	caldo de res, caliente
1 c/da	fécula de maíz
2 c/das	agua fría
12	tomates miniatura, cortados a la mitad

Caliente el aceite en un wok o sartén grande; ponga la carne y dore 1½ minutos por lado a fuego alto. Revuelva como sea necesario y sazone bien. Saque la carne y deje aparte.

Ponga en el wok las vainas de chícharo, champiñones, calabacitas, cebollitas y ajo. Sazone y saltee de 3 a 4 minutos a fuego alto.

Agregue el jengibre y sake; cocine 2 minutos a fuego alto.

Revuélvale la salsa de soya y cuézala por 1 minuto.

Vacíele el caldo de res y cueza otro minuto. Revuelva la fécula de maíz con agua; agréguela a la salsa. Cocine 1 minuto.

Ponga la carne y tomates en la mezcla de verduras; revuelva y cocine 1 minuto.

Rectifique el sazón y sirva.

1 PORCION   419 CALORIAS   11 g. CARBOHIDRATOS
42 g. PROTEINAS   23 g. GRASAS   0 g. FIBRAS

Carne al Limón   *(4 porciones)*

2 c/das	aceite vegetal
750 g.	(1½ *lb.*) bola, cortada en tiritas
2 c/das	chalotes picados
¼ taza	jugo de limón
1 c/da	menta fresca, picada
125 g.	(¼ *lb.*) champiñones sin tallo, limpios
¼	pepino, rebanado
1	pimiento rojo, en trozos grandes
2 c/das	cáscara de limón picada
1¼ tazas	caldo de res, caliente
3 c/das	yogurt natural
1 c/da	fécula de maíz
2 c/das	agua fría
1½ tazas	bolitas de melón
	sal y pimienta

Caliente el aceite en una sartén grande; ponga la carne y dore 2 minutos a fuego alto.

Voltee los trozos y sazónelos bien; dore 2 minutos más. Saque la carne y deje aparte.

Ponga los chalotes en la sartén y fríalos por 2 minutos a fuego alto.

Ponga la menta, champiñones, pepino, pimiento rojo y cáscara de limón; revuelva bien. Sofría 3 minutos a fuego alto; sazone bien.

Viértale el caldo de res y deje que empiece a hervir. Deje 2 minutos más al fuego.

Agregue el yogurt y rectifique el sazón. Cocine de 2 a 3 minutos a fuego medio.

Revuelva la fécula de maíz con el agua; agregue a la salsa. Cocine 1 minuto.

Ponga las bolitas de melón y la carne en la sartén. Recaliente por 1 minuto.

Revuelva bien y sirva.

1 PORCION	372 CALORIAS	14 g. CARBOHIDRATOS
43 g. PROTEINAS	16 g. GRASAS	1.3 g. FIBRAS

Filete Mignon con Aceitunas *(4 porciones)*

1 c/da	aceite vegetal
4	filetes mignon de 225 g. (*8 oz.*) cada uno
½ taza	aceitunas verdes rellenas, rebanadas
½ taza	aceitunas negras deshuesadas, rebanadas
¼ taza	almendras peladas, en tiritas
¼ taza	vino blanco seco
1½ tazas	caldo de res, caliente
1 c/da	fécula de maíz
2 c/das	agua fría
	sal y pimienta
	un poco de salsa Tabasco
	un poco de salsa Worcestershire
	pizca de jengibre

Caliente el horno previamente a 70 °C (*150 °F*).

Caliente el aceite en una sartén grande; ponga la carne y dórela 2 minutos a fuego medio-alto.

Voltee la carne y sazónela bien; dórela 6 minutos más. Voltee 3 veces mientras se dora.

Saque la carne de la sartén y consérvela caliente en el horno. Ponga las aceitunas y almendras en la sartén; sofría 2 minutos a fuego medio.

Agregue el vino y revuelva bien; cueza 2 minutos a fuego medio-alto.

Revuelva el caldo de res, salsas Tabasco y Worcestershire y las especias; deje que empiece a hervir.

Revuelva la fécula de maíz con el agua; agréguelas a la salsa. Cocine 2 minutos a fuego medio.

Rectifique el sazón y vierta la salsa sobre la carne. Acompañe con vainas de chícharo.

1 PORCION	563 CALORIAS	8 g. CARBOHIDRATOS
45 g. PROTEINAS	39 g. GRASAS	0.3 g. FIBRAS

327

Filete Mignon con Mantequilla de Anchoas *(4 porciones)*

1 c/da	aceite vegetal
4	filetes mignon de 225 g. (*8 oz.*) cada uno
1	receta de mantequilla de anchoas*
	sal y pimienta

Caliente el aceite en una sartén grande; ponga la carne y dórela 2 minutos a fuego medio-alto.

Voltee la carne y sazónela bien; dore 6 minutos más, volteando 3 veces mientras dora.

Unte la mantequilla de anchoas sobre la carne y deje 1 minuto en el asador.

Acompáñela con verduras.

* Vea Mantequilla de Anchoas, página 330.

1 PORCION	851 CALORIAS	0 g. CARBOHIDRATOS
44 g. PROTEINAS	75 g. GRASAS	0 g. FIBRAS

TECNICA: MANTEQUILLA DE ANCHOAS

1 Escurra las anchoas y séquelas con una toalla de papel. Ponga los filetes en un mortero.

2 Macháquelos con la mano del mortero.

3 Agregue la mantequilla y mézclela bien con una cuchara. Ponga la mezcla en una coladera fina y pásela por el tamiz con ayuda de la mano del mortero.

4 Agregue cebollinos, jugo de limón y pimienta al gusto. Mézclela bien y refrigere hasta que la use.

Mantequilla de Anchoas

4	filetes de anchoa
250 g.	(½ *lb.*) mantequilla natural, suave
1 c/dita	cebollinos picados
¼ c/dita	jugo de limón
	pimienta recién molida

Escurra las anchoas y séquelas con una toalla de papel. Ponga los filetes en un mortero y macháquelos con la mano del mortero.

Agregue la mantequilla y revuelva bien con una cuchara.

Ponga la mezcla en una coladera fina y fuércela a pasar con ayuda de la mano del mortero.

Agréguele los cebollinos, jugo de limón y pimienta al gusto. Revuelva bien y refrigere hasta que la use.

Esta mantequilla es deliciosa sobre casi cualquier filete.

1 PORCION	117 CALORIAS	0 g. CARBOHIDRATOS
0 g. PROTEINAS	13 g. GRASAS	0 g. FIBRAS

Salsa de Manzana *(4 porciones)*

1 kg.	(2 *lb.*) manzanas para cocinar, peladas y en rebanadas gruesas
2 c/das	jugo de limón
¼ taza	azúcar
½ taza	agua
¼ c/dita	nuez moscada
1 c/dita	canela
	una pizca de clavo en polvo
	una pizca de jengibre en polvo
	un poco de cáscara de limón picada

Ponga en una cacerola las manzanas con el jugo de limón, azúcar y agua.

Agregue las especias y cáscara de limón; revuelva muy bien. Tape y cueza de 8 a 10 minutos a fuego medio. Revuelva ocasionalmente.

Vacíe las manzanas en el procesador de alimentos y muela hasta que sean puré.

Páselas a un tazón y deje que enfríen.

Tape y refrigere de 2 a 3 horas antes de servirlas.

1 PORCION	189 CALORIAS	45 g. CARBOHIDRATOS
0 g. PROTEINAS	1 g. GRASAS	1.0 g. FIBRAS

Asado a la Cerveza *(4 a 6 porciones)*

2 c/das	grasa de tocino
2 kg.	(*4 lb.*) aguayón, preparado para asar
1	cebolla pelada, en cubitos
1	tallo de apio, en cubitos
1	zanahoria pelada, en cubitos
¼ c/dita	tomillo
½ c/dita	perifollo
½ c/dita	albahaca
2 c/das	harina
1¼ tazas	cerveza
1 taza	caldo de res, caliente
	unos chiles machacados
	sal y pimienta
	ramita de menta fresca

Caliente el horno previamente a 180 °C (*350 °F*).

Caliente 1 c/da de la grasa de tocino en una olla grande; ponga la carne y dore de 6 a 7 minutos a fuego medio-alto. Voltee la carne para que dore por todos lados y sazone bien.

Saque la carne y deje aparte.

Ponga la grasa restante en la olla y caliente. Agregue la cebolla, apio, zanahoria y especias; sofría de 6 a 7 minutos a fuego medio. Revuelva ocasionalmente.

Agregue la harina y cocine de 2 a 3 minutos a fuego medio-alto.

Vierta la cerveza y cocine de 3 a 4 minutos a fuego alto.

Ponga el caldo de res y sazone bien; deje que empiece a hervir.

Ponga de nuevo la carne en la olla y agregue la menta. Tape y hornee 2½ horas.

Rebane la carne y sírvala.

1 PORCION   619 CALORIAS   7 g. CARBOHIDRATOS
78 g. PROTEINAS   31 g. GRASAS   0.3 g. FIBRAS

Tournedos con Pepinos *(4 porciones)*

1 c/da	aceite vegetal
4	trozos de rosbif de 3 cm. (1¼ *pulg.*) de grueso
2 c/das	coñac Courvoisier
1	pepino pelado, sin semillas, en rebanadas de 1.2 cm (½ *pulg.*) de grueso
½	pimiento rojo, en trozos grandes
1	pimiento amarillo, en trozos grandes
2	cebollitas de Cambray, rebanadas
½ taza	salsa clara tipo gravy, caliente
2 c/das	yogurt natural
	sal y pimienta

Caliente el aceite en una sartén grande. Agregue los trozos de rosbif (tournedos) y dórelos 3 minutos a fuego medio-alto.

Sazone bien y voltee la carne; dore 3 minutos más o al gusto.

Viértale el coñac y flaméela. Cocine 1 minuto más a fuego medio-alto.

Saque la carne de la sartén y deje aparte.

Ponga el pepino, ambos pimientos y las cebollitas en la sartén. Sazone bien y sofría de 2 a 3 minutos a fuego alto.

Agregue la salsa clara tipo gravy y cocine 1 minuto más.

Vacíele el yogurt y ponga la carne de nuevo en la salsa; deje hervir de 1 a 2 minutos a fuego suave.

Sirva.

1 PORCION   353 CALORIAS   5 g. CARBOHIDRATOS
45 g. PROTEINAS   17 g. GRASAS   0.6 g. FIBRAS

Pastel de Carne *(4 a 6 porciones)*

1 c/da	aceite vegetal
1 taza	cebollas picadas
1	diente de ajo, machacado y picado
750 g.	(*1½ lb.*) carne magra de res
1 c/da	perejil picado
4	rebanadas perejil picado
4	rebanadas pan blanco, sin corteza y remojado en ¼ taza de leche
½ c/dita	albahaca
¼ c/dita	tomillo
¼ c/dita	perifollo
2	huevos
	pizca de clavo en polvo
	sal y pimienta

Caliente el horno previamente a 180 °C (*350 °F*).

Caliente el aceite en una sartén pequeña. Dore las cebollas y el ajo a fuego medio por 3 ó 4 minutos.

Saque las cebollas y póngalas en un tazón grande. Ponga la carne y el resto de los ingredientes; revuelva muy bien con las manos.

Compacte la mezcla en un molde para hogaza de 20 x 10 x 5 cm (*8 x 4 x 2 pulg.*). Hornee 1¼ horas.

Aproximadamente 15 minutos antes de que esté cocido el pastel de carne, caliente los siguientes ingredientes en una cacerola pequeña, viértalos sobre la carne y acabe de hornearla.

3 c/das	catsup
1 c/dita	azúcar morena
½ c/dita	mostaza en polvo

Chuletas de Puerco con Salsa Roberto *(4 porciones)*

1 c/dita	aceite vegetal
4	chuletas de puerco sin hueso ni grasa de 2 cm. (¾ *pulg.*) de grueso
	sal y pimienta
	salsa Roberto*
	zanahorias fritas**

Caliente el horno previamente a 70 °C (*150 °F*).

Caliente el aceite en la sartén; ponga las chuletas y fría 3 minutos a fuego medio.

Sazone bien y voltee las chuletas; fríalas a fuego medio otros 3 minutos.

Voltee el puerco de nuevo y cocínelo 1 minuto a fuego suave o hasta que esté a su gusto. Consérvelo caliente en el horno.

Prepare las zanahorias fritas y sírvalas con el puerco. Si le agrada, acompáñelo con brócoli. Sírvale encima salsa Roberto.

* Vea Salsa Roberto, página 336.
** Vea Zanahorias Fritas, página 339.

Salsa Roberto

1 c/da	mantequilla
2	chalotes, picados
1	diente de ajo, machacado y picado
1 c/da	perejil fresco picado
½ c/dita	estragón
¼ taza	vinagre de vino
½ taza	vino blanco seco
2 tazas	salsa dorada caliente*
1	hoja de laurel
2	pepinillos encurtidos, picados
1 c/da	mostaza de Dijon
	sal y pimienta recién molida

Caliente la mantequilla en una cacerola; ponga los chalotes y ajo y fría 2 minutos a fuego medio.

Agregue el perejil y estragón; revuelva y sofría 1 minuto.

Viértale el vinagre y vino. Revuelva y cueza 6 minutos a fuego alto.

Vacíele la salsa dorada y sazone bien. Ponga la hoja de laurel y deje que empiece a hervir. Hierva la salsa a fuego suave por 10 ó 12 minutos.

Ponga los pepinillos y la mostaza**; revuelva y sirva.

* Vea Salsa Dorada, página 355
** Si piensa recalentar esta salsa, no le ponga mostaza.

1 PORCION	66 CALORIAS	3 g. CARBOHIDRATOS
0 g. PROTEINAS	6 g. GRASAS	0 g. FIBRAS

Salchichas Alemanas con Col Agria (4 porciones)

1	rebanada de tocino, en cubitos
1	cebolla pequeña pelada, en cubitos
2	paquetes de col agria, escurridos, de 540 ml. (*19 oz.*) cada uno
1	clavo
¼ taza	vino blanco seco
1 taza	agua fría
1	hoja de laurel
8	salchichas alemanas
	pimienta

Caliente el horno previamente a 180 °C (*350 °F*).

Ponga el tocino en una cacerola que pueda meter al horno y fríalo a fuego suave por 2 ó 3 minutos.

Agréguele la cebolla, tape y sofría a fuego suave por 6 minutos.

Póngale la col agria y revuelva bien. Sazone con pimienta y póngale el clavo.

Viértale el vino, agua y hoja de laurel. Sazone y deje que empiece a hervir. Tape y meta al horno por 2 horas.

Corte diagonalmente el pellejo de las salchichas con un cuchillo afilado, lo que impedirá que se abran mientras se cuecen.

Ponga las salchichas en la cacerola 8 minutos antes que termine el tiempo de cocción. Sirva.

Chuletas de Puerco con Salsa Charcutière (4 porciones)

1 c/da	**aceite vegetal**
4	**chuletas de puerco, sin hueso ni grasa, de 2 cm. (¾ *pulg.*) cada una**
	sal y pimienta
	salsa charcutière*

Caliente el aceite en una sartén; ponga las chuletas y dórelas a fuego medio por 3 minutos.

Sazónelas bien y voltee la carne; dore otros 3 minutos a fuego medio.

Voltee de nuevo las chuletas; cocínelas 1 minuto a fuego suave, o hasta que estén a su gusto.

Sírvalas con salsa charcutière y verduras.

* Vea Salsa Charcutière, página 339.

1 PORCION   463 CALORIAS   3 g. CARBOHIDRATOS
25 g. PROTEINAS   39 g. GRASAS   0.2 g. FIBRAS

Salsa Charcutière

1 c/da	mantequilla
2	chalotes, picados
1 c/da	perejil fresco picado
¼ taza	vinagre de vino
¼ taza	vino blanco seco
1 c/dita	estragón picado
1½ tazas	salsa dorada*, caliente
	pepinillos encurtidos, en rebanadas delgadas
	sal y pimienta

Caliente la mantequilla en una cacerola; ponga los chalotes y fríalos a fuego medio por 2 ó 3 minutos.

Agregue el perejil y sazone. Viértale el vinagre y vino y esparza el estragón. Hierva de 6 a 7 minutos a fuego alto.

Vacíele la salsa dorada y revuelva bien; cueza de 8 a 9 minutos a fuego muy suave.

Agregue los pepinillos aproximadamente 2 minutos antes de que acabe de cocinarse.

* Vea Salsa Dorada, página 355.

1 PORCION	61 CALORIAS	3 g. CARBOHIDRATOS
1 g. PROTEINAS	5 g. GRASAS	0.2 g. FIBRAS

Zanahorias Fritas *(4 porciones)*

4	zanahorias grandes peladas, cortadas en tiras de 5 cm. (2 *pulg.*)
2	huevos batidos
1 taza	pan molido
	sal y pimienta
	pizca de paprika

Caliente previamente el aceite a 160 °C (*325 °F*) en una freidora.

Ponga las zanahorias en el huevo batido y revuelva bien. Sazone.

Saque las zanahorias del huevo y cúbralas bien con el pan molido.

Fría las zanahorias 4 minutos o hasta que doren.

Escurra en toallas de papel y sirva inmediatamente.

1 PORCION	240 CALORIAS	26 g. CARBOHIDRATOS
7 g. PROTEINAS	12 g. GRASAS	1.1 g. FIBRAS

Chuletas Mariposa *(4 porciones)*

1 c/da	aceite vegetal
4	chuletas de puerco abiertas
2 c/das	mantequilla
2	cebollas peladas, finamente rebanadas
1 c/da	pimienta de Jamaica picada
1 taza	salsa de ciruela
	sal y pimienta

Caliente el horno previamente a 70 °C (*150 °F*).

Unte aceite en una parrilla o sartén antiadherentes.

Ponga en la estufa y, cuando esté caliente, ponga la mitad de la carne. Dore 3 minutos a fuego medio.

Sazone bien y voltee el puerco; dore otros 3 minutos a fuego medio.

Voltee la carne otra vez; dore a fuego suave por 2 ó 3 minutos o hasta que esté a su gusto. Consérvela caliente en el horno. Repita el procedimiento para el resto del puerco y, si es necesario, ponga más aceite.

Caliente la mantequilla en una sartén; ponga las cebollas y fría de 7 a 9 minutos a fuego medio. Revuelva ocasionalmente.

Agregue la pimienta picada y cocine 1 minuto. Sazone bien e incorpore la salsa de ciruela; cocine 2 minutos más.

Sirva las cebollas con el puerco y adorne con papas fritas.

1 PORCION	546 CALORIAS	26 g. CARBOHIDRATOS
25 g. PROTEINAS	40 g. GRASAS	0.3 g. FIBRAS

Brocheta de Puerco con Verduras *(4 porciones)*

750 g.	**(1½ lb.) lomo de puerco, cortado en cubos de 2.5 cm. (1 pulg.)**
1½	**pimientos verdes, en trozos grandes**
2	**cebollas pequeñas peladas, cortadas en pedazos**
8	**manzanas silvestres con especias**
12	**champiñones sin tallo**
3 c/das	**mantequilla de ajo derretida**
2 c/das	**salsa de soya**
	sal y pimienta

Ensarte el puerco en 4 brochetas alternando con las verduras y manzanas.

Revuelva la mantequilla de ajo con salsa de soya; unte las brochetas con la mezcla y sazone bien.

Ponga 10 minutos en el horno a 10 cm (*4 pulg.*) de la fuente de calor. Humedézcalas ocasionalmente y déles la vuelta cada 3 minutos.

Sirva sobre arroz.

1 PORCION	589 CALORIAS	12 g. CARBOHIDRATOS
34 g. PROTEINAS	45 g. GRASAS	1.3 g. FIBRAS

Barritas de Puerco   *(4 porciones)*

1 kg.	**(2 *lb*.) lomo de puerco cortado en tiras gruesas**
1 taza	**harina sazonada**
2	**huevos batidos**
1 c/dita	**aceite vegetal**
	salsa de ciruela

Caliente previamente el aceite a 180 °C (*350 °F*) en la freidora.

Enharine el puerco.

Ponga los huevos batidos en un tazón grande y agrégueles el aceite; revuelva. Ponga la mitad de la carne en esta mezcla, cubra bien y sáquela.

Haga lo mismo con el resto de la carne.

Fría las tiras por 4 ó 5 minutos en la freidora, o hasta que doren. Una vez que esté cocida, la carne no debe quedar rosada por dentro.

Sírvala con salsa de ciruela como dip y, si le agrada, acompañe con papas.

1 PORCION	827 CALORIAS	21 g. CARBOHIDRATOS
44 g. PROTEINAS	63 g. GRASAS	0 g. FIBRAS

Salsa Blanca Aguada

4 c/das	mantequilla
4½ c/das	harina
3 tazas	leche caliente
¼ taza	crema ligera, caliente
1	cebolla pequeña, con clavos incrustados
¼ c/dita	nuez moscada
	sal y pimienta blanca

Caliente la mantequilla en una cacerola; póngale la harina, revuelva y dore 1 minuto a fuego suave. No permita que dore demasiado.

Viértale la mitad de la leche y revuelva. Ponga el resto de la leche y revuelva muy bien.

Agregue la crema y el resto de los ingredientes. Sazone bien y deje que empiece a hervir.

Ponga a fuego suave y cueza la salsa por 12 minutos, revolviendo ocasionalmente.

Esta salsa se conserva hasta 1 semana en el refrigerador si la cubre con papel encerado.

1 PORCION	82 CALORIAS	5 g. CARBOHIDRATOS
2 g. PROTEINAS	6 g. GRASAS	0 g. FIBRAS

Puré de Camotes *(4 porciones)*

3	camotes
3	zanahorias grandes, peladas
½ taza	crema ligera, caliente
1 c/da	mantequilla
	pizca de nuez moscada
	sal y pimienta

Caliente el horno previamente a 190 °C (375 °F).

Hornee los camotes hasta que estén bien cocidos.

Mientras tanto, cueza las zanahorias en agua hirviendo con sal.

Ponga la pulpa caliente de los camotes y zanahorias en el procesador de alimentos y muélalos.

Agregue la crema y mantequilla y revuelva hasta que se combinen bien y la pasta esté uniforme.

Ponga la nuez moscada y sazone bien; muela por 5 segundos.

Sirva como verdura o como complemento.

1 PORCION	216 CALORIAS	33 g. CARBOHIDRATOS
3 g. PROTEINAS	8 g. GRASAS	1.3 g. FIBRAS

Chuletas Tradicionales con Manzanas *(4 porciones)*

1 c/da	aceite vegetal
4	chuletas de puerco con hueso, sin grasa, de 2.5 cm. (*1 pulg.*) de grueso
2	manzanas sin corazón, peladas y rebanadas
1 c/da	mantequilla
1 c/dita	perejil picado
¼ taza	vino blanco seco
1 taza	salsa dorada*, caliente
	sal y pimienta
	unas gotas de jugo de limón

Caliente el horno previamente a 70 °C (*150 °F*).

Caliente el aceite en una sartén, ponga el puerco y dore 3 minutos a fuego medio.

Sazónelo bien y voltee la carne; dore 3 minutos más a fuego medio.

Voltee de nuevo y acabe de cocinar la carne por 2 ó 3 minutos, o hasta que esté a su gusto. Consérvela caliente en el horno.

Ponga las manzanas en un tazón y rocíelas con jugo de limón. Caliente la mantequilla en la sartén y ponga el perejil.

Agregue las manzanas y saltéelas 2 minutos a fuego medio.

Vierta el vino y cueza a fuego alto por 3 ó 4 minutos.

Incorpórele la salsa dorada; cueza de 4 a 5 minutos a fuego suave. Sazone bien.

Vierta las manzanas y la salsa sobre la carne de puerco. Acompañe con cebollas miniatura y puntas de helecho.

* Vea Salsa Dorada, página 355.

1 PORCION	514 CALORIAS	10 g. CARBOHIDRATOS
24 g. PROTEINAS	42 g. GRASAS	0.8 g. FIBRAS

TECNICA: COMO DESHUESAR EL LOMO DE PUERCO

1 Ponga el lomo entero, con la grasa hacia abajo, en una tabla para picar.

2 Empiece por sacar el solomillo o caña del lomo, cortando a lo largo del hueso.

3 Siga cortando hasta que se separe del hueso.

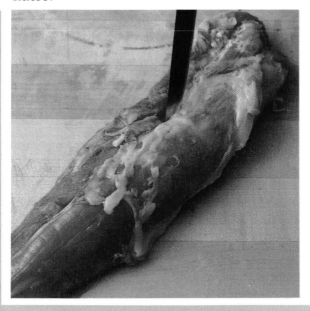

4 Cuando lo saque, quítele la grasa. Este corte se utiliza para los asados.

Continúa en la página siguiente.

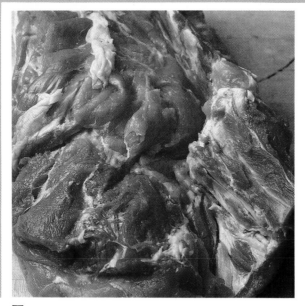

5 Corte el lomo a la mitad. Utilice la sección de la que separó el solomillo para diferentes asados.

6 Deshuese la otra mitad y quítele casi toda la grasa.

7 Sujete la carne con cordel delgado y guarde el hueso para cocinar.

8 Separe la carne de las chuletas con un cuchillo y el hueso con un hacha de carnicero. El tamaño que tengan las chuletas, depende del tamaño original del lomo.

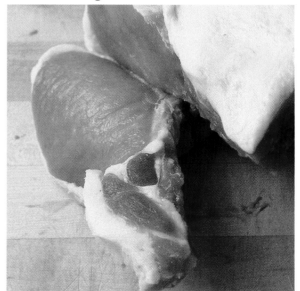

9 Corte una rebanada de 3 cm (1¼ *pulg.*) de grueso del lomo deshuesado. Divídala en dos sin separarla. Al abrir la carne, este corte se llama chuleta mariposa.

10 Las chuletas deshuesadas tienen por lo general 2 cm (¾ *pulg.*) de grueso.

11 Los bisteques de puerco tienen generalmente un grueso de 0.65 cm. (¼ *pulg.*), y hay que quitarles toda la grasa.

12 Los bisteques se convierten en escalopas (milanesas) si se coloca la carne entre dos hojas de papel encerado y se golpean con un mazo liso hasta que tengan el espesor deseado.

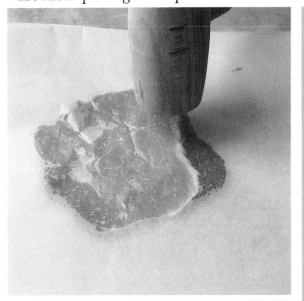

Continúa en la página siguiente.

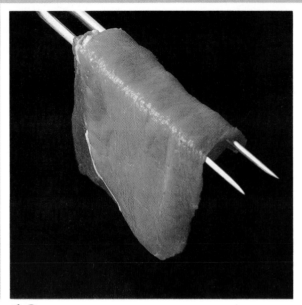

13 Las escalopas (milanesas) de puerco, son muy delgadas, de modo que se cocinan en poco tiempo.

14 Para preparar la carne para las brochetas, se utiliza casi cualquier parte del lomo.

15 Los bisteques de puerco son ideales cuando se requiere carne cortada diagonalmente, como los platillos salteados o sancochados.

16 Todos estos cortes se tomaron de un solo trozo de lomo y, con alguna práctica, se pueden hacer en casa. Si lo prefiere, puede pedirle al carnicero los trozos deshuesados, listos para cocinarse.

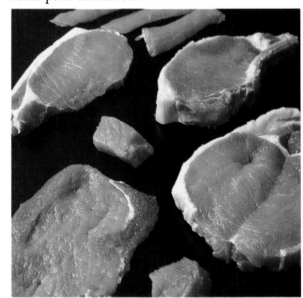

Bisteques Alfredo *(4 porciones)*

3 c/das	mantequilla
750 g.	(*1½ lb.*) bisteques de puerco, cortados diagonalmente
1	chalote, picado
250 g.	(*½ lb.*) champiñones limpios y rebanados
2½ tazas	salsa blanca ligera, caliente
¼ c/dita	nuez moscada
4	porciones pequeñas de tallarines de espinaca, cocidos
4 c/das	queso parmesano rallado
	sal y pimienta
	pimiento dulce picado

Caliente 2 c/das de mantequilla en una sartén, ponga el puerco y dore 2 minutos a fuego medio.

Sazone bien y voltee la carne; dore 2 minutos más. Saque y deje aparte.

Ponga el resto de la mantequilla en la sartén. Cuando esté caliente, ponga el chalote y los champiñones; sofría de 4 a 5 minutos a fuego medio.

Viértales la salsa caliente, revuelva y espolvoree la nuez moscada; revuelva bien. Cueza de 2 a 3 minutos a fuego medio.

Ponga los tallarines en la sartén y hierva a fuego suave para que se calienten de nuevo. Espárzales el queso y el pimiento antes de servirlos.

Puerco Fiesta *(4 porciones)*

2 c/das	aceite vegetal
750 g.	(1½ *lb*.) de lomo de puerco, en tiras de 2.5 cm. (*1 pulg*.) de largo y 0.65 cm. (¼ *pulg*.) de grueso
1	diente de ajo, machacado y picado
1 c/da	mantequilla
250 g.	(½ *lb*.) champiñones limpios y rebanados
2 tazas	salsa de tomate, caliente
½	pimiento verde, rebanado delgado
	sal y pimienta

Caliente el aceite en una sartén; ponga la carne a fuego medio-alto y dórela 2 minutos.

Sazone bien y voltee las tiras de carne; fría otros 2 minutos.

Ponga el ajo en la sartén y sofría 1 minuto. Saque la carne y deje aparte.

Ponga la mantequilla en la sartén; cuando esté caliente, ponga los champiñones, sazone y sofría de 4 a 5 minutos. Revuelva ocasionalmente.

Vierta la salsa de tomate y ponga el pimiento verde; cuando empiece a hervir, cueza 2 minutos.

Ponga la carne de nuevo en la sartén y deje hervir a fuego suave por varios minutos para recalentarla.

Si le agrada, sírvala sobre pasta.

1 PORCION 579 CALORIAS 13 g. CARBOHIDRATOS
35 g. PROTEINAS 43 g. GRASAS 1.1 g. FIBRAS

Puerco Salteado con Verduras *(4 porciones)*

3 c/das	aceite vegetal
1 kg.	(2 *lb*.) bisteques de puerco cortados diagonalmente
2 c/das	salsa de soya
20	champiñones frescos limpios, en rebanadas delgadas
20	cebollitas miniatura cocidas
2 tazas	floretes de brócoli, puestos por unos minutos en agua hirviendo
½ taza	gajos de mandarina, sin hollejo
2 tazas	salsa dorada, caliente*
3 c/das	salsa de ciruela
	sal y pimienta

Caliente 1 c/da de aceite en la sartén; ponga la mitad de la carne y dore a fuego medio-alto durante 2 minutos.

Sazone bien y voltee la carne; rocíe con la mitad de la salsa de soya. Dore 2 minutos más; saque y deje aparte.

Repita el procedimiento para el puerco restante.

Caliente el resto del aceite en la sartén. Cuando esté caliente, ponga los champiñones, cebollitas y brócoli; sofría por 3 minutos, revolviendo ocasionalmente.

Agregue los gajos de mandarina y cocine 1 minuto.

Ponga las salsas dorada y de ciruela; revuelva bien. Cueza 3 minutos a fuego suave.

Ponga la carne en la sartén y hierva a fuego suave durante varios minutos para que se caliente de nuevo.

Sírvala sobre espagueti.

* Vea Salsa Dorada, página 355.

1 PORCION	604 CALORIAS	19 g. CARBOHIDRATOS
43 g. PROTEINAS	64 g. GRASAS	2 g. FIBRAS

Lomo de Puerco al Curry *(4 porciones)*

2 c/das	aceite vegetal
750 g.	(*1½ lb.*) lomo de puerco en tiras de 2.5 cm. (*1 pulg.*) de largo y 0.65 cm. (*¼ pulg.*) de grueso
1	cebolla grande pelada, rebanada finamente
1½ c/das	curry en polvo
1½ tazas	caldo de pollo, caliente
1 c/da	fécula de maíz
2 c/das	agua fría
	sal y pimienta

Caliente el aceite en una sartén, ponga las tiras de carne y dore 2 minutos a fuego medio-alto.

Sazone bien y voltee la carne; fría otros 2 minutos. Saque y deje aparte.

Si hace falta, póngale más aceite a la sartén. Fría la cebolla a fuego medio por 4 ó 5 minutos. Revuelva ocasionalmente.

Mézclele el polvo de curry y siga cocinando de 2 a 3 minutos; sazone al gusto.

Vierta el caldo de pollo y deje que empiece a hervir. Sazone y hierva de 8 a 10 minutos a fuego suave.

Revuelva la fécula de maíz con agua, incorpórela a la salsa. Ponga la carne otra vez en la sartén y hierva varios minutos a fuego suave para recalentarla.

Acompañe con Puré de Camote, página 343.

1 PORCION	531 CALORIAS	4g. CARBOHIDRATOS
32 g. PROTEINAS	43 g. GRASAS	0.2 g. FIBRAS

Milanesas Rápidas *(4 porciones)*

4		milanesas de puerco grandes
1 taza		harina
2		huevos batidos
1 taza		pan molido
8 c/das		aceite vegetal
4		porciones de espagueti cocido
¼ taza		queso parmesano rallado
		sal y pimienta
		salsa comercial de espagueti, caliente

Sazone la carne y enharínela; quítele el sobrante.

Meta la carne en los huevos batidos y cubra con el pan molido.

Caliente la mitad del aceite en una sartén. Cuando esté caliente, ponga la mitad de la carne y dore 3 minutos a fuego medio.

Voltee la carne y dórela 3 minutos más. Saque y deje aparte.

Repita el procedimiento para la carne restante.

Acomode la carne de puerco en un platón de servicio junto con el espagueti; espolvoréele el queso y acompañe con salsa para espagueti.

Chuletas a la Parisina *(4 porciones)*

5	zanahorias grandes, peladas
4	papas grandes, peladas
¾ taza	cebollitas miniatura
2 c/das	mantequilla
1 c/da	aceite vegetal
8	chuletas de puerco, sin grasa
250 g.	(½ *lb.*) champiñones limpios, en cuatro
1 c/dita	cebollinos picados
1 taza	salsa dorada caliente *
¼ c/dita	albahaca
	sal y pimienta

Caliente el horno previamente a 70 °C (*150 °F*).

Utilice una cuchara para cortar esferas de fruta y corte las zanahorias y papas; ponga agua con sal a hervir en una cacerola. Echele las zanahorias y cuézalas 3 minutos; agregue las papas y cueza 6 minutos más. Agregue las cebollitas y cueza otros 2 minutos. Escurra las verduras y deje aparte.

Caliente la mitad de la mantequilla y todo el aceite en una sartén grande; póngale el puerco y dore de 3 a 4 minutos a fuego medio.

Sazone bien y voltee la carne; dore 3 ó 4 minutos más. Saque la carne y consérvela caliente en el horno.

Ponga el resto de la mantequilla en la sartén y agréguele los champiñones y verduras cocidas; espárzale los cebollinos y sazone. Sofría 3 minutos a fuego medio.

Agregue la salsa dorada y albahaca; hierva a fuego suave varios minutos. Sirva con la carne.

* Vea Salsa Dorada, página 355.

1 PORCION	620 CALORIAS	47 g. CARBOHIDRATOS
36 g. PROTEINAS	32 g. GRASAS	1.9 g. FIBRAS

Salsa Dorada (para puerco)

c/das	pringue de puerco
	cebolla pequeña, pelada y en cubitos
	zanahoria, en cubitos
¼ c/dita	tomillo
¼ c/dita	romero
½ c/das	harina
tazas	caldo de res, caliente
	sal y pimienta

Caliente el jugo y grasa que suelta la carne al cocinarse (pringue) en una cacerola; póngale la cebolla, zanahoria y hierbas aromáticas; cocine de 5 a 6 minutos a fuego suave.

Agréguele la harina y dore de 6 a 7 minutos a fuego muy suave. Tenga cuidado de que no se queme la harina. Revuelva ocasionalmente.

Una vez dorada la harina, quite la cacerola del fuego y deje enfriar varios minutos.

Agregue el caldo de res y revuelva muy bien; sazone generosamente. Regrese al fuego y deje que empiece a hervir.

Cueza de 40 a 45 minutos a fuego bajo.

Cuando la salsa enfríe, cuélela.

1 PORCION	403 CALORIAS	3 g. CARBOHIDRATOS
55 g. PROTEINAS	19 g. GRASAS	0 g. FIBRAS

Jamón Glaseado (8 a 10 porciones)

3.5 a 5.5 kg.	(8 a 12 lb.) pierna de jamón, preparada para asado
tazas	vino de Madeira
c/das	azúcar glass

Ponga el jamón en una olla muy grande; llénela con agua fría. Remoje 12 horas.

Saque el jamón de la olla y tire el agua. Ponga el jamón de nuevo. Cubra con agua limpia y ponga a hervir sobre la estufa. Cuézalo de 3½ a 4 horas tapado, a fuego suave.

Caliente el horno previamente a 180 °C (350 °F).

Saque el jamón de la olla y déjelo enfriar; quítele la grasa. Póngalo de nuevo en la olla.

Viértale el vino y tape. Hornee 1 hora, bañándolo ocasionalmente.

Saque el jamón de la olla y póngalo en un molde para asado. Espolvoréele encima el azúcar glass y ponga de nuevo en el horno.

Aumente el calor a 220 °C (425 °F) y cocine hasta que esté glaseado. Sirva.

1 PORCION	403 CALORIAS	3 g. CARBOHIDRATOS
55 g. PROTEINAS	19 g. GRASAS	0 g. FIBRAS

Escalopas de Ternera con Salsa *(4 porciones)*

c/das	mantequilla
	escalopas de ternera grandes, aplanadas y enharinadas
50 g.	(½ *lb.*) champiñones frescos, limpios y rebanados
	pepinillos, en tiras julianas
¼ tazas	salsa blanca ligera, caliente*
¼ taza	crema espesa
c/dita	perejil fresco picado
	pizca de paprika
	sal y pimienta

Caliente la mitad de la mantequilla en una sartén antiadherente; póngale la ternera y dore 3 minutos a fuego alto.

Sazone bien y voltee la ternera; cocine 2 minutos más. Sáquela y pase a un platón de servicio caliente.

Caliente el resto de la mantequilla en una sartén. Ponga los champiñones, sazone y fríalos 4 minutos.

Agregue los pepinillos y la salsa blanca; revuelva bien.

Ponga la crema y el perejil; sazone al gusto. Deje a fuego alto por 3 minutos.

Regrese la ternera a la sartén y sáquela del fuego. Déjela reposar 3 minutos antes de servirla. Acompañe con verduras salteadas.

* Vea Salsa Blanca Ligera, página 14.

Escalopas de Ternera al Limón *(4 porciones)*

3 c/das	mantequilla
8	escalopas de ternera, sazonadas y enharinadas
1½ tazas	crema espesa, caliente
	jugo de 1 limón
	perejil fresco picado
	pizca de paprika
	sal y pimienta

Caliente el horno previamente a 120 °C (*250 °F*).

Caliente la mitad de la mantequilla en una sartén antiadherente. Cuando esté caliente, agregue la mitad de la ternera; dore 2 minutos por lado, a fuego alto. Deje aparte.

Repita el procedimiento para el resto de la ternera. Consérvela caliente en el horno.

Ponga el jugo de limón en la sartén; cuézalo 1 minuto a fuego alto.

Ponga la crema y el perejil; revuelva y cocine de 3 a 4 minutos, a fuego alto.

Ponga de nuevo la ternera en la sartén y espolvoréela con paprika. Recaliente por 1 minuto.

Sirva con varias verduras cocidas.

1 PORCION	588 CALORIAS	7 g. CARBOHIDRATOS
32 g. PROTEINAS	48 g. GRASAS	0 g. FIBRAS

Relleno de Champiñones al Coñac

2 c/das	mantequilla
1	cebolla pelada, finamente picada
125 g.	(¼ *lb.*) champiñones limpios, finamente picados
1 c/da	perejil picado
1 c/da	coñac Courvoisier
¼ taza	pan molido
1	huevo pequeño, batido
	pizca de tomillo
	sal y pimienta

Caliente la mantequilla en una cacerola. Cuando esté caliente, ponga la cebolla y fría 3 minutos a fuego suave.

Agregue los champiñones, perejil, tomillo, sal y pimienta; revuelva bien. Sofría a fuego alto por 3 minutos.

Viértale el coñac y cueza 1 minuto a fuego alto.

Saque la cacerola del fuego. Revuélvale el pan molido y agregue el huevo batido; incorpórelo bien.

Rectifique el sazón y deje aparte para que se enfríe antes de usarlo.

1 RECETA	481 CALORIAS	32 g. CARBOHIDRATOS
14 g. PROTEINAS	33 g. GRASAS	1.7 g. FIBRAS

Escalopas de Ternera en Salsa de Estragón *(4 porciones)*

4	escalopas de ternera delgadas, grandes
½ taza	harina sazonada
2 c/das	aceite vegetal
½ taza	vino blanco seco
2 c/das	estragón fresco picado
1 taza	caldo de pollo, caliente
2 c/das	crema espesa
1 c/dita	fécula de maíz
1 c/da	agua fría
¼ c/dita	jugo de limón
	sal y pimienta

Caliente el horno previamente a 70 °C (*150 °F*).

Enharine la ternera y sacúdale el sobrante.

Caliente el aceite en una sartén grande, póngale la ternera y dore de 2 a 3 minutos por lado, a fuego medio. Sazónela.

Saque la ternera y consérvela caliente en el horno.

Ponga el vino en la sartén y cocínelo a fuego alto por 2 ó 3 minutos.

Agregue el estragón, caldo de pollo y sazone bien. Hierva 3 minutos a fuego medio.

Agregue la crema y hierva 1 minuto más.

Revuelva la fécula de maíz con agua; incorpore la mezcla a la salsa. Agréguele el jugo de limón y deje que empiece a hervir a fuego suave. Cocine 2 minutos a fuego medio-bajo.

Vierta la salsa sobre la ternera y sirva.

1 PORCION	346 CALORIAS	7 g. CARBOHIDRATOS
30 g. PROTEINAS	22 g. GRASAS	0 g. FIBRAS

Ternera a la Parmesana *(4 porciones)*

4	**escalopas de ternera grandes**
½	**taza harina**
2	**huevos batidos**
1 taza	**pan muy bien molido**
2 c/das	**aceite vegetal**
1½ c/das	**mantequilla**
125 g.	**(¼ *lb.*) champiñones limpios, rebanados**
2	**chalotes, picados**
½ taza	**queso parmesano rallado**
	sal y pimienta
	jugo de limón al gusto

Sazone y enharine la ternera; sacúdale el sobrante.

Meta la ternera en los huevos batidos y cubra con el pan molido.

Caliente el aceite en una sartén grande, ponga la ternera y dórela 4 minutos por lado, a fuego medio. Voltee la carne por lo menos 3 veces para evitar que se queme.

Caliente la mantequilla en otra sartén. Ponga los champiñones y chalotes y sofríalos a fuego medio-alto durante 3 ó 4 minutos. Sazone bien.

Mientras tanto, ponga la ternera en un molde grande para hornear y cubra con el queso rallado. Métala de 3 a 4 minutos al horno.

Sírvala con jugo de limón.

1 PORCION   535 CALORIAS   23 g. CARBOHIDRATOS
41 g. PROTEINAS   31 g. GRASAS   0.3 g. FIBRAS

Chuletas de Ternera con Verduras *(4 porciones)*

4	chuletas de lomo, de 1.2 cm. (½ *pulg.*) de grueso
½ taza	harina sazonada
1 c/da	mantequilla
1 c/da	aceite vegetal
125 g.	(¼ *lb.*) champiñones limpios, en cubitos
1	cebolla pelada, en cubitos
½	calabacita, en cubitos
½ taza	aceitunas negras deshuesadas
4	corazones de alcachofa, cortados en 4
2	filetes de anchoa, picados
1½ tazas	salsa comercial ligera tipo gravy, caliente
2 c/das	crema espesa
	sal y pimienta

Caliente el horno previamente a 70 °C (*150 °F*).

Enharine las chuletas y sacúdales el sobrante.

Caliente la mantequilla y el aceite en una sartén grande, ponga las chuletas y dórelas 6 ó 7 minutos a fuego medio.

Voltee la ternera y sazónela bien; dórela de 6 a 7 minutos más.

Saque la ternera y consérvela caliente en el horno.

Si es necesario, ponga más mantequilla en la sartén. Sofría los champiñones, cebolla, calabacita, aceitunas, corazones de alcachofa y anchoas a fuego medio por 5 minutos. Sazone bien.

Agregue la salsa tipo gravy y la crema; rectifique el sazón. Hierva de 3 a 4 minutos a fuego suave.

Vierta la salsa sobre la ternera y sirva.

Chuletas de Ternera con Licor de Café *(4 porciones)*

4	chuletas de lomo de 1.2 cm. (½ *pulg.*) de grueso
½ taza	harina sazonada
1 c/da	mantequilla
1 c/da	aceite vegetal
250 g.	(½ *lb.*) champiñones sin tallo, limpios
½ taza	cebollitas miniatura cocidas
1 taza	papitas, puestas unos minutos en agua hirviendo
3 c/das	licor de café
1¼ tazas	salsa comercial ligera tipo gravy, caliente
	sal y pimienta

Caliente el horno previamente a 70 °C (*150 °F*).

Enharine las chuletas y sacúdales el sobrante.

Caliente la mantequilla y el aceite en una sartén grande; ponga las chuletas y dórelas de 6 a 7 minutos a fuego medio.

Voltee la carne y sazónela bien; dórelas 6 ó 7 minutos.

Saque las chuletas y consérvelas calientes en el horno.

Ponga los champiñones, cebollitas y papas; revuelva y sofría de 3 a 4 minutos a fuego medio. Sazone bien.

Agregue el licor de café y hierva de 2 a 3 minutos a fuego alto.

Ponga la salsa tipo gravy y rectifique el sazón; cocine 2 minutos a fuego medio.

Vierta la salsa sobre la ternera y sirva.

1 PORCION	415 CALORIAS	18 g. CARBOHIDRATOS
34 g. PROTEINAS	23 g. GRASAS	0.8 g. FIBRAS

Milanesas de Ternera con Jamón y Queso *(4 porciones)*

8	milanesas de ternera pequeñas
½ taza	harina sazonada
3 c/das	mantequilla
¼ taza	Marsala o vino blanco
8	rebanadas jamón serrano
8	rebanadas queso Gruyère
	sal y pimienta

Enharine la ternera y sacúdale el sobrante.

Caliente la mantequilla en una sartén grande y ponga la ternera sin encimarla; dore a fuego medio de 2 a 3 minutos por lado. Sazone bien cuando dore el segundo lado.

Cuando todas las milanesas estén cocidas, páselas a un platón de servicio con suficiente espacio para que no se encimen.

Ponga el vino en la sartén y cueza 2 minutos a fuego alto.

Vierta el vino concentrado sobre la carne. Cubra las milanesas con jamón y queso. Sazone bien.

Deje de 2 a 3 minutos en el horno o hasta que el queso se derrita.

Sirva inmediatamente.

1 PORCION	499 CALORIAS	5 g. CARBOHIDRATOS
41 g. PROTEINAS	35 g. GRASAS	0 g. FIBRAS

Rollitos de Ternera Rellenos *(4 porciones)*

8	escalopas de ternera muy delgadas
1	receta relleno de champiñones al coñac*
3 c/das	mantequilla
2	chalotes, finamente picados
2 c/das	Marsala
1½ tazas	caldo de pollo, caliente
1 c/da	fécula de maíz
2 c/das	agua fría
	sal y pimienta
	cebollinos picados al gusto

Caliente el horno previamente a 190 °C (375 °F).

Ponga las escalopas planas sobre la tabla de picar. Extienda el relleno en cada una, enrolle y ate con cordel de cocina delgado.

Cocine los rollos de ternera en dos etapas, siguiendo el procedimiento siguiente: caliente la mitad de la mantequilla en una sartén grande y ponga a dorar los rollitos por todos lados durante 3 minutos; sazone bien.

Cuando los haya dorado todos, póngalos en un platón refractario grande. Deje aparte. Ponga los chalotes en la sartén y fría 2 minutos a fuego medio. Agregue el vino y cueza 2 minutos a fuego alto.

Agregue el caldo de pollo, rectifique el sazón y deje que empiece a hervir.

Revuelva la fécula de maíz con agua y agréguela a la salsa. Cueza 1 minuto a fuego medio.

Vierta la salsa sobre los rollos de ternera y espárzales los cebollinos. Hornee de 6 a 7 minutos.

* Vea Relleno de Champiñones al Coñac, página 359.

1 PORCION	433 CALORIAS	10 g. CARBOHIDRATOS
33 g. PROTEINAS	29 g. GRASAS	0.6 g. FIBRAS

Milanesas de Ternera con Crema y Queso *(4 porciones)*

4	chuletas de ternera de 1.2 cm. (½ *pulg.*) de grueso
½ taza	harina sazonada
1 c/da	mantequilla
1 c/da	aceite vegetal
2 c/das	crema espesa
½ taza	queso Gruyère rallado
	sal y pimienta
	un poco de paprika
	un poco de pimienta de Cayena

Caliente el horno previamente a 200 °C (*400 °F*).

Enharine las chuletas y sacúdales el sobrante.

Caliente la mantequilla y el aceite en una sartén grande; ponga las chuletas y dórelas de 6 a 7 minutos a fuego medio.

Voltee la ternera y sazónela bien; dore 6 ó 7 minutos.

Pase las chuletas a un platón refractario grande; deje aparte.

Revuelva la crema, queso, paprika y Cayena y viértalos sobre la ternera.

Hornee de 4 a 5 minutos.

Acompañe con ejotes frescos.

Bollo de Ternera   *(4 porciones)*

2 c/das	mantequilla
500 g.	(*1 lb.*) bisteques de ternera aplanados
4	bollos grandes frescos
1 taza	salsa picante o salsa para espagueti
	sal y pimienta
	tomates rebanados
	hojas de lechuga

Caliente la mantequilla en una sartén; ponga la ternera y dórela 2 minutos por lado a fuego medio. Sazone bien el segundo lado.

Acomode la carne sobre los bollos y cubra con salsa picante. Cubra con tomate y lechuga. Tape el bollo y sírvalo inmediatamente.

1 PORCION	427 CALORIAS	36 g. CARBOHIDRATOS	
28 g. PROTEINAS	19 g. GRASAS	0.6 g. FIBRAS	

365

Riñones de Ternera Deliciosos   *(4 porciones)*

2 c/das	mantequilla
2	riñones chicos de ternera, sin grasa y en rebanadas delgadas
1	chalote picado
125 g.	(¼ *lb.*) champiñones frescos, limpios y rebanados
1 c/da	cebollinos picados
2 c/das	coñac Courvoisier VSOP
½ taza	vino blanco seco
1½ tazas	salsa comercial tipo gravy, caliente
2 c/das	crema espesa
	sal y pimienta

Caliente la mantequilla en una sartén grande. Ponga los riñones y fríalos 2 minutos a fuego alto.

Sazone bien y agregue el chalote; voltee los riñones y fría 2 minutos más a fuego alto.

Saque los riñones y deje aparte.

Ponga en la sartén los champiñones y cebollinos y sofría 3 minutos a fuego alto.

Viértale el coñac y hierva 2 minutos más.

Agregue el vino y hierva 3 minutos a fuego alto; rectifique el sazón.

Agregue la salsa tipo gravy y cueza de 2 a 3 minutos.

Agregue la crema y ponga los riñones en la salsa; hierva a fuego suave 2 minutos para recalentarlos.

Sirva con chícharos y zanahorias.

1 PORCION	456 CALORIAS	28 g. CARBOHIDRATOS
23 g. PROTEINAS	11 g. GRASAS	1.5 g. FIBRAS

Kebabs de Ternera con Menta *(4 porciones)*

750 g.	(1½ *lb.*) lomo de ternera en trozos
1 c/da	jugo de limón
2 c/das	salsa de soya
2 c/das	aceite vegetal
2 c/das	jengibre fresco picado
32	hojas frescas de menta
	sal y pimienta

Ponga los trozos de ternera en un tazón grande. Agregue los otros ingredientes, excepto la menta, y sazone bien.

Revuelva bien y refrigere 30 minutos.

Ponga un trozo de ternera en la brocheta, seguido por 2 hojas de menta; ponga otro trozo de ternera. Repita hasta llenar las brochetas.

Unte las brochetas con el escabeche y ase en el horno por 12 ó 14 minutos. Gire las brochetas ocasionalmente y humedezca como lo requieran.

Cuando estén cocidas, sírvalas con ensalada, papas o arroz.

Barritas Rápidas de Ternera *(4 porciones)*

750 g.	**(1½ *lb.*) barritas de ternera**
2 c/das	**jugo de limón**
¼ c/dita	**paprika**
¼ c/dita	**salsa Tabasco**
1 c/da	**aceite vegetal**
¼ c/dita	**salsa Worcesterchire**
1 taza	**harina sazonada**
3 c/das	**aceite de maní (cacahuate)**
	unas gotas salsa mexicana picante
	sal y pimienta
	palitos de zanahoria, calabacita y cebollitas de Cambray

Ponga la ternera en un tazón grande. Rocíe con el jugo de limón, paprika y salsa Tabasco.

Agregue el aceite vegetal, salsa Worcestershire, salsa mexicana, sal y pimienta; revuelva y deje reposar 15 minutos.

Saque la carne y enharine ligeramente las barritas de ternera; sacúdales el sobrante.

Caliente el aceite en una sartén grande. Dore la ternera de 3 a 4 minutos por lado, a fuego medio. No ponga demasiadas barritas en la sartén y agregue más aceite si es necesario.

Escurra en toallas de papel y acompañe con palitos de verduras.

1 PORCION   472 CALORIAS   10 g. CARBOHIDRATOS
36 g. PROTEINAS   32 g. GRASAS   0 g. FIBRAS

Barritas de Ternera Empanizadas (4 porciones)

1 taza	galletas de soda molidas
½ taza	pan molido sazonado
1 c/da	semillas de ajonjolí
750 g.	(1½ *lb*.) barritas de ternera
1 taza	harina sazonada
2	huevos batidos
3 c/das	aceite de maní (cacahuate)
	sal y pimienta

Caliente el horno previamente a 200 °C (*400 °F*).

Revuelva las galletas molidas, pan molido y semillas de ajonjolí en un tazón y deje aparte.

Enharine ligeramente las barras de ternera y sacúdeles el sobrante.

Meta las barritas en los huevos batidos y cúbralas con la mezcla de galletas.

Caliente el aceite en una sartén grande. Dore las barritas de 2 a 3 minutos por lado, a fuego medio. No ponga demasiadas en la sartén y, si es necesario, ponga más aceite.

Escurra en toallas de papel y páselas a un platón refractario. Meta en el horno de 6 a 8 minutos para que acaben de cocerse.

Acompáñelas con ensalada verde.

Estofado de Ternera con Champiñones *(4 porciones)*

625 g.	**(1½ *lb*.) trozos de pierna o espaldilla de ternera**
1 taza	**harina**
2 c/das	**aceite vegetal**
3	**chalotes picados**
½ taza	**vino blanco seco**
¼ c/da	**tomillo**
125 g.	**(¼ *lb*.) champiñones limpios en pedazos gruesos**
¼ c/dita	**jugo de limón**
2 tazas	**caldo de pollo, caliente**
1 c/da	**fécula de maíz**
2 c/das	**agua fría**
3 c/das	**crema espesa**
	sal y pimienta
	pizca de paprika

Caliente el horno previamente a 180 °C (*350 °F*).

Enharine la ternera.

Caliente el aceite en una cacerola grande que pueda meter al horno. Ponga la ternera y dore de 6 a 8 minutos a fuego medio. Voltéela para que dore por todos lados y sazone bien.

Agregue los chalotes y sofría 2 minutos más.

Vierta el vino, ponga el tomillo y cueza 3 minutos a fuego alto.

Agregue los champiñones y jugo de limón; revuelva bien. Cueza otros 2 minutos a fuego medio.

Viértale el caldo de pollo y rectifique el sazón; deje que empiece a hervir.

Revuelva la fécula de maíz con agua; agréguela al estofado. Hierva 1 minuto a fuego medio.

Agregue la crema y paprika; rectifique el sazón. Tape la cacerola y hornee 1½ horas.

Sirva con un acompañamiento de verduras.

1 PORCION	396 CALORIAS	14 g. CARBOHIDRATOS
31 g. PROTEINAS	24 g. GRASAS	0.3 g. FIBRAS

Estofado de Ternera con Tomates *(4 porciones)*

625 g.	**(1¼ lb.) trozos de pierna o espaldilla de ternera**
1 taza	**harina**
2 c/das	**aceite vegetal**
2	**dientes de ajo, machacados y picados**
1	**cebolla pequeña, pelada y picada**
½ c/dita	**orégano**
1 taza	**vino blanco seco**
3	**tomates en trozos grandes**
2 c/das	**pasta de tomate**
1 taza	**salsa comercial tipo gravy, caliente**
	sal y pimienta

Caliente el horno previamente a 180 °C *(350 °F)*.

Enharine la ternera.

Caliente el aceite en una cacerola grande que pueda meter al horno. Ponga la ternera y dore de 6 a 8 minutos a fuego medio. Voltéela para que dore por todos lados y sazone bien.

Ponga el ajo, cebolla y orégano; revuelva bien. Sofría 5 minutos a fuego medio.

Viértale el vino y cueza de 3 a 4 minutos a fuego alto.

Agregue los tomates y sazone bien; cueza de 5 a 6 minutos a fuego medio.

Agregue la pasta de tomate y la salsa tipo gravy; rectifique el sazón. Deje que empiece a hervir muy despacio.

Tape la cacerola y hornee 1½ horas.

Vea la técnica en la página siguiente.

1 PORCION	414 CALORIAS	21 g. CARBOHIDRATOS
33 g. PROTEINAS	22 g. GRASAS	0.7 g. FIBRAS

TECNICA: ESTOFADO DE TERNERA CON TOMATES

1 Dore la ternera de 6 a 8 minutos en aceite caliente. Voltee la carne para que dore por todos lados y sazone bien.

2 Ponga el ajo, cebolla y orégano; revuelva bien. Sofría 5 minutos a fuego medio. Viértale el vino y cueza de 3 a 4 minutos a fuego alto.

3 Revuélvale los tomates y sazone bien; cocine de 5 a 6 minutos a fuego medio.

4 Agregue la pasta de tomate y salsa tipo gravy, rectifique el sazón. Deje que empiece a hervir suavemente. Tape la cacerola y acabe de cocer en el horno.

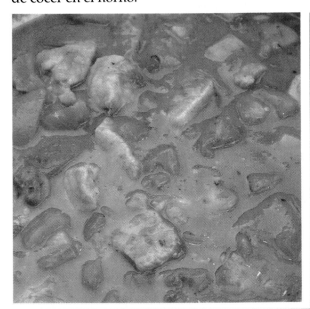

Goulash de Ternera *(4 a 6 porciones)*

2 c/das	aceite vegetal
1 kg.	(2 *lb.*) trozos de espaldilla de ternera
1	cebolla grande, pelada y finamente picada
2	dientes de ajo, machacados y picados
1 c/da	paprika
½ c/dita	orégano
3 c/das	harina
3 tazas	caldo ligero de pollo, caliente
3 c/das	pasta de tomate
3 c/das	crema ácida
	sal y pimienta

Caliente el horno previamente a 180 °C (*350 °F*).

Caliente el aceite en una cacerola grande que pueda meter al horno. Ponga la ternera y dore de 3 a 4 minutos a fuego medio. Si es necesario, ponga la ternera a dorar en dos lotes. Voltee para dorar por todos lados y sazone bien.

Agregue la cebolla, ajo, paprika y orégano; revuelva bien. Cueza de 4 a 5 minutos a fuego medio-alto.

Sazone e incorpore la harina; cueza 2 minutos a fuego medio.

Vierta el caldo de pollo y la pasta de tomate; revuelva y sazone. Deje que empiece a hervir.

Tape la cacerola y hornee 1½ horas.

La crema ácida se agrega justo antes de servir. Acompañe con tallarines.

1 PORCION	311 CALORIAS	6 g. CARBOHIDRATOS
29 g. PROTEINAS	19 g. GRASAS	0.2 g. FIBRAS

Blanquette de Ternera *(4 porciones)*

1.5 kg.	(3 *lb.*) trozos de ternera para estofado
1 c/da	jugo de limón
2	zanahorias grandes peladas, cortadas en dos
2	cebollas pequeñas peladas, con clavos incrustados
¼ c/dita	tomillo
1 c/dita	estragón
1	hoja de laurel
3 c/das	mantequilla
3 c/das	harina
4 c/das	crema espesa
1	yema
	sal y pimienta

Ponga la ternera en una cacerola grande; tape con agua fría y agregue el jugo de limón. Ponga encima de la estufa y deje que empiece a hervir. Espume el líquido y escurra la ternera; enjuáguela bajo el chorro del agua.

Ponga de nuevo la ternera en la cacerola. Agregue las zanahorias, cebollas y hierbas aromáticas; sazone bien.

Vierta suficiente agua para cubrirla y cocine 1½ horas a fuego suave, o hasta que la ternera esté bien cocida. Cuando ya esté, saque la carne, escúrrala y déjela aparte. Guarde 3½ tazas del caldo en que se coció la carne.

Caliente la mantequilla en una cacerola. Agréguele la harina y dore 1 minuto a fuego suave; revuelva ocasionalmente. Viértale el caldo que apartó y revuelva bien; rectifique el sazón. Agregue 3 c/das de crema. Cueza la salsa por 8 ó 10 minutos a fuego medio. Ponga la ternera en la salsa y hierva a fuego suave de 5 a 6 minutos. Revuelva la crema restante con la yema. Saque la cacerola del fuego y agregue esta mezcla. Acompañe con papas cocidas.

1 PORCION	672 CALORIAS	5 g. CARBOHIDRATOS
64 g. PROTEINAS	44 g. GRASAS	0 g. FIBRAS

Osso Buco *(4 porciones)*

8	**chamorros de ternera cortados de 4 cm. (1½ *pulg.*) de grueso**
1 taza	**harina sazonada**
1½ c/das	**aceite vegetal**
1	**cebolla pelada, picada**
3	**dientes de ajo, picados**
1 taza	**vino blanco seco**
1 lata	**796 ml. (*28 oz.*) de tomates, escurridos y picados**
2 c/das	**pasta de tomate**
½ taza	**salsa comercial tipo gravy, caliente**
½ c/dita	**orégano**
1	**hoja de laurel, picada**
¼ c/dita	**tomillo**
1 c/dita	**salsa Worcestershire**
¼ c/dita	**salsa Tabasco**
	pizca de azúcar

Caliente el horno previamente a 180 °C (*350 °F*).

Enharine la ternera.

Caliente el aceite en una cacerola grande que pueda meter al horno. Ponga la mitad de la ternera y dore de 3 a 4 minutos por lado. Sazone al voltearla.

Repita para el resto de la ternera y ponga más aceite si es necesario. Deje aparte la ternera dorada.

Ponga la cebolla y el ajo en la cacerola; revuelva y cocine de 3 a 4 minutos a fuego medio.

Vacíele el vino y cueza 4 minutos a fuego alto.

Revuélvale los tomates, pasta de tomate y salsa tipo gravy; espárzale las hierbas aromáticas y rectifique el sazón. Deje que empiece a hervir.

Ponga la ternera en la cacerola y tape. Hornee 2 horas. Cuando esté cocida, saque la ternera de la cacerola. Espese la salsa por 3 ó 4 minutos a fuego alto.

Rectifique el sazón y vierta la salsa sobre la ternera. Si le agrada, acompañe con tallarines o verduras.

1 PORCION	429 CALORIAS	22 g. CARBOHIDRATOS
38 g. PROTEINAS	21 g. GRASAS	0.9 g. FIBRAS

TECNICA: OSSO BUCO

1 Enharine la ternera. Dore en aceite caliente primero una mitad de la carne y luego otra.

2 Saque la ternera de la cacerola, ponga la cebolla y ajo y sofría de 3 a 4 minutos a fuego medio.

3 Viértale el vino y cueza 4 minutos a fuego alto. Agregue el resto de los ingredientes y deje que empiece a hervir.

4 Ponga de nuevo la ternera en la cacerola y tape; hornee 2 horas.

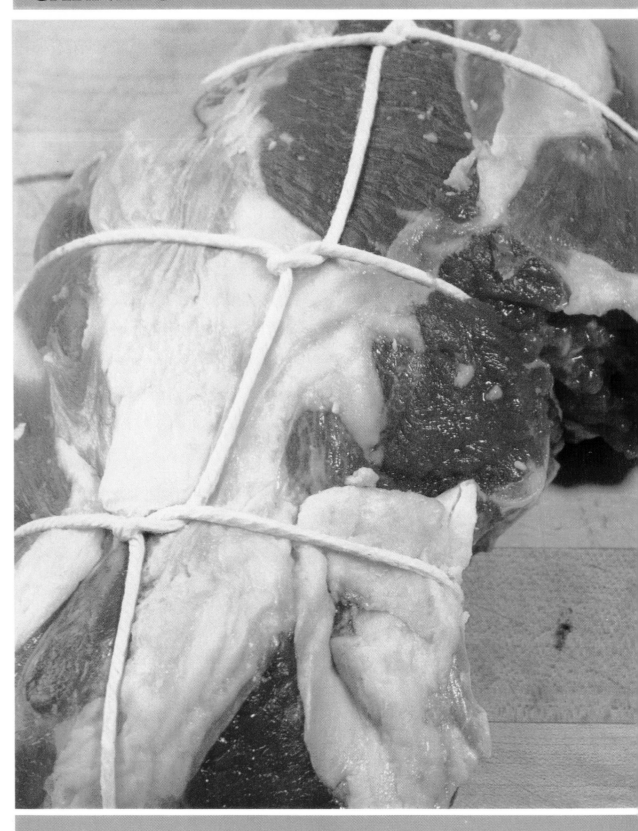

TECNICA: COMO DESHUESAR UNA PIERNA DE CARNERO

1 Ponga la pierna de carnero sobre una tabla para picar. Quítele casi toda la grasa.

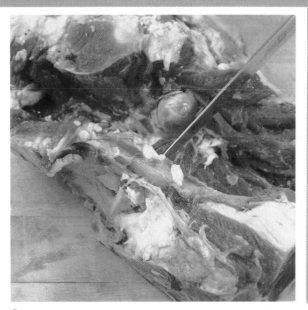

2 Encuentre el hueso pélvico y deslice el cuchillo entre la carne y el hueso para poder quitarlo.

3 Saque la parte inferior del fémur. Deslice el cuchillo alrededor de las articulaciones para desprenderlo.

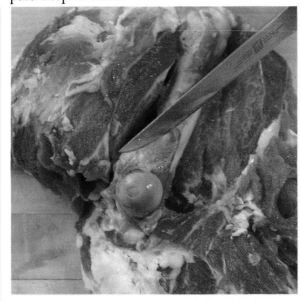

4 Ya quitó ambos huesos de la pierna.

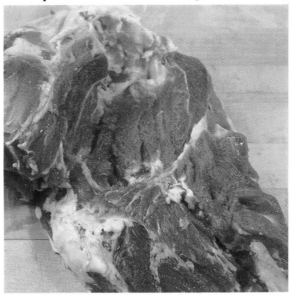

Continúa en la página siguiente.

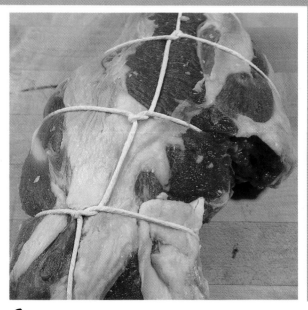

5 Quite suficiente carne de la parte superior del hueso de la pierna para sujetar la pierna con mayor facilidad para cortarla.

6 Si le agrada, rellene la pierna antes de sujetar la carne con un cordel.

Pierna de Carnero Rellena *(6 a 8 porciones)*

3 c/das	mantequilla
1	cebolla grande, pelada y picada
1	diente de ajo, machacado y picado
1 c/da	perejil picado
1 c/dita	cebollinos picados
4 c/das	pan molido
½	huevo batido
2.5 a 3 kg.	(*5 a 6 lb.*) pierna de carnero, preparada*
3 c/das	mantequilla derretida
	sal y pimienta

Caliente previamente el horno a 220 °C (*425 °F*). Tiempo de cocción: de 15 a 18 minutos por cada 500 g. (*1 lb.*).

Caliente la mantequilla en una cacerola pequeña y póngale la cebolla, ajo, perejil y cebollinos; sofría 3 minutos.

Agregue el pan molido y sazone. Saque la cacerola de la estufa y póngale el huevo batido; revuelva bien.

Sazone el carnero; rellene, enrolle y sujete la carne con un cordel. Póngalo en el molde para asar y úntelo con mantequilla derretida. Hornee por 20 minutos.

Baje el calor a 190 °C (*375 °F*) y acabe de cocer el carnero. Humedezca la carne 2 ó 3 veces durante el proceso de cocción.

* Pida al carnicero que prepare la carne o vea Cómo deshuesar una pierna de carnero, página 377.

1 RECETA	467 CALORIAS	31 g. CARBOHIDRATOS
7 g. PROTEINAS	35 g. GRASAS	3.3 g. FIBRAS

Relleno con Especias

1 c/da	grasa de tocino o aceite
3	cebollitas de Cambray, picadas
1	zanahoria pelada, finamente picada
1/2	pimiento verde, finamente picado
1	tallo de apio, finamente picado
5	champiñones grandes, limpios y en trozos
1	diente de ajo, machacado y picado
1/4 c/dita	tomillo
1/4 c/dita	albahaca
1/4 c/dita	allspice
1/4 taza	crema espesa
2 c/das	pan molido

Caliente la grasa del tocino en una sartén y ponga las cebollitas, zanahoria, pimiento verde y apio; sofría 6 ó 7 minutos a fuego medio.

Agregue los champiñones, ajo y especias; sofría de 3 a 4 minutos más.

Vacíele la crema y revuelva bien; cueza 3 ó 4 minutos.

Ponga el pan molido y revuelva hasta que se combinen. Cocine 2 minutos a fuego medio; revuelva ocasionalmente.

Cuando espese la mezcla, saque la sartén del fuego y prepare la carne para rellenarla.

1 PORCION	655 CALORIAS	2 g. CARBOHIDRATOS
47 g. PROTEINAS	51 g. GRASAS	0 g. FIBRAS

Alubias con Tocino *(4 a 6 porciones)*

227 g.	(8 oz.) alubias
85 g.	(3 oz.) trozos de tocino puestos unos minutos en agua hirviendo
2	zanahorias medianas peladas, en trozos
1	cebolla pelada y picada
2	dientes de ajo, machacados y picados
1	hoja de laurel
3	ramas de perejil
1/4 c/dita	tomillo
4 tazas	caldo de pollo caliente
2 c/das	pasta de tomate
	sal y pimienta

Ponga las alubias en un tazón grande y cúbralas con agua fría. Remoje 8 horas.

Escurra las alubias y páselas a una cacerola grande. Tape con agua y deje que empiecen a hervir. Espume y cueza 1 hora a fuego suave.

Caliente el horno a 180 °C (350 °F).

Ponga el tocino en una cacerola que pueda meter al horno; dore 4 minutos sobre la estufa.

Agréguele las verduras, ajo y todas las especies; sofría 2 minutos.

Escurra bien las alubias y póngalas en la cacerola; revuelva bien.

Agregue el caldo de pollo, revuelva y sazone. Incorpórele la pasta de tomate y deje que empiece a hervir.

Tape y hornee 1½ horas.

Sirva las alubias con sobrantes de carnero.

1 PORCION	174 CALORIAS	27 g. CARBOHIDRATOS
12 g. PROTEINAS	3 g. GRASAS	2.0 g. FIBRAS

Estofado de Carnero a la Antigua *(4 porciones)*

2	**papas peladas, cortadas en cuatro**
2	**zanahorias peladas, cortadas en tiras de 2.5 cm. (*1 pulg.*)**
2	**nabos pelados, cortados en cuatro**
3 c/das	**mantequilla derretida**
1.5 kg.	**(*3½ lb.*) trozos de espaldilla de carnero**
2	**cebollas pequeñas, peladas y en trozos**
1	**diente de ajo, picado**
3 c/das	**harina**
3 tazas	**caldo de pollo, caliente**
1 taza	**tomates picados**
2 c/das	**pasta de tomate**
¼ c/dita	**tomillo**
¼ c/dita	**mejorana**
1	**hoja de laurel**
	perejil picado
	sal y pimienta

Caliente el horno previamente a 180 °C (*350 °F*).

Ponga las papas, zanahorias y nabos en un tazón y cúbralos con agua fría. Deje aparte.

Caliente la mantequilla en una olla para saltear. Cuando esté caliente, ponga la carne y dórela 3 minutos por lado, a fuego alto.

Ponga las cebollas y el ajo y revuelva bien. Sazone con sal y pimienta y sofría de 3 a 4 minutos.

Revuélvale la harina y cocine 2 minutos más.

Vierta el caldo de pollo y revuelva bien. Agregue los tomates, pasta de tomate, especias y verduras; sazone al gusto. Tape y hornee 1½ horas.

Antes de servir, espárzale el perejil picado.

1 PORCION	540 CALORIAS	26 g. CARBOHIDRATOS
46 g. PROTEINAS	28 g. GRASAS	1.4 g. FIBRAS

Salsa de Cebolla para Asado de Carnero

	cebollas peladas y en trozos grandes
	diente de ajo, machacado y picado
c/da	perejil picado
½ c/das	caldo de pollo caliente
c/da	fécula de maíz
c/das	agua fría
	sal y pimienta

Sirva esta salsa con asado de carnero; prepárela mientras se cocina el carnero.

Treinta minutos antes de que esté el carnero, ponga las cebollas, ajo y perejil en la olla .

Cuando esté cocida la carne, sáquela de la olla y déjela aparte.

Ponga la olla sobre la estufa, a fuego medio. Quítele las ¾ partes de la grasa.

Agréguele el caldo de pollo y deje que empiece a hervir. Cueza de 5 a 6 minutos a fuego alto.

Revuelva la fécula de maíz con agua e incorpore la mezcla al caldo. Cueza 1 minuto.

Escurra la salsa, sazone y sirva con el carnero.

1 PORCION	65 CALORIAS	4 g. CARBOHIDRATOS
1 g. PROTEINAS	5 g. GRASAS	0 g. FIBRAS

Pierna de Carnero con Perejil *(6 a 8 porciones)*

.5 a kg.	(5 a 6 lb.) pierna de carnero, preparada*
	diente de ajo pelado en tiritas
c/das	mantequilla derretida
25 g.	(¼ lb.) mantequilla
	chalotes, finamente picados
¼ taza	pan molido
c/das	perejil fresco picado
	sal y pimienta

Caliente el horno previamente a 220 °C (425 °F).

Tiempo de cocción de 15 a 18 minutos por cada 500 g. *(1 lb.)*.

Ponga la pierna preparada en un molde para asar e inserte las tiras de ajo en la carne. Sazone generosamente.

Bañe con la mantequilla derretida y hornee 20 minutos.

Baje el calor a 190 °C (375 °F) y acabe de cocer el carnero. Báñelo de 2 a 3 veces durante el proceso de cocción.

Derrita 125 g. (¼ lb.) de mantequilla en una olla pequeña para saltear. Cuando esté caliente, ponga los chalotes y fríalos de 2 a 3 minutos a fuego suave.

Diez minutos antes de que la carne esté cocida, unte la mezcla de pan molido sobre el carnero.

Cuando esté cocido, sáquelo del horno y déjelo reposar unos minutos antes de servir.

* Pida al carnicero que prepare la carne o vea Cómo deshuesar una pierna de carnero, página 377.

1 PORCION	619 CALORIAS	2 g. CARBOHIDRATOS
47 g. PROTEINAS	47 g. GRASAS	0 g. FIBRAS

Chuletas del Viernes a la Noche *(4 porciones)*

2 c/das	mantequilla
8	chuletas chicas de carnero
1 taza	salsa cazadora caliente*
	sal y pimienta
	verduras cocidas

Caliente el horno previamente a 70 °C (*150 °F*).

Caliente 1 c/da de mantequilla en una sartén. Póngale la mitad de la carne y dore de 3 a 4 minutos por lado, dependiendo del grosor. Sazone bien y conserve caliente en el horno.

Repita el procedimiento para el resto del carnero.

Acompáñelo con verduras y salsa cazadora.

* Vea Salsa Cazadora, página 392.

1 PORCION	369 CALORIAS	5 g. CARBOHIDRATOS
31 g. PROTEINAS	25 g. GRASAS	0.3 g. FIBRAS

Chuletas de Carnero a la Béarnaise *(4 porciones)*

2 c/das	mantequilla
1	berenjena, rebanada
1	pimiento verde, rebanado
1	pimiento rojo, rebanado
1 c/da	chuletas de carnero de 2.5 cm. (*1 pulg.*) de grueso
	un poco de paprika
	sal y pimienta
	salsa Béarnaise*

Caliente el horno previamente a 180 °C (*350 °F*).

Caliente la mantequilla en una sartén; ponga la berenjena y sazónela bien. Tape y sofría 5 minutos a fuego medio.

Ponga los pimientos verdes y rojos; revuelva y sazone. Sofría otros 5 minutos a fuego medio.

Pase las verduras a un molde refractario. Tape con papel de aluminio y hornéelas de 5 a 6 minutos.

Caliente el aceite en la misma sartén; ponga las chuletas y dore 3 minutos a fuego alto.

Voltee la carne y baje ligeramente el fuego. Sazone generosamente y espolvoree con paprika; cueza de 3 a 4 minutos más.

Sirva las chuletas con la mezcla de berenjenas y salsa Béarnaise.

* Vea Salsa Béarnaise, página 388.

1 PORCION	755 CALORIAS	9 g. CARBOHIDRATOS
65 g. PROTEINAS	51 g. GRASAS	1.6 g. FIBRAS

Medallones de Carnero Salteados con Salsa Cremosa *(4 porciones)*

4	**medallones grandes de carnero, aplanados***
1 taza	**harina**
3 c/das	**mantequilla**
3 c/das	**vino blanco seco**
1 taza	**crema espesa**
1 c/dita	**perejil picado**
	sal y pimienta
	jugo de ½ limón

Caliente el horno a 70 °C (*150 °F*).

Enharine el carnero y sazone bien.

Caliente la mantequilla en una sartén; póngale la carne y dore de 2 a 3 minutos por cada lado.

Cuando esté cocida, sáquela de la sartén y consérvela caliente en el horno.

Vierta el vino en la sartén y cueza 2 minutos a fuego alto.

Ponga el jugo de limón, revuelva y siga cociendo por 30 segundos.

Agregue la crema y el perejil; sazone bien. Hierva de 2 a 3 minutos a fuego alto hasta que espese la salsa.

Vierta la salsa sobre la carne y, si le agrada, acompañe con pasta y champiñones salteados.

* Pida al carnicero que prepare la carne o vea Cómo deshuesar una pierna de carnero, página 377.

1 PORCION	565 CALORIAS	9 g. CARBOHIDRATOS
31 g. PROTEINAS	45 g. GRASAS	0 g. FIBRAS

TECNICA: MEDALLONES DE CARNERO

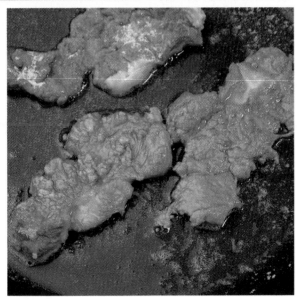

1 Ponga la carne en la mantequilla caliente y dore cada lado de 2 a 3 minutos. Cuando estén cocida, sáquela y consérvela caliente en el horno.

2 Vierta el vino en la sartén.

3 Cueza el vino 2 minutos a fuego alto; agregue el jugo de limón y deje hervir 30 segundos.

4 Agregue la crema, revuelva y agregue el perejil. Sazone bien y siga cociendo de 2 a 3 minutos a fuego alto hasta que espese la salsa.

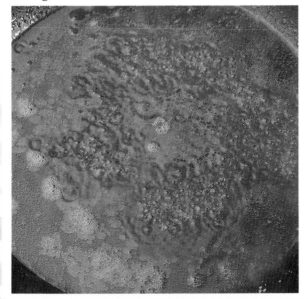

1 Este es un lomo doble de carnero que fue cortado en dos por el carnicero. Al deshuesar el lomo, puede asarlo o cortarlo en medallones.

2 Ponga el lomo sobre una tabla para picar, con el lado de la grasa hacia abajo. Quítele el filete cortando a lo largo del hueso y aparte este corte para otros usos.

3 Corte la parte lateral del lomo aproximadamente a 8 ó 9 cm. (*3 a 3½ pulg.*) del hueso. Este corte también se aparta para otros usos.

4 Voltee el lomo y quítele la grasa; corte a lo largo del hueso y desprenda el lomo. Puede rellenarlo para un asado, o dejarlo como está. En cualquier caso, hay que enrollarlo y atarlo para cocinarlo con más comodidad.

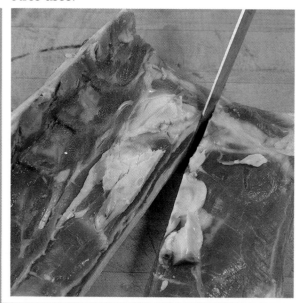

5 Para cortar los medallones del lomo, hay que cortar la carne diagonalmente en bisteques de 2.5 cm. (*1 pulg.*) de grueso.

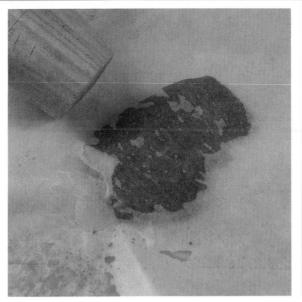

6 En algunas recetas se le pide que aplane los medallones. Si es así, póngalos entre dos hojas de papel encerado y aplánelos con un mazo.

Lomo de Carnero con Salsa Béarnaise *(4 porciones)*

2 kg.	(*4 lb.*) lomo de carnero, preparado*
2 c/das	mantequilla derretida
½ c/dita	hojas de menta secas, desmenuzadas
1 taza	salsa Béarnaise**
	jugo de ¼ de limón
	sal y pimienta

Caliente previamente el horno a 220 °C (*425 °F*).

Tiempo de cocción: 15 minutos por cada 500 g. (*1 lb.*).

Ponga la carne preparada en el molde para asar. Revuelva la mantequilla con jugo de limón y úntela sobre el lomo.

Sazone generosamente y hornee 20 minutos.

Baje el calor a 180 °C (*350 °F*). Esparza la menta sobre el carnero y hornéelo 40 minutos más, o hasta que esté cocido. Durante el proceso de cocción, báñelo de 2 a 3 veces.

Sirva el carnero con salsa Béarnaise.

*   Pida al carnicero que prepare la carne o vea Cómo deshuesar el lomo de carnero, página 386.
** Vea Salsa Béarnaise, página 479.

Vea la Técnica en la página siguiente.

1 PORCION	1104 CALORIAS	0 g. CARBOHIDRATOS
47 g. PROTEINAS	102 g. GRASAS	0 g. FIBRAS

TECNICA: SALSA BEARNAISE

1 Ponga en un tazón de acero inoxidable los chalotes, estragón, vinagre y perejil. Ponga el tazón en la estufa a fuego suave. Cocínelo hasta que el vinagre se evapore. Sáquelo y deje que enfríe.

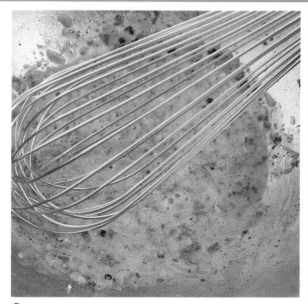

2 Agregue las yemas y revuelva bien con un batidor de alambre.

3 Ponga el tazón en una cacerola con agua caliente. Agréguele la mantequilla clarificada gota a gota mientras revuelve constantemente con el batidor.

4 La salsa debe quedar espesa.

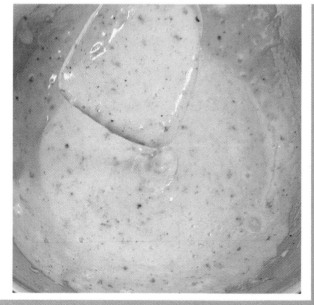

Lomo de Carnero al Curry *(4 porciones)*

kg.	(*4 lb.*) lomo de carnero, preparado*
c/das	mantequilla derretida
	cebollas grandes peladas, finamente picadas
c/das	curry en polvo
	diente de ajo, machacado y picado
	papas peladas y en cubitos
tazas	caldo de pollo, caliente
c/da	fécula de maíz
c/das	agua fría
c/da	catsup
	sal y pimienta

Caliente el horno previamente a 220 °C (*425 °F*). Tiempo de cocción: 15 minutos por cada 500 g. (*1 lb.*).

Ponga el carnero preparado en un molde para asar. Untelo con mantequilla derretida y sazone bien. Hornee 20 minutos.

Disminuya el calor a 180 °C (*350 °F*) y acabe de cocinarlo.

Veinte minutos antes de que esté cocido, ponga las cebollas en el mismo molde; 5 minutos después, agregue el polvo de curry, ajo y papas. Revuelva bien.

Cuando el carnero esté cocido, sáquelo y deje aparte.

Ponga el molde en la estufa y viértale el caldo de pollo. Revuelva bien.

Mezcle la fécula de maíz con agua e incorpore la mezcla a la salsa. Cueza 5 minutos a fuego medio.

Agregue el catsup y sirva con el carnero.

* Pida al carnicero que prepare la carne o vea Cómo deshuesar el lomo de carnero, página 386.

1 PORCION	820 CALORIAS	29 g. CARBOHIDRATOS
50 g. PROTEINAS	56 g. GRASAS	0.9 g. FIBRAS

Lomo de Carnero, Nouvelle Cuisine *(4 porciones)*

kg.	(*4 lb.*) lomo de carnero, preparado
	diente de ajo pelado, partido en tres a lo largo
c/das	mantequilla derretida
	cebolla pelada y en cubitos
	zanahorias peladas en rebanadas diagonales, delgadas
/2	tallo de apio en rebanadas diagonales, delgadas
/2	calabacita cortada diagonalmente
c/da	mantequilla
¼ tazas	caldo de pollo, caliente
c/dita	fécula de maíz
c/das	agua fría
	sal y pimienta

Caliente previamente el horno a 220 °C (*425 °F*).

Ponga el lomo preparado en un molde para asar e incrústele el ajo. Unte con mantequilla derretida y sazone generosamente. Hornee 20 minutos.

Baje el calor a 180 °C (*350 °F*) y acabe de cocinarlo. Bañe 2 ó 3 veces durante el proceso de cocción.

Diez minutos antes de que esté cocida la carne, agréguele la cebolla. Mientras tanto, ponga las cebollas y apio en una cacerola con 1½ tazas de agua hirviendo con sal y cuézalos 6 minutos.

Agregue las calabacitas y cueza 3 minutos más. Escurra las verduras, póngales mantequilla y revuelva. Deje aparte.

Cuando esté cocido el carnero, sáquelo y deje aparte.

Ponga el molde sobre la estufa; viértale el caldo de pollo y revuelva bien.

Mezcle la fécula de maíz con el agua y agréguela a la salsa; cueza 1 minuto a fuego alto.

Cuele la salsa y quítele la grasa.

Sirva el carnero con verduras y salsa.

1 PORCION	709 CALORIAS	11 g. CARBOHIDRATOS
47 g. PROTEINAS	53 g. GRASAS	0.9 g. FIBRAS

Lomo de Carnero Relleno *(4 porciones)*

2 kg.	(*4 lb.*) lomo de carnero, preparado*
1	receta relleno de comino**
3 c/das	mantequilla derretida
2	plátanos
	sal y pimienta

Caliente el horno previamente a 220 °C (*425 °F*).
Tiempo de cocción: 15 minutos por cada 500 g. (*1 lb.*).

Ponga la carne sobre la tabla de picar y sazónela bien. Extienda el relleno sobre el carnero, enrolle y amarre.

Ponga la carne en el molde para asar y unte con 1 c/da de mantequilla derretida. Hornee 20 minutos.

Baje el calor a 180 °C (*350 °F*) y acabe de cocinar el carnero. Bañe 2 a 3 veces durante el proceso de cocción.

Justo antes de que esté cocido el carnero, pele los plátanos y córtelos en dos. Caliente la mantequilla restante y saltéelos varios minutos. Sirva los plátanos con el carnero.

* Pida al carnicero que prepare la carne o vea Cómo deshuesar el lomo de carnero, página 386.
** Vea Relleno de Comino, página 403.

1 PORCION	595 CALORIAS	27 g. CARBOHIDRATOS
52 g. PROTEINAS	31 g. GRASAS	0.3 g. FIBRAS

Lomo de Carnero con Hortalizas *(4 porciones)*

2 kg.	(*4 lb.*) lomo de carnero preparado*
3 c/das	mantequilla de ajo derretida
2	zanahorias cortadas juliana
1½ tazas	papas chicas
1 taza	nabos chicos
1 c/da	mantequilla
16	tomates miniatura
1 c/da	perejil picado
	sal y pimienta

Caliente el horno a 220 °C (*425 °F*).

Tiempo de cocción: 15 minutos por cada 500 g. (*1 lb.*).

Ponga el carnero preparado en el molde del asador. Unte con la mantequilla de ajo derretida y sazone bien. Hornee 20 minutos.

Disminuya el calor a 180 °C (*350 °F*) y acabe de cocer el carnero. Báñelo de 2 a 3 veces durante el proceso de cocción.

Aproximadamente 15 minutos antes de que esté completamente cocido el carnero, ponga todas las verduras, menos los tomates, en 2 tazas de agua hirviendo con sal. Cueza de 8 a 10 minutos.

Escurra las verduras y sazónelas bien. Agrégueles la mantequilla, tomates y perejil; revuelva y sirva con el carnero.

* Pida al carnicero que prepare la carne o vea Cómo deshuesar un lomo de carnero, página 386.

1 PORCION	789 CALORIAS	22 g. CARBOHIDRATOS
49 g. PROTEINAS	56 g. GRASAS	1.4 g. FIBRAS

Medallones Rápidos *(4 porciones)*

8	medallones de carnero de 2.5 cm (*1 pulg.*) de grueso*
1 taza	harina
3	huevos batidos
1½ tazas	pan molido
¼ taza	aceite de maní (cacahuate)
	sal y pimienta
	queso parmesano al gusto

Sazone el carnero y póngalo entre dos hojas de papel encerado; aplánelo delgado.

Enharine y meta en el huevo. Cubra después con el pan molido. Refrigere 15 minutos.

Caliente el aceite en una sartén honda o en una olla para saltear. Cuando esté caliente, agregue la mitad del carnero y cocine 2 minutos por cada lado. Escurra en toallas de papel.

Repita el procedimiento para la carne restante.

Ponga el carnero en el platón de servicio y espolvoree con queso. Si de agrada, acompañe con salsa de tomate.

* Pida al carnicero que le prepare los medallones o vea Cómo deshuesar el lomo de carnero, página 386.

Vea la técnica en la página siguiente.

1 PORCION	770 CALORIAS	30 g. CARBOHIDRATOS
41 g. PROTEINAS	54 g. GRASAS	0 g. FIBRAS

TECNICA: MEDALLONES RAPIDOS

1 Prepare los medallones de carnero y sazónelos.

2 Ponga la carne entre dos hojas de papel encerado y aplánela delgado.

Salsa Cazadora

2 c/das	mantequilla
1	chalote finamente picado
20	champiñones limpios y en cubitos
3 c/das	vino blanco seco
¼ taza	tomate picado
2 tazas	salsa tipo gravy, caliente*
	perejil picado al gusto
	sal y pimienta

Caliente la mantequilla en una cacerola; ponga los chalotes y dore 1 minuto.

Agregue los champiñones y sazone; sofría 3 minutos más a fuego medio.

Viértale el vino y cueza 3 minutos.

Agregue el tomate y mezcle. Vierta la salsa tipo gravy y sazone bien. Hierva a fuego suave por 15 minutos.

Espárzale perejil picado y sirva.

Si la cubre con papel encerado, la salsa se mantiene hasta 2 semanas en el refrigerador.

* Vea Salsa Tipo Gravy, página 397.

1 PORCION	46 CALORIAS	5 g. CARBOHIDRATOS
2 g. PROTEINAS	2 g. GRASAS	0.3 g. FIBRAS

Medallones de Carnero al Ajo   *(4 porciones)*

2 c/das	mantequilla
8	medallones de carnero, de 2.5 cm. (*1 pulg.*) de grueso
250 g.	(*½ lb.*) champiñones limpios y rebanados
2 c/das	mantequilla de ajo
	sal y pimienta
	unas gotas jugo de limón

Caliente el horno previamente a 70 °C (*150 °F*).

Caliente la mantequilla en una sartén; ponga la carne y dore de 3 a 4 minutos por lado. Sazónela bien.

Saque el carnero de la sartén y páselo a un platón refractario. Consérvelo caliente en el horno.

Ponga los champiñones en la sartén; sazone bien. Fría 2 minutos a fuego alto.

Agregue la mantequilla de ajo, revuelva y tape. Cocine 5 minutos a fuego medio.

Ponga los champiñones sobre el carnero y sirva. Rocíele jugo de limón.

* Pida al carnicero que prepare los medallones o vea Cómo deshuesar el lomo de carnero, página 386.

1 PORCION	509 CALORIAS	3 g. CARBOHIDRATOS
32 g. PROTEINAS	41 g. GRASAS	0.5 g. FIBRAS

Medallones de Carnero con Jamón   *(4 porciones)*

4	rebanadas jamón cocido, en tiras julianas
125 g.	(*¼ lb.*) champiñones, limpios y rebanados
4 c/das	mantequilla
2 c/das	vino de Madeira
2 tazas	salsa de tomate*, caliente
4	medallones de carnero de 2.5 cm. (*1 pulg.*) de grueso
4	porciones de espagueti cocido
	sal y pimienta

Ponga el jamón, champiñones y 2 c/das de mantequilla en una cacerola. Tape y deje a fuego suave de 4 a 5 minutos.

Agregue el vino y cueza sin tapar por 2 minutos.

Viértale la salsa de tomate, revuelva y cueza a fuego suave. Rectifique el sazón.

Mientras tanto, caliente el resto de la mantequilla en una sartén. Ponga el carnero y fría de 3 a 4 minutos por lado. Sazone bien.

Pase el carnero al platón de servicio y rodéelo con espagueti. Viértale la salsa encima y sirva.

* Vea Salsa de Tomate, página 399
** Pida al carnicero que le prepare los medallones o vea Cómo deshuesar una pierna de carnero, página 386.

1 PORCION	501 CALORIAS	43 g. CARBOHIDRATOS
26 g. PROTEINAS	25 g. GRASAS	0.9 g. FIBRAS

Pierna de Carnero Asada a la Jardinera *(6 a 8 porciones)*

2.5 a 3 kg.	(*5 a 6 lb.*) pierna de carnero preparada (guarde los huesos)
1	diente de ajo, pelado y en tiritas
3 c/das	mantequilla derretida
2	cebollas peladas, en trozos
2	zanahorias peladas, cortadas diagonalmente
1	calabacita, cortada diagonalmente
½	tallo de apio, rebanado
1 c/da	mantequilla
1	diente de ajo, machacado y picado
1 c/da	perejil picado
1½ tazas	caldo de pollo, caliente
1 c/da	fécula de maíz
2 c/das	agua fría
	sal y pimienta

Caliente el horno previamente a 220 °C (*425 °F*).

Tiempo de cocción: 15 a 18 minutos por cada 500 g. (*1 lb.*).

Inserte los trocitos de ajo en la carne; póngala en un molde para asado y agréguele los huesos. Unte con mantequilla derretida, sazone y hornee 20 minutos.

Baje la temperatura a 190 °C (*375 °F*) y acabe de cocer el carnero. Báñelo 2 ó 3 veces. Póngale las cebollas 30 minutos antes de que esté cocido.

Unos momentos antes de que ya esté, cueza las verduras por 8 minutos en 2 tazas de agua hirviendo. Escurra, póngales mantequilla y ajo y deje a fuego suave hasta el momento de servir.

Saque el carnero; tire los huesos y póngale perejil al molde; cueza 3 minutos a fuego alto. Quite parte de la grasa, ponga el caldo de pollo y cueza de 3 a 4 minutos.

Revuelva la fécula de maíz con agua, agréguela a la salsa, sazone y deje que empiece a hervir. Cueza 1 minuto.

Cuele la salsa y sírvala con el carnero.

1 PORCION	707 CALORIAS	6 g. CARBOHIDRATOS
47 g. PROTEINAS	55 g. GRASAS	0.5 g. FIBRAS

TECNICA

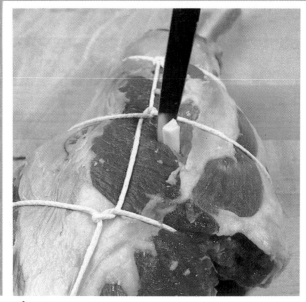

1 Ponga la pierna de carnero ya preparada sobre la tabla de picar. Inserte los trocitos de ajo en la carne.

2 Acomode la pierna en el molde para asar y póngale los huesos que apartó. Bañe con mantequilla derretida.

3 Sazone generosamente. Meta el carnero en el horno y empiece el proceso de cocción.

4 Hay que poner las cebollas en el molde 30 minutos antes de que esté cocido el carnero. Prepare las verduras poco antes de que esté cocida la carne.

Continúa en la página siguiente.

5 Cuando esté cocida la carne, sáquela y deje aparte. Tire los huesos. Ponga el molde encima de la estufa, a fuego alto. Agréguele el perejil y cueza 3 minutos.

6 Quite parte de la grasa y vierta el caldo de pollo; revuelva bien y cueza de 3 a 4 minutos a fuego suave.

7 Agregue la mezcla de fécula de maíz a la salsa. Sazone y deje que hierva; cueza 1 minuto.

8 Cuele la salsa.

Salsa Tipo Gravy

4 c/das	pringue colado
2 c/das	cebolla picada
½	zanahoria, picada delgado
2 c/das	apio picado
5 c/das	harina
2 c/das	pasta de tomate
3 tazas	caldo de res, caliente
1	hoja de laurel
	pizca de tomillo
	sal y pimienta

Caliente el jugo y grasa que suelta la carne (pringue) en una cacerola gruesa. Cuando esté caliente, ponga las verduras y hierva 2 minutos. Sazone bien.

Agregue la harina, baje el fuego a suave y cueza hasta que esté color dorado. Revuelva frecuentemente para que no se queme.

Quite la cacerola del fuego y deje enfriar.

Ponga la pasta de tomate y mézclela bien. Agregue el caldo de res, las especias y sazone. Revuelva bien y deje que empiece a hervir.

Baje el fuego a suave y deje hervir a fuego muy suave durante 1 hora, o más si es posible. Espume con frecuencia.

Cuele la salsa por un cedazo, cubra con papel encerado y refrigere hasta por 2 semanas.

1 PORCION	20 CALORIAS	4 g. CARBOHIDRATOS
1 g. PROTEINAS	0 g. GRASAS	0.1 g. FIBRAS

Papas a la Panadera   *(4 a 6 porciones)*

2 c/das	mantequilla
1	cebolla grande, pelada y finamente rebanada
1 c/da	perejil picado
5	papas peladas, en rebanadas delgadas
2 tazas	caldo de pollo, caliente
1 c/da	mantequilla derretida
	sal y pimienta

Caliente el horno previamente a 200 °C (*400 °F*).

Caliente 2 c/das de mantequilla en una sartén; póngale la cebolla y el perejil y sazone bien. Fría de 6 a 7 minutos a fuego medio-bajo.

Ponga las papas (guarde 20 rebanadas); sazone y revuelva bien. Cueza por 2 minutos.

Acomode las papas en una cacerola que pueda meter al horno. Cubra con las rebanadas de papa que apartó y viértales el caldo de pollo hasta que las cubra; sazone generosamente. Hornee 20 minutos.

Presione las papas hacia abajo con una espátula. Disminuya la temperatura a 180 °C (*350 °F*) y siga horneando hasta que las papas absorban todo el líquido y estén muy suaves.

5 minutos antes de que estén cocidas, úntelas con mantequilla derretida.

Adorne con perejil y sirva con pierna de carnero.

1 PORCION	142 CALORIAS	19 g. CARBOHIDRATOS
3 g. PROTEINAS	6 g. GRASAS	0.6 g. FIBRAS

Salsa de Tomate

4	rebanadas de tocino, en trozos grandes
2 c/das	aceite de oliva
1	cebolla pelada, picada
1	zanahoria, en cubos
½	tallo de apio, en cubos
1 c/dita	albahaca
½ c/dita	orégano
½ c/dita	azúcar
1 c/da	perejil finamente picado
12	tomates grandes pelados, cortados en dos y sin semillas
1	chile sin semillas, rebanado
1 lata	156 g. (5½ oz.) pasta de tomate
1 taza	caldo de pollo
	sal y pimienta

Ponga el tocino por unos momentos en agua hirviendo a fuego bajo. Escurra y deje aparte.

Caliente el aceite en una cacerola grande; ponga el tocino y fría de 3 a 4 minutos.

Ponga en la cacerola la cebolla, zanahoria, apio, hierbas aromáticas y azúcar. Revuelva y sofría de 6 a 7 minutos para dorar las verduras.

Agregue el resto de los ingredientes y sazone bien. Cueza a fuego suave por 2 horas. Revuelva frecuentemente.

Pase la salsa por una coladera usando la mano del mortero o una cuchara. Sirva o refrigérela hasta que la use. Cubra con una hoja de papel encerado.

Vea la técnica en la página próxima.

TECNICA: SALSA DE TOMATE

1 Hierva el tocino por unos minutos en una cacerola con agua hirviendo.

2 Escurra y deje aparte.

3 Caliente el aceite en una cacerola grande y ponga el tocino. Fría y ponga la cebolla, zanahoria, apio y hierbas aromáticas. Revuelva y sofría para dorar las verduras.

4 Ponga los tomates.

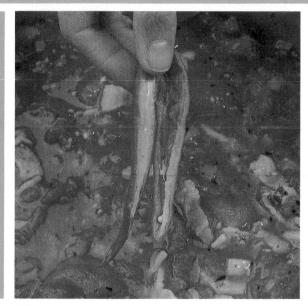

5 Agréguele el chile.

6 Ponga la pasta de tomate.

7 Vacíele el caldo de pollo. Termine el proceso de cocción dejando 2 horas a fuego suave.

8 Pase la salsa por un cedazo usando una mano de mortero o cuchara.

TECNICA: RELLENO DE COMINO

1 Caliente la mantequilla en una cacerola.

2 Cuando esté caliente, ponga la cebolla y perejil; revuelva bien. Sofría 5 minutos a fuego suave.

3 Ponga el comino, revuelva y cueza 1 minuto más.

4 Incorpore el arroz, sazone y sofría de 2 a 3 minutos a fuego suave.

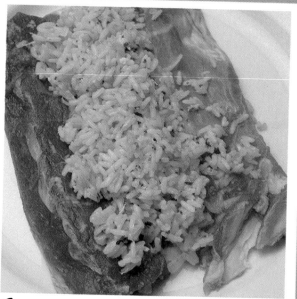

5 Quite la cacerola de la estufa y deje enfriar 1 minuto. Ponga el huevo batido para unir la mezcla; revuelva.

6 Rellene el carnero.

Relleno de Comino

2 c/das	mantequilla
1 cebolla	grande pelada, finamente picada
1 c/da	perejil picado
2 c/das	comino
1½ tazas	arroz cocido
½	huevo batido
	sal y pimienta

Caliente la mantequilla en una cacerola. Cuando esté caliente, ponga la cebolla y el perejil; revuelva bien. Sofría 5 minutos a fuego suave.

Agregue el comino, revuelva y sofría 1 minuto.

Incorpore el arroz, sazone y sofría 2 minutos a fuego suave.

Quite la cacerola de la estufa y deje enfriar 1 minuto.

Ponga el huevo batido para unir la mezcla. Revuelva y rellene el carnero.

1 PORCION   495 CALORIAS   62 g. CARBOHIDRATOS
10 g. PROTEINAS   23 g. GRASAS   0.3 g. FIBRAS

TECNICA: COMO COCER PESCADO AL HORNO

1 Corte varias verduras en tiras julianas y póngalas en un molde refractario. Sazónelas y agregue algo de mantequilla.

2 Viértale vino o caldo. Agregue diversas hierbas aromáticas y especias.

3 Ponga el pescado sobre las verduras y sazone de nuevo. Cocínelo en un horno precalentado a 200 °C (*400 °F*) de 20 a 22 minutos, dependiendo del tamaño.

4 Voltee el pescado una vez mientras lo cocina y sazone el otro lado. Cuando el pescado está cocido, se parte con facilidad.

TECNICA: PESCADO AL VAPOR

1 Utilice una olla vaporera o una vaporera plegadiza dentro de una olla. Ambas dan buenos resultados.

2 Acomode el pescado en la vaporera. El líquido (vino, agua, etc.) se pone en la olla a través de la vaporera.

3 Sazone el pescado y agregue algunas especias y hierbas aromáticas. Tape y deje que hierva.

4 Vaporice el pescado de 12 a 14 minutos, dependiendo del tamaño, a fuego medio. El pescado se parte con facilidad cuando está cocido.

TECNICA: PESCADO ESCALFADO EN CALDO

1 Caliente un poco de mantequilla en una olla grande para escalfar. Agregue varias verduras y especias; rocíe con jugo de limón.

2 Tape y cueza las verduras de 3 a 4 minutos. Agregue líquido a la olla y revuelva bien.

3 Ponga ahora el pescado en el caldo de verduras. El líquido debe cubrir el pescado.

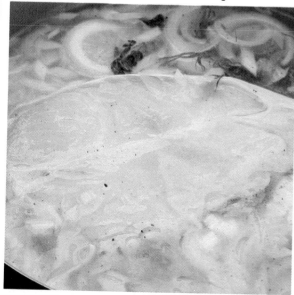

4 Tape y deje que hierva. Voltee el pescado y cocínelo a fuego suave hasta que esté cocido. El pescado se parte con facilidad cuando está cocido.

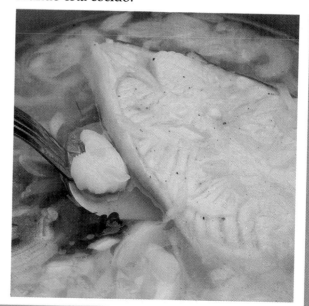

TECNICA: COMO PREPARAR UN PESCADO ENTERO

1 Pida a su pescadero que limpie el pescado quitándole las escamas, aletas y cola. También debe sacarle las entrañas.

2 Si lo va a cocinar en asador, hágale varios cortes a la piel por ambos lados.

3 Rebane de la cola hacia la cabeza lo más cerca posible del espinazo.

4 Una vez que tenga el filete completo, póngalo en una tabla plana de cocina y quítele el pellejo.

5 Encuentre la parte del filete que tiene espinas y quítelas.

6 Corte las porciones y prepare el pescado para cocinarlo.

Caldo blanco casero

kg.	(2½ *lb.*) huesos de pollo
16 tazas	agua fría
c/da	aceite vegetal
	zanahoria picada en pedazos grandes
	cebolla pelada y picada en pedazos grandes
	tallo de apio, picado en pedazos grandes
	puerro cortado a la mitad
	tomates grandes, cortados en dos
	hoja de laurel
½ c/dita	pimienta entera
½ c/dita	tomillo
½ c/dita	albahaca
	diente de ajo, pelado
	unas ramitas de perejil
	sal y pimienta

Ponga los huesos en una cacerola grande. Póngale el agua y deje que hierva. Espume y sazone bien.

Caliente el aceite en una sartén grande para freír. Cuando esté caliente, agregue todas las verduras y especias. Fría de 4 a 5 minutos.

Quite la grasa y pase las verduras a la cacerola con los huesos. Cocine 2 horas, sin tapar, a fuego muy suave.

Cuele el caldo y refrigérelo o congélelo hasta que lo use.

1 PORCION	15 CALORIAS	0 g. CARBOHIDRATOS
0 g. PROTEINAS	0 g. GRASAS	0 g. FIBRAS

Ensalada Fría de Hipogloso *(4 porciones)*

4	filetes de hipogloso, escalfado
2 c/das	cebolla roja, finamente picada
1 c/da	perejil picado
⅓	tallo de apio, muy finamente picado
2 c/das	vinagre de vino
3 c/das	aceite de oliva
2	huevos cocidos, picados
	jugo de ¼ de limón
	sal y pimienta
	hojas de lechuga
	gajos de tomate

Divida el pescado en pedazos con un tenedor y colóquelo sobre un platón de servicio.

Agregue la cebolla, perejil, apio y jugo de limón; revuelva para combinarlo.

Vierta el vinagre y el aceite; sazone bien. Agregue los huevos y revuelva todo.

Rectifique el sazón y sirva con hojas de lechuga y gajos de tomate.

1 PORCION   296 CALORIAS   3 g. CARBOHIDRATOS
35 g. PROTEINAS   15 g. GRASAS   0.4 g. FIBRAS

Filetes de Lucio con Champiñones
y Camarones *(4 porciones)*

4	filetes de lucio
½ taza	harina
2 c/das	mantequilla
1 c/da	aceite vegetal
125 g.	(¼ *lb.*) champiñones limpios en rebanadas delgadas
16	camarones cocidos, pelados, desvenados y rebanados por mitad
1 c/da	cebollinos picados
	sal y pimienta
	jugo de ½ limón

Caliente el horno previamente a 70 °C (*150 °F*).

Enharine el pescado.

Caliente el aceite y la mitad de la mantequilla en una sartén grande para freír. Cuando esté caliente, agregue el pescado y fríalo de 3 a 4 minutos por lado, a fuego medio. Sazónelo bien.

Saque el pescado de la sartén y manténgalo caliente en el horno.

Agregue el resto de la mantequilla a la sartén. Cuando esté derretida, cocine los champiñones con los camarones y cebollinos de 3 a 4 minutos, a fuego medio-alto.

Sazone bien y póngale el jugo de limón.

Vierta la salsa sobre el pescado y acompáñelo con espárragos.

1 PORCION	340 CALORIAS	14 g. CARBOHIDRATOS
44 g. PROTEINAS	12 g. GRASAS	0.3 g. FIBRAS

Rollos de Filetes de Lenguado *(4 porciones)*

2 c/das	mantequilla
½	tallo de apio, finamente picado
½	cebolla, finamente picada
2	barritas de cangrejo, finamente picadas
½ taza	crema espesa
4	filetes de lenguado, grandes
1 c/da	chalote finamente picado
1 c/da	perejil finamente picado
250 g.	(½ *lb*.) champiñones limpios, en rebanadas delgadas
3 c/das	coñac Courvoisier
1 c/da	fécula de maíz
2 c/das	agua fría
	sal y pimienta

Para preparar el relleno, caliente la mantequilla en una sartén para freír. Cuando esté caliente, póngale el apio, cebolla y el cangrejo picado; sazone bien. Tape y cocine de 4 a 5 minutos a fuego medio. Agregue 2 c/das de crema y cocínelo 1 minuto más. Extienda el relleno sobre los filetes de lenguado y enróllelos. Póngalos en una olla ligeramente engrasada, esparciéndoles encima chalote y perejil.

Agregue los champiñones, coñac y 2 tazas de agua. Cubra el molde con papel encerado y deje que empiece a hervir.

Voltee los filetes y sazónelos; siga cociéndolos de 3 a 4 minutos a fuego muy suave. Saque los rollos de pescado y deje aparte.

Deje que el líquido de la olla empiece a hervir y cocínelo de 4 a 5 minutos a fuego alto.

Agregue la crema restante y rectifique el sazón, cocine de 2 a 3 minutos a fuego medio. Revuelva la fécula de maíz con el agua y agréguela a la salsa. Deje que hierva y viértala sobre el pescado.

Sirva.

1 PORCION	326 CALORIAS	8 g. CARBOHIDRATOS
33 g. PROTEINAS	18 g. GRASAS	0.7 g. FIBRAS

Filete de Lenguado al Gratin *(4 porciones)*

c/dita	aceite de cacahuate
c/das	cebolla picada
	diente de ajo, machacado y picado
	tomates en cubos grandes
¼ c/dita	orégano
c/dita	perejil picado
c/dita	mantequilla
	filetes de lenguado
taza	agua
½ taza	queso Gruyère rallado
	sal y pimienta
	jugo de 1 limón

Caliente el aceite en una cacerola pesada. Cuando esté caliente, agregue la cebolla y el ajo; tape y cocínelos 3 minutos a fuego medio.

Agregue los tomates, orégano y perejil; sazone generosamente. Siga cocinando tapado por 12 minutos a fuego medio.

Extienda la mantequilla en la sartén. Ponga el pescado y rocíelo con jugo de limón; sazónelo bien.

Vierta el agua y tape con una hoja de papel encerado. Cerciórese de que el papel toca el pescado. Deje que el líquido empiece a hervir.

Saque la sartén del fuego y voltee el pescado. Déjelo reposar por 3 minutos.

Pase el pescado a un platón refractario. Cúbralo parcialmente con los tomates y espolvoréele el queso. Deje derretir el queso por 2 minutos en el horno.

Sirva.

1 PORCION	228 CALORIAS	7 g. CARBOHIDRATOS
32 g. PROTEINAS	8 g. GRASAS	0.7 g. FIBRAS

Filetes de Lucio en Salsa Sencilla de Alcaparras *(4 porciones)*

4	filetes de lucio
¼ taza	harina
2 c/das	mantequilla
1 c/da	aceite vegetal
2 c/das	almendras rebanadas tostadas
2 c/das	alcaparras
1 c/dita	perejil picado
	sal y pimienta
	jugo de ½ limón

Caliente el horno previamente a 70 °C (*150 °F*).

Enharine el pescado.

Caliente el aceite y la mitad de la mantequilla en una sartén grande para freír. Cuando esté caliente, agregue el pescado y fríalo de 3 a 4 minutos por lado, a fuego medio. Sazónelo bien.

Saque el pescado de la sartén y manténgalo caliente en el horno.

Agregue el resto de la mantequilla a la sartén. Cuando esté derretida, sofría las almendras y aceitunas por 1 minuto a fuego medio.

Agregue el perejil y el jugo de limón; rectifique el sazón. Siga cocinando 1 minuto.

Vierta la salsa sobre el pescado y sírvalo con verduras.

1 PORCION	285 CALORIAS	12 g. CARBOHIDRATOS
30 g. PROTEINAS	13 g. GRASAS	0.2 g. FIBRAS

Pescado con Tomates y Cebollas *(4 porciones)*

1 c/da	**aceite vegetal**
1	**cebolla, pelada y finamente picada**
2	**dientes de ajo, machacados y picados**
½	**tallo de apio, picado**
3	**tomates, picados**
½ c/dita	**orégano**
4	**filetes de pescado de 170 a 200 g.** *(6 a 7 oz.)*
3	**ramitas de perejil**
1 c/dita	**semillas de hinojo**
1	**zanahoria pelada y rebanada**
½	**cebolla blanca, rebanada**
	sal y pimienta
	jugo de limón

Caliente el aceite en una cacerola. Cuando esté caliente, agregue la cebolla y el ajo picados; revuelva bien. Tape y cocínelos 3 minutos a fuego medio.

Agregue el apio y sazone; siga cocinando 2 minutos más, tapado.

Agregue los tomates, orégano y jugo de limón al gusto; revuelva bien y rectifique el sazón. Tape y cocine de 9 a 12 minutos a fuego medio. Destape y cocine otros 3 minutos.

Mientras se cocinan los tomates, prepare el pescado. Ponga el resto de los ingredientes en una cacerola para escalfar. Póngale suficiente agua fría para cubrirlo y deje que empiece a hervir.

Voltee el pescado; déjelo de 4 a 5 minutos en el líquido caliente a fuego suave.

Sirva el pescado escalfado con la mezcla de tomate.

Pescado Escalfado con Pimientos en Vino *(4 porciones)*

4	filetes de pescado de 170 a 200 g. (*6 a 7 oz.*)
1 c/da	jugo de limón
2	ramita de hinojo
1	zanahoria pelada y finamente rebanada
½	cebolla roja, rebanada
1 c/da	mantequilla
½	pimiento rojo, finamente rebanado
½	pimiento verde, finamente rebanado
250 g.	(*½ lb.*) champiñones frescos, limpios y rebanados
¼ taza	vino blanco seco
1 c/da	hinojo fresco picado
	sal y pimienta

Acomode el pescado en una cacerola para escalfar. Agregue el jugo de limón, rama de hinojo, zanahoria, cebolla, sal y pimienta.

Póngale suficiente agua fría para cubrirlo y ponga a hervir a fuego medio.

Voltee el pescado y déjelo de 4 a 5 minutos en el líquido caliente, a fuego suave.

Mientras tanto, caliente la mantequilla en una cacerola. Cuando esté caliente, ponga los pimientos y champiñones; déjelos 2 minutos a fuego medio.

Sazone y agregue el vino y el hinojo picado; revuelva bien. Cocine 3 minutos a fuego alto.

Saque el pescado del líquido en que lo escalfó y sírvalo con los pimientos en vino.

1 PORCION   241 CALORIAS   3 g. CARBOHIDRATOS
37 g. PROTEINAS   9 g. GRASAS   0.6 g. FIBRAS

Pescado Asado con Queso *(4 porciones)*

	filetes de pescado de 170 a 200 g. (6 a 7 oz.)
c/dita	**estragón fresco, picado**
	zanahoria, pelada y rebanada
½	**cebolla rebanada**
	hoja de laurel
	ramas de perejil
c/das	**mantequilla**
c/das	**harina**
c/das	**crema espesa**
½ taza	**queso suizo rallado**
	sal y pimienta
	pizca de paprika
	unas gotas de salsa Tabasco

Acomode el pescado en una cacerola para escalfar. Agregue el estragón, zanahoria, cebolla, hoja de laurel y perejil; sazone bien. Ponga suficiente agua fría para cubrirlo y deje que empiece a hervir a fuego medio.

Voltee el pescado y deje de 4 a 5 minutos en agua caliente a fuego suave.

Saque el pescado de la cacerola y póngalo en un molde para hornear; deje aparte. Guarde el líquido en que lo escalfó.

Caliente la mantequilla en una cacerola. Cuando esté caliente, agregue la harina y cocine de 1 a 2 minutos a fuego suave. Revuelva ocasionalmente.

Agregue 2 tazas del líquido en que escalfó el pescado. Cuélelo e incorpórelo muy despacio a la mezcla de harina.

Cocine de 8 a 10 minutos a fuego suave. Agregue la crema y mezcle bien. Agregue la mitad del queso, paprika y salsa Tabasco; rectifique el sazón. Cocine 1 minuto.

Vierta la salsa sobre el pescado en el molde, esparciéndole el resto del queso. Meta al horno por 5 ó 6 minutos a que se derrita el queso. Sírvalo.

1 PORCION	366 CALORIAS	2 g. CARBOHIDRATOS	
40 g. PROTEINAS	22 g. GRASAS	0 g. FIBRAS	

417

Pescado Frito con Camarones *(4 porciones)*

4	**filetes de pescado de 170 a 200 g.** **(6 a 7 oz.)**
½ **taza**	**harina**
2 c/das	**mantequilla**
1 c/da	**aceite vegetal**
12	**camarones cocidos, pelados y desvenados**
2 c/das	**almendras rebanadas tostadas**
1 c/da	**perejil fresco picado**
	sal y pimienta
	jugo de ½ limón

Caliente el horno previamente a 70 °C (*150 °F*).

Enharine el pescado.

Caliente 1 c/da de mantequilla y el aceite en una sartén grande para freír. Cuando esté caliente, agregue el pescado y fríalo 3 minutos a fuego medio.

Voltee el pescado y sazónelo bien; siga friéndolo 3 ó 4 minutos más. Saque el pescado de la sartén y consérvelo caliente en el horno.

Ponga el resto de la mantequilla en la sartén. Cuando se derrita, agregue los camarones, almendras y perejil. Cocine 2 minutos a fuego medio y sazónelo bien.

Agregue el jugo de limón y hierva a fuego suave durante 1 minuto; rectifique el sazón.

Vierta sobre el pescado y acompañe con espárragos.

1 PORCION	398 CALORIAS	12 g. CARBOHIDRATOS
47 g. PROTEINAS	18 g. GRASAS	0.2 g. FIBRAS

Rebanadas de Salmón Escalfadas
Nueva Cocina *(4 porciones)*

4	**rebanadas de salmón**
1	**hoja de laurel**
1	**zanahoria, pelada y rebanada**
1	**puerro pequeño, pelado y rebanado**
1 c/dita	**jugo de limón**
1	**ramita de perejil**
½	**calabacita, cortada en tiras gruesas**
½	**pimiento rojo, cortado en tiras gruesas**
1	**manojo espárragos frescos, sólo las puntas**
125 g.	**(¼ lb.) champiñones, limpios y rebanados**
1 c/da	**jugo de limón**
½ taza	**vino blanco seco**
1 c/da	**mantequilla**
	sal y pimienta

Ponga el pescado en una cacerola para escalfar. Agregue la hoja de laurel, zanahoria, puerro, 1 c/dita de jugo de limón y el perejil; sazone.

Vierta suficiente agua fría para cubrirlo y deje que empiece a hervir a fuego medio.

Voltee el pescado; déjelo de 4 a 5 minutos en el líquido caliente, a fuego suave.

Mientras tanto, ponga las verduras restantes, jugo de limón, vino y mantequilla en otra cacerola. Tape y cocine a fuego suave por 3 minutos.

Saque las verduras de la cacerola y deje aparte. Siga hirviendo el líquido de 2 a 3 minutos a fuego suave; rectifique el sazón.

Saque las rebanadas de salmón del líquido en que las escalfó y quíteles el pellejo. Acompañe con las tiras de verduras y el líquido con vino.

1 PORCION   317 CALORIAS   10 g. CARBOHIDRATOS
40 g. PROTEINAS   13 g. GRASAS   1.3 g. FIBRAS

Rebanadas de Salmón Fritas con Anchoas   *(4 porciones)*

4	rebanadas de salmón
½ taza	harina
2 c/das	aceite vegetal
1 c/da	mantequilla
4	filetes de anchoa, picados
250 g.	(*½ lb.*) champiñones limpios y finamente rebanados
1 c/da	perejil picado
	sal y pimienta
	jugo de limón al gusto

Caliente el horno previamente a 70 °C (*150 °F*).

Enharine el pescado.

Caliente 1½ c/das de aceite en una sartén grande para freír. Cuando esté caliente, ponga el pescado y fríalo 5 minutos a fuego medio.

Voltee el pescado y sazónelo bien; siga friéndolo otros 5 minutos, según el tamaño. Saque el pescado de la sartén y consérvelo caliente en el horno.

Caliente el aceite restante y la mantequilla en la misma sartén. Agregue las anchoas y los champiñones; cocine de 3 a 4 minutos a fuego medio-alto.

Sazone bien, agregue el perejil y jugo de limón al gusto. Cocínelo 1 minuto y sírvalo con salmón.

1 PORCION   409 CALORIAS   14 g. CARBOHIDRATOS
41 g. PROTEINAS   21 g. GRASAS   0.6 g. FIBRAS

Salmón Frito con Aceitunas y Champiñones *(4 porciones)*

4	rebanadas de salmón
½ taza	harina
1 c/da	aceite vegetal
2 c/das	mantequilla
125 g.	(¼ *lb.*) champiñones limpios cortados en cuatro
¼ taza	aceitunas negras deshuesadas
1 taza	corazones de alcachofa
1	diente de ajo, machacado y picado
1 c/da	perejil picado
	sal y pimienta
	jugo de limón al gusto

Caliente el horno previamente a 70 °C (*150 °F*).

Enharine el pescado.

Caliente el aceite y 1 c/da de mantequilla en una sartén grande para freír. Cuando esté caliente, agregue el pescado y fría 5 minutos a fuego medio.

Voltee el pescado y sazónelo bien; siga friéndolo otros 5 minutos, dependiendo del tamaño. Saque el pescado de la sartén y consérvelo caliente en el horno.

Caliente la mantequilla restante en la sartén. Agregue los champiñones, aceitunas, corazones de alcachofa, ajo y perejil; sazone. Cocine de 4 a 5 minutos a fuego alto.

Rocíe el jugo de limón y siga hirviendo 30 segundos.

Saque el salmón del horno y acompáñelo con verduras.

Adorne el plato con rebanadas de limón.

1 PORCION   426 CALORIAS   16 g. CARBOHIDRATOS
41 g. PROTEINAS   22 g. GRASAS   1.0 g. FIBRAS

Rebanadas de Salmón con Tomates   *(4 porciones)*

4	rebanadas de salmón
1	hoja de laurel
3	ramas de perejil
2	zanahorias, peladas y rebanadas
1 c/dita	vinagre de vino
1 c/dita	jugo de limón
1 c/dita	aceite vegetal
2	chalotes, picados
1	diente de ajo, machacado y picado
1 c/dita	cebollinos picados
2	tomates, pelados y finamente picados
3 c/das	crema espesa
	sal y pimienta
	unas gotas de salsa Tabasco

Acomode el pescado en una cacerola para escalfar. Agregue la hoja de laurel, perejil, zanahorias, vinagre y jugo de limón; sazone.

Ponga suficiente agua fría para cubrirlo; deje que empiece a hervir a fuego medio.

Voltee el pescado; déjelo de 4 a 5 minutos en el líquido caliente a fuego suave.

Mientras tanto, caliente el aceite en una cacerola. Cuando esté caliente, agregue todos los ingredientes restantes, excepto la crema. Cocine de 5 a 6 minutos a fuego alto.

Sazone bien y agregue la crema; siga cocinándolos a fuego medio por 2 ó 3 minutos.

Saque las rebanadas de salmón del líquido en que las escalfó y quíteles el pellejo. Sírvalo con los tomates.

1 PORCION   324 CALORIAS   6 g. CARBOHIDRATOS
39 g. PROTEINAS   16 g. GRASAS   0.7 g. FIBRAS

Trucha Empapelada *(4 porciones)*

4	truchas, limpias y lavadas
1	rebanada de limón
1 c/da	perejil fresco picado
½ c/dita	hinojo
½ c/dita	semilla de eneldo
4 c/das	mantequilla
	jugo de 1½ limones
	sal y pimienta

Caliente el horno previamente a 200 °C (*400 °F*).

Forre un molde para asar con papel de aluminio y ponga las truchas.

Ponga el resto de los ingredientes; sazone bien con sal y pimienta.

Cubra con papel de aluminio y hornee de 20 a 25 minutos, dependiendo del tamaño.

Sirva con jugo de limón.

1 PORCION   284 CALORIAS   1 g. CARBOHIDRATOS
34 g. PROTEINAS   16 g. GRASAS   0 g. FIBRAS

Trucha de Río con Almendras *(4 porciones)*

4	truchas limpias y sin escamas
¼ taza	harina
1 c/da	aceite vegetal
3 c/das	mantequilla
¼ taza	almendras en tiritas
1 c/da	perejil picado
	sal y pimienta
	jugo de ½ limón

Caliente el horno previamente a 190 °C (375 °F).

Sazone las truchas y enharínelas.

Caliente el aceite y 1 c/da de mantequilla en una sartén grande para freír. Cuando esté caliente, agregue las truchas y fríalas 3 minutos a fuego medio.

Voltee el pescado y siga friéndolo 3 minutos más. Sáquelo de la sartén y acabe de cocerlo por 8 ó 10 minutos en el horno.

Antes de que estén cocidas, caliente el resto de la mantequilla en una sartén. Ponga las almendras y cocínelas 3 minutos para que doren.

Agregue el perejil y el jugo de limón; cocínelas 1 minuto más. Rectifique el sazón.

Vierta la salsa de almendras sobre las truchas y sírvalas con verduras y ensalada.

1 PORCION	352 CALORIAS	7 g. CARBOHIDRATOS
36 g. PROTEINAS	20 g. GRASAS	0.4 g. FIBRAS

TECNICA

1 Sazone la trucha y enharínela.

2 Voltee el pescado después de 3 minutos de freírlo. Siga friéndolo 3 minutos más. Saque de la sartén y acabe de cocerlo en el horno.

3 Justo antes de que las truchas estén cocidas, caliente el resto de la mantequilla en una sartén. Dore las almendras por 3 minutos.

4 Agregue el perejil y el jugo de limón; cocine 1 minuto. Rectifique el sazón.

Trucha Rellena de Champiñones *(4 porciones)*

4	truchas de río, limpias y sin escamas
2 c/das	mantequilla
3	cebollitas de Cambray, finamente picadas
½	tallo de apio, finamente picado
125 g.	(¼ *lb.*) champiñones limpios y finamente picados
4 c/das	pan molido
3 c/das	crema espesa
1 c/da	hinojo fresco molido
1 c/dita	cebollinos picados
½ taza	harina
	sal y pimienta

Caliente el horno previamente a 190 °C (*375 °F*).

Pida al pescadero que limpie la trucha y le quite las escamas. Asegúrese de que le quite también las aletas. Deje el pescado aparte.

Caliente la mantequilla en una sartén para freír. Cuando esté caliente, ponga las cebollitas y el apio y fríalos 3 minutos a fuego medio.

Agregue los champiñones y sazone bien; siga cocinando 3 minutos más.

Ponga el pan molido y revuelva bien. Agregue la crema, hinojo y cebollinos; cocine 3 minutos.

Quite la sartén del fuego y rellene la trucha. Amárrela con un cordel.

Enharine y hornee de 12 a 15 minutos.

1 PORCION   338 CALORIAS   17 g. CARBOHIDRATOS
36 g. PROTEINAS   14 g. GRASAS   0.3 g. FIBRAS

TECNICA

1 Pida al pescadero que limpie la trucha y le quite las escamas. Asegúrese de que también le quite las aletas.

2 Caliente la mantequilla en una sartén. Cocine las cebollas y el apio 3 minutos a fuego medio.

3 Agregue los champiñones y sazone bien; cocine 3 minutos más.

4 Agregue el pan molido y revuelva bien.

Continúa en la página siguiente.

5 Agregue la crema, hinojo y cebollinos; cocine 3 minutos más.

6 Quite la sartén de la lumbre y rellene la trucha.

7 Ate la trucha con un cordel.

8 Antes de hornear la trucha, enharínela.

Trucha fantasía *(4 porciones)*

4	truchas de río, limpias y sin escamas
1 c/ditas	mantequilla
2	cebollitas de Cambray, picadas
2	chalotes picados
½	tallo de apio, picado
150 g.	(½ *lb.*) de champiñones, limpios y picados
3 c/das	pan molido
⅓ taza	crema espesa
	pizca de paprika
	perejil picado al gusto
	sal y pimienta

Caliente el horno previamente a 190 °C (*375 °F*).

Para quitarle el espinazo, ponga primero la trucha sobre la panza. Utilice un cuchillo afilado para cortar desde la parte de atrás de la cabeza hasta el principio de la cola. Corte lo suficiente para alcanzar el espinazo. Repita la incisión del otro lado.

Corte el espinazo junto a la cabeza y rebane bajo el hueso para quitarlo.

Haga lo mismo con las otras truchas.

Para preparar el relleno, caliente la mantequilla en la sartén para freír. Cuando esté caliente, agregue las cebollas, chalotes y apio; cocine 3 minutos a fuego medio.

Agregue los champiñones y siga cocinando de 3 a 4 minutos. Sazone bien y espolvoréele todas las especias.

Ponga el pan molido y agregue la crema; cocine otros 2 minutos.

Extienda el relleno en la trucha. Póngalas en un molde para asador y hornéelas de 12 a 15 minutos.

Huachinango Delicioso al Ron *(4 porciones)*

4	huachinangos limpios y sin escamas
8	ramitas frescas de tomillo
8	ramitas frescas de hinojo
5 c/das	aceite vegetal
¼ taza	ron blanco
2 c/das	vinagre de vino
4 c/das	perejil picado
2	dientes de ajo machacados y picados
	sal y pimienta
	jugo de limón sin semilla al gusto

Pida al pescadero que quite las escamas y limpie el huachinango. Asegúrese de que también le quite las aletas.

Haga varios cortes en el pellejo de cada huachinango, por ambos lados. Coloque las ramitas de tomillo e hinojo en la cavidad. Acomode los pescados en un molde para asador o en un platón grande.

Revuelva el aceite con el ron, vinagre, perejil y ajo; ponga también sal, pimienta y jugo de limón y vierta todo sobre el pescado.

Dejelo marinar por 2 horas en el refrigerador, volteándolo dos veces.

Caliente el horno previamente a 200 °C (*400 °F*).

Saque los huachinangos de la vinagreta y póngalos en un platón refractario. Deje la vinagreta aparte.

Hornéelos de 15 a 20 minutos, dependiendo del tamaño. Humedezca varias veces durante la cocción y voltéelos una vez.

Sírvalos.

1 PORCION	311 CALORIAS	0 g. CARBOHIDRATOS
35 g. PROTEINAS	19 g. GRASAS	0 g. FIBRAS

1 Pida al pescadero que quite las escamas y limpie el huachinango. Asegúrese de que le quite también las aletas.

2 Haga varios cortes en la piel del huachinango por ambos lados.

3 Ponga las ramas de tomillo e hinojo dentro de la cavidad. Ponga los huachinangos en un molde para asador o en un platón grande.

4 Vierta la vinagreta sobre el huachinango; refrigérelo 2 horas antes de hornearlo.

431

TECNICA: COMO COCER CAMARONES

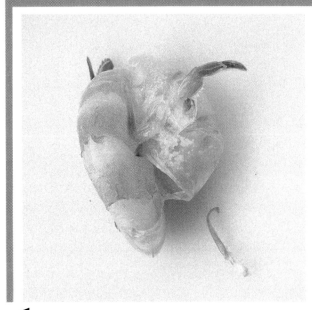

1 Según la receta, los camarones se pueden cocinar pelados o sin pelar.

2 Ponga los camarones en agua fría junto con las hierbas y especias.

3 Cuando el agua empiece a hervir, saque la cacerola del fuego y saque los camarones.

4 Refresque los camarones en agua fría.

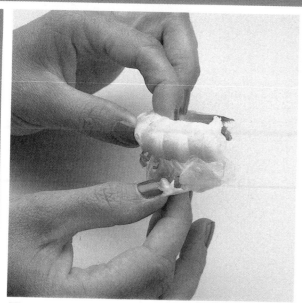
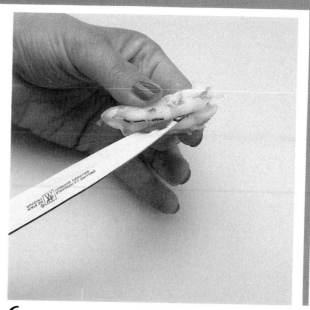

5 Si los va a usar inmediatamente, quíteles la concha con los dedos. Los camarones cocidos sin pelar se pueden guardar 24 horas. Cubra con envoltura plástica y refrigérelos.

6 Para desvenar los camarones, haga un corte por la parte de atrás y saque la vena negra con el cuchillo.

Camarones a la Pimienta *(4 porciones)*

900 g.	(*2 lb.*) camarones extra, pelados
2 c/das	pimienta negra molida
1 c/da	mantequilla
2 tazas	agua fría
2 c/das	paprika
	jugo de 1 limón

Ponga los camarones en una cacerola con 1½ c/das de pimienta negra y el jugo de limón.

Agregue la mantequilla y la mitad de la paprika. Revuelva y tape la cacerola; deje que empiecen a hervir.

Saque la cacerola del fuego y voltee los camarones; déjelos en el líquido caliente por 3 ó 4 minutos.

Escurra los camarones y páselos a un tazón; agregue el resto de la pimienta y la paprika. Revuelva bien.

Este platillo se sirve, tradicionalmente, sobre periódico.

1 PORCION	213 CALORIAS	4 g. CARBOHIDRATOS
38 g. PROTEINAS	5 g. GRASAS	0 g. FIBRAS

Camarones al Jengibre *(4 porciones)*

1 c/da	aceite vegetal
750 g.	(1½ *lb.*) camarones pelados
1	pimiento rojo, finamente rebanado
1	tallo de apio, finamente rebanado
1	zanahoria, pelada y finamente rebanada
3	cebollitas de Cambray, cortadas en trozos cortos
2 c/das	jengibre fresco picado
1½ tazas	caldo de pollo caliente
1 c/da	fécula de maíz
2 c/das	agua fría
	sal y pimienta
	unas gotas salsa picante comercial

Caliente el aceite en una sartén grande para freír. Cuando esté caliente, agregue los camarones y fríalos de 4 a 6 minutos a fuego alto. Voltéelos una o dos veces mientras los fríe, y sazónelos bien.

Sáquelos de la sartén y deje aparte.

Agregue las verduras y el jengibre a la sartén; sazone bien. Cocine de 3 a 4 minutos a fuego alto; revuelva ocasionalmente.

Vierta el caldo de pollo y deje que empiece a hervir.

Revuelva la fécula de maíz con agua y agréguela a las verduras.

Ponga los camarones de nuevo en la sartén y revuelva bien. Deje hervir a fuego suave de 1 a 2 minutos.

Sirva.

Vol-au-Vent de Camarones y Veneras *(4 porciones)*

1 c/da	mantequilla
250 g.	(½ *lb.*) champiñones, limpios y en cubitos
16	camarones pelados
16	veneras
1 c/da	perejil picado
½ c/dita	semillas de hinojo
½ taza	vino blanco seco
½ taza	agua fría
1½ tazas	crema ligera, caliente
1 c/dita	jugo de limón
1 c/da	fécula de maíz
2 c/das	agua fría
¼ c/dita	salsa Tabasco
4	conchas de vol-au-vent, horneadas
	sal y pimienta

Unte una olla grande con mantequilla. Agregue los champiñones, camarones, veneras, perejil y semillas de hinojo.

Vacíele el vino y el agua y sazone bien. Cubra la olla y deje que empiece a hervir.

Voltee los mariscos; hierva a fuego muy bajo por 3 ó 4 minutos.

Saque los mariscos con una cuchara perforada y póngalos en un tazón.

Ponga la olla que contiene el líquido a fuego medio. Deje que empiece a hervir.

Agregue la crema y deje que hierva de nuevo; sazone y agregue el jugo de limón.

Revuelva la fécula de maíz con agua; agréguela a la salsa. Deje que hierva y cocine 1 minuto.

Ponga los mariscos en la salsa y agregue la salsa Tabasco; revuelva y deje 2 minutos a fuego muy bajo.

Llene las conchas de vol-au-vent y sirva.

1 PORCION	616 CALORIAS	28 g. CARBOHIDRATOS
36 g. PROTEINAS	40 g. GRASAS	0.3 g. FIBRAS

Vol-au-Vent de Barritas de Cangrejo *(4 porciones)*

2 c/das	mantequilla
½	cebolla finamente picada
½	zanahoria, picada
¼	tallo de apio, picado
2 c/das	curry en polvo
3 c/das	harina
1½ tazas	caldo de pollo caliente
¼ taza	crema espesa
1 c/da	perejil picado
12	barritas de cangrejo, en cubitos
½ taza	gajos de mandarina, sin hollejo si es fresca; escurridos si es de lata
4	conchas de vol-au-vent, horneadas
	sal y pimienta

Caliente la mantequilla en una sartén para freír. Cuando esté caliente, agregue la cebolla, zanahoria y apio; tápelo y cocine de 3 a 4 minutos a fuego medio.

Agregue el curry en polvo y el harina y revuelva bien. Cocine 1 minuto destapado, a fuego medio.

Vierta el caldo de pollo y sazone bien. Cocine destapado de 8 a 10 minutos, a fuego medio.

Agregue la crema y el perejil y revuelva bien. Cocine de 3 a 4 minutos más.

Agregue las barritas de cangrejo y las mandarinas; deje hervir a fuego bajo por 2 ó 3 minutos. Llene las conchas de vol-au-vent y sirva.

Vol-au-Vent de Mariscos con Queso *(4 porciones)*

3 c/das	mantequilla
125 g.	(¼ *lb.*) champiñones frescos, limpios y en cubitos
½	calabacita, en cubitos
3 c/das	harina
1½ tazas	caldo de pollo caliente
1 c/da	hinojo fresco picado
2	hojas menta (fresca, si posible)
¼ taza	crema espesa
375 g.	(¾ *lb.*) camarones pelados
250 g.	(½ *lb.*) veneras
4	barritas de cangrejo, en cubitos
¾ taza	queso suizo rallado
4	conchas de vol-au-vent horneadas
	sal y pimienta
	jugo de limón al gusto

Caliente la mantequilla en una cacerola grande. cuando esté caliente, ponga los champiñones y las calabacitas y cocínelas 3 minutos a fuego medio-alto.

Agregue la harina y cocine 1 minuto más.

Vacíele el caldo de pollo y sazone bien. Agregue el hinojo y la menta; revuelva y cocine de 4 a 5 minutos a fuego medio.

Ponga la crema y cocine 2 minutos a fuego medio-alto; rectifique el sazón.

Agregue los camarones y veneras; deje hervir 3 minutos a fuego suave.

Agregue las barritas de cangrejo, revuelva y deje a fuego suave 2 minutos más.

Ponga la mitad del queso. Llene las conchas de vol-au-vent y cubra con el queso restante.

Ponga 2 minutos al horno o hasta que el queso se derrita. Sirva inmediatamente.

1 PORCION	642 CALORIAS	27 g. CARBOHIDRATOS
39 g. PROTEINAS	42 g. GRASAS	0.4 g. FIBRAS

Conchas con Camarones y Veneras *(4 porciones)*

3 c/das	mantequilla
8	camarones atigrados pelados, desvenados y cortados en tres
375 g.	(¾ *lb.*) veneras
1 c/da	perejil picado
1 taza	vino blanco seco
2 c/das	harina
1¼ tazas	crema ligera, caliente
1 taza	queso Gruyère rallado
¼ c/dita	nuez moscada
	sal y pimienta
	jugo de limón al gusto

Engrase una cacerola con 1 c/da mantequilla. Ponga los camarones, veneras, la mitad del perejil y el vino. Sazone bien; tape y deje que empiece a hervir.

Voltee los mariscos; déjelos de 3 a 4 minutos a fuego suave.

Quite la cacerola del fuego y ponga los mariscos aparte. Cuele el líquido a un tazón y también déjelo aparte. Ponga el resto de la mantequilla en la cacerola y, cuando esté caliente, agregue la harina y mezcle; cocine 1 minuto a fuego suave.

Vacíe el líquido que coló en otra cacerola. Póngalo a fuego medio-alto y deje que se consuma a la mitad.

Agregue este líquido a la mezcla con harina. Ponga la crema y el perejil restante; revuelva. Cocine de 8 a 10 minutos a fuego muy suave.

Ponga la mitad del queso y la nuez moscada; déjelo 2 minutos a fuego suave.

Ponga los mariscos en la salsa. Sirva esta mezcla en conchas individuales. Espárzales el queso restante y deje de 4 a 5 minutos en el horno.

Vea la técnica en la página siguiente.

1 PORCION	489 CALORIAS	11 g. CARBOHIDRATOS
37 g. PROTEINAS	33 g. GRASAS	0 g. FIBRAS

TECNICA:

1 Engrase una cacerola grande con 1 c/da de mantequilla. Agregue los camarones, veneras y la mitad del perejil.

2 Vierta el vino y sazone bien; tape y deje que empiece a hervir.

3 Voltee los mariscos; déjelos de 3 a 4 minutos a fuego suave.

4 Quite la cacerola del fuego y deje los mariscos aparte. Cuele el líquido en un tazón y también déjelo aparte.

CONCHAS CON CAMARONES Y VENERAS

5 Caliente el resto de la mantequilla en la cacerola. Cuando esté caliente, agregue la harina y revuelva; cocínela 1 minuto a fuego suave. Vacíe el líquido que dejó consumir en la cacerola con la mezcla de harina.

6 Revuelva y agregue la crema y el perejil restante; revuelva de nuevo. Cocine la salsa a fuego muy suave de 8 a 10 minutos.

8 Ponga los mariscos en la salsa y retire la cacerola del fuego. Sirva la mezcla en las conchas. Esparza encima el queso restante y ponga de 4 a 5 minutos en el horno.

7 Agregue la mitad del queso y la nuez moscada; cocine 2 minutos a fuego suave.

Famosas Coquilles Saint-Jacques *(4 porciones)*

3 c/das	mantequilla
500 g.	(*1 lb.*) veneras frescas
2 c/das	chalotes picados
1 c/da	perejil fresco picado
2 c/das	cebollinos frescos picados
½ taza	pan molido grueso
	sal y pimienta
	mantequilla derretida

Caliente el horno previamente a 200 °C (*400 °F*).

Caliente 3 c/das de mantequilla en una sartén para freír. Cuando esté caliente, ponga las veneras y cocine 3 minutos a fuego alto.

Agregue los chalotes, perejil y cebollinos; sazone bien. Cocine 2 minutos a fuego medio.

Revuelva bien y póngalo en las conchas especiales. Esparza encima el pan molido y humedézcalo con mantequilla derretida.

Hornee 3 minutos.

Sírvalas con limón.

1 PORCION	249 CALORIAS	12 g. CARBOHIDRATOS
21 g. PROTEINAS	13 g. GRASAS	0.1 g. FIBRAS

Coquilles Saint-Jacques Cremosas *(4 porciones)*

4 c/das	mantequilla
500 g.	(*1 lb.*) veneras frescas
125 g.	(*¼ lb.*) champiñones frescos, limpios y en cubitos
1	chalote picado
1 c/da	cebollinos picados
2 c/das	vermouth seco
1½ tazas	agua fría
3 c/das	harina
½ taza	crema espesa
	pizca de hinojo
	unas gotas de jugo de limón
	sal y pimienta

Engrase ligeramente una cacerola honda con 1 c/da de mantequilla. Ponga las veneras con los champiñones, chalotes, cebollinos e hinojo y agregue el vermouth, agua, jugo de limón, sal y pimienta. Tape con papel encerado y deje que empiece a hervir.

Cuando esté hirviendo, quite la cacerola del fuego. Déjela reposar de 3 a 4 minutos. Saque las veneras con una cuchara perforada y déjelas aparte. Ponga la cacerola a fuego alto y deje hervir de 3 a 4 minutos.

Caliente el resto de la mantequilla en una cacerola. Agregue la harina y cocine 2 minutos a fuego bajo; revuelva constantemente.

Vierta el líquido de cocción en la cacerola con la harina y mezcle con un batidor de alambre. Agregue la crema y revuelva bien; siga cociendo 3 ó 4 minutos más.

Ponga las veneras en la salsa y rectifique el sazón. Revuelva bien y rocíe con jugo de limón al gusto. Sirva inmediatamente.

1 PORCION	274 CALORIAS	7 g. CARBOHIDRATOS
21 g. PROTEINAS	18 g. GRASAS	0.3 g. FIBRAS

Cacerola de Hipogloso *(4 porciones)*

3 c/das	mantequilla
3 c/das	harina
2 tazas	leche caliente
¼ c/dita	nuez moscada
¼ c/dita	paprika
½ c/dita	semillas de hinojo
4	rebanadas de hipogloso escalfadas,* en trocitos
½ taza	queso Gruyère rallado
1 c/da	cebollinos picados
	unas gotas jugo de limón
	sal y pimienta

Caliente la mantequilla en una cacerola. Cuando esté caliente, agregue la harina y revuelva bien. Cocine 2 minutos a fuego suave.

Vierta la leche caliente y ponga las especias; rectifique el sazón. Revuelva bien con un batidor de alambre y cocine 10 minutos a fuego suave, revolviendo varias veces.

Quite la cacerola del fuego e incorpore cuidadosamente el pescado en trocitos y el jugo de limón.

Agréguele la mitad del queso. Viértalo en un plato refractario y espárzale el queso restante y los cebollinos. Meta al horno por 2 ó 3 minutos.

Acompáñelo con elotes cocidos.

* Vea Pescado al Vapor, página 406.

1 PORCION	350 CALORIAS	8 g. CARBOHIDRATOS
39 g. PROTEINAS	18 g. GRASAS	0 g. FIBRAS

Langosta de Maine al Horno   *(4 porciones)*

4	langostas cocidas* de 750 g. (*1½ lb.*) cada una
4 c/das	mantequilla suave
1	chalote finamente picado
1 c/da	perejil picado
1 c/da	pan molido
1 c/dita	jugo de limón
¼ c/dita	salsa Tabasco
	pizca de paprika
	pimienta recién molida

* No cueza las langostas más de 12 minutos. Siga la técnica que se indica en la página 445: Cómo Cocer Langostas Vivas.

Ponga las mitades de langosta en un platón refractario; deje aparte.

Mezcle el resto de los ingredientes en un tazón y esparza sobre la carne de la langosta.

Ponga en la rejilla superior del horno durante 8 minutos.

Sirva inmediatamente.

1 PORCION   263 CALORIAS   2 g. CARBOHIDRATOS
30 g. PROTEINAS   15 g. GRASAS   0 g. FIBRAS

TECNICA: COMO COCER LANGOSTAS VIVAS

1 Compre langostas vivas de 750 g. (*1½ lb.*) Si es necesario, las langostas pueden guardarse por 2 ó 3 días, dependiendo de su condición. Para guardarlas, envuélvalas en periódico y refrigérelas.

2 Ponga a hervir mucha agua. Sumerja la langosta en el agua. Deje las trabas en las pinzas para que retengan los jugos. Cubra el perol. Cuézalas de 14 a 18 minutos, según el tamaño. El agua no debe hervir muy aprisa.

3 La concha de una langosta cocida es de color rojo.

4 Cuando esté cocida, sáquela del agua y deje enfriar. Corte la langosta a la mitad con un cuchillo resistente.

Continúa en la página siguiente.

5 Limpie el interior de la langosta quitándole el pequeño saco intestinal.

6 El hígado de la langosta es verde y muy sabroso; por lo general se come junto con la freza (hueva).

7 Si le agrada, abra las pinzas y sáqueles la carne antes de servirlas.

8 La carne de la cola sale con facilidad y la concha vacía se usa como adorno.

Langosta Newburg *(4 porciones)*

4	langostas de Florida cocidas* de 750 g. (1½ *lb*.) cada una
1	yema de huevo
2 tazas	crema espesa
2 c/das	mantequilla
2	chalotes, finamente picados
250 g.	(½ *lb*.) champiñones frescos, limpios y rebanados
¼ taza	vino de Madeira
1 c/dita	perejil picado
	sal y pimienta
	pizca de pimienta de Cayena

* Siga la técnica que se indica en la página 445: Cómo Cocer Langostas Vivas. Quite la carne a las langostas y córtela en cubitos; deje aparte.

Revuelva la yema de huevo con 2 c/das de crema; deje aparte.

Caliente la mantequilla en una sartén grande para freír. Cuando esté caliente, agregue los chalotes y champiñones; sazone bien. Cocine 3 minutos a fuego medio-alto.

Viértale el vino y cocine 3 minutos a fuego alto.

Mezcle el perejil y la pimienta de Cayena en la crema restante; rectifique el sazón. Cocine de 4 a 5 minutos a fuego medio-alto.

Ponga la carne de langosta y revuelva rápidamente. Baje el fuego a suave y agregue la yema; revuelva y cocine 2 minutos a fuego muy bajo para que espese.

Revuelva con suavidad y sirva inmediatamente. Si le agrada, adorne los platos con las conchas de langosta.

1 PORCION 672 CALORIAS 7 g. CARBOHIDRATOS
35 g. PROTEINAS 56 g. GRASAS 0.5 g. FIBRAS

Veneras con Arroz *(4 porciones)*

1 c/da	mantequilla
2 c/das	cebolla finamente picada
1	calabacita en cubitos
1 taza	arroz de grano largo, lavado y escurrido
1½ tazas	caldo de pollo caliente
1 c/dita	semillas de hinojo
1 c/da	mantequilla
250 g.	(½ *lb.*) cabezas de champiñones, limpias
1 c/da	cebollinos picados
375 g.	(¾ *lb.*) veneras pequeñas
2 c/das	salsa de soya
	sal y pimienta

Caliente el horno previamente a 180 °C (*350 °F*).

Caliente 1 c/da de mantequilla en una cacerola refractaria. Agregue la cebolla y revuelva bien; fría de 2 a 3 minutos a fuego medio.

Agregue las calabacitas, sal y pimienta; fría 2 minutos más.

Agregue el arroz, revolviéndolo y sofría 2 minutos.

Ponga el caldo de pollo y las semillas de hinojo; revuelva bien y deje que empiece a hervir. Sazone, tape y meta 18 minutos al horno.

Mientras tanto, caliente 1 c/da de mantequilla en una sartén para freír. Ponga los champiñones y los cebollinos; cocínelos 3 minutos.

Agregue las veneras y cocine 2 minutos a fuego alto. Ponga la salsa de soya y revuelva bien los ingredientes. Aproximadamente 4 minutos antes de que esté cocido el arroz, incorpórele la mezcla de veneras. Acabe el proceso de cocción y rectifique el sazón.

Adorne con pimientos picados y sirva con salsa de chutney.

1 PORCION	339 CALORIAS	48 g. CARBOHIDRATOS
21 g. PROTEINAS	7 g. GRASAS	1.0 g. FIBRAS

TECNICA: VENERAS CON ARROZ

1 Agregue la calabacita a la cebolla y sazone con sal y pimienta; fría 2 minutos más.

2 Incorpore el arroz y sofríalo 2 minutos.

3 Agregue el caldo de pollo y las semillas de hinojo; revuelva bien y deje que empiece a hervir. Termine de cocer en el horno.

4 Mientras se cocina el arroz, sofría los champiñones en mantequilla caliente. Agregue las veneras y mezcle todo con el arroz. Termine el proceso de cocción en el horno.

Pinzas de Cangrejo al Ron (4 porciones)

8	pinzas congeladas de cangrejo gigante, descongeladas y abiertas a la mitad
¼ taza	ron blanco
250 g.	(½ lb.) mantequilla suave sin sal
2 c/das	perejil finamente picado
1	diente de ajo, machacado y picado
1	chalote, finamente picado
3 c/das	pan molido
	jugo de ½ limón
	unas gotas salsa Tabasco
	pimienta recién molida

Caliente el horno previamente a 200 °C (*400 °F*).

Ponga las pinzas de cangrejo en un platón y viértales el ron. Déjelas en esa salmuera por 5 ó 6 minutos.

Mezcle la mantequilla con los ingredientes restantes y deje aparte.

Escurra las pinzas de cangrejo de la salmuera y póngalas en un platón refractario. Esparza la mezcla de la mantequilla encima de la carne.

Hornéelas por 5 ó 6 minutos. Acompañe con papas a la francesa.

1 PORCION 583 CALORIAS 4 g. CARBOHIDRATOS
27 g. PROTEINAS 51 g. GRASAS 0 g. FIBRAS

Rebanadas de Merluza con Mantequilla *(4 porciones)*

	rebanadas de merluza
	tallo de apio, finamente rebanado
	puerro pequeño, lavado y finamente rebanado
	zanahorias peladas y finamente rebanadas
	ramitos de hinojo fresco
c/da	aceite vegetal
	calabacita, finamente rebanada
¼ taza	mantequilla
c/da	perejil picado
	sal y pimienta
	jugo de 1 limón

Ponga el pescado en una cacerola para asar. Agregue el apio, puerro 1 zanahoria y el hinojo, sal, pimienta y jugo de limón. Ponga suficiente agua para cubrirlo y deje que empiece a hervir.

Quite la cacerola de la estufa, voltee el pescado y déjelo reposar de 8 a 10 minutos.

Mientras tanto, caliente el aceite en una sartén para freír. Cuando esté caliente, agregue las zanahorias restantes y la calabacita; sazone y cocine 5 a 6 minutos a fuego medio.

Ponga la mantequilla con el perejil en una cacerola pequeña; caliente hasta que se derrita.

Acomode el pescado en los platos y vierta encima la mantequilla derretida. Acompañe con las verduras.

Langostinos al Horno *(4 porciones)*

20	langostinos
250 g.	(½ *lb.*) mantequilla suave
1 c/da	perejil picado
2	chalotes, picados
2	dientes de ajo, machacados y picados
1 c/da	jugo de limón
¼ c/dita	salsa Tabasco
2 c/das	pan molido
	sal y pimienta

Caliente el horno previamente a 200 °C (*400* °F).

Prepare los langostinos como se indica en la técnica siguiente.

Ponga en un tazón la mantequilla con el perejil, chalotes y ajo; aguegue el jugo de limón, salsa Tabasco y pan molido. Revuelva y rectifique el sazón.

Unte la mezcla sobre los langostinos. Cocínelos de 6 a 8 minutos en el horno, dependiendo del tamaño.

Sírvalos con arroz.

1 PORCION   513 CALORIAS   4 g. CARBOHIDRATOS
14 g. PROTEINAS   49 g. GRASAS   0 g. FIBRAS

TECNICA: LANGOSTINOS AL HORNO

1 Trate de comprar langostinos frescos.

2 Corte la concha a lo largo.

3 No los parta por completo, sólo lo suficiente para abrirlos como mariposa.

4 Póngalos en un platón refractario.

Continúa en la página siguiente.

5 Ponga la mantequilla y el perejil en un tazón.

6 Agregue los chalotes y el ajo.

7 Agregue el jugo de limón, salsa Tabasco y pan molido. Revuelva y rectifique el sazón.

8 Unte la mezcla sobre los langostinos y hornee de 6 a 8 minutos, dependiendo del tamaño.

Langostinos, Champiñones y Queso *(4 porciones)*

0	langostinos
c/das	mantequilla
	chalotes, picados
50 g.	(½ *lb.*) champiñones limpios y rebanados
c/dita	perejil picado
c/das	coñac Courvoisier
½ tazas	crema ligera, caliente
c/da	fécula de maíz
c/das	agua fría
½ taza	queso suizo o Gruyère rallado
	sal y pimienta

Prepare los langostinos como se indica en la técnica siguiente.

Caliente la mantequilla en una sartén grande para freír. Cuando esté caliente, agregue los chalotes y champiñones; sazone y fríalos 3 minutos a fuego medio-alto. Espárzales el perejil. Corte los langostinos en dos y échelos a la sartén. Cocínelos 2 minutos a fuego medio y rectifique el sazón.

Viértales el coñac; cocine 2 minutos a fuego medio-alto.

Saque los langostinos de la sartén y deje aparte. Ponga la crema en la sartén y cocínela de 3 a 4 minutos a fuego medio. Revuelva la fécula de maíz con agua fría y agréguela a la salsa revolviendo. Cocine 1 minuto.

Ponga de nuevo los langostinos en la sartén y agregue casi todo el queso; revuelva y cocine 1 minuto.

Acomode los langostinos sobre arroz hervido y esparza encima el queso restante. Meta al horno para que se derrita el queso. Sirva.

Vea la técnica en la página siguiente.

1 PORCION 381 CALORIAS 8 g. CARBOHIDRATOS
22 g. PROTEINAS 29 g. GRASAS 0.2 g. FIBRAS

1 Corte con tijeras a ambos lados de la concha para separar la membrana.

2 Jale la membrana hacia atrás para sacar el langostino.

3 Ponga los langostinos aparte y tire las cáscaras.

4 Sofría los chalotes y champiñones en mantequilla caliente por 3 minutos a fuego medio-alto. Espárzales perejil encima.

5 Corte los langostinos a la mitad y agréguelos a la sartén. Fríalos 2 minutos a fuego medio y rectifique el sazón.

6 Viértales el coñac; cocine 2 minutos a fuego medio-alto.

7 Saque los langostinos de la sartén y deje aparte. Agregue la crema y cocine de 3 a 4 minutos a fuego medio.

8 Después de cocinar la mezcla de fécula de maíz durante 1 minuto, ponga otra vez los langostinos en la sartén y agregue la mayor parte del queso. Revuelva y cocine 1 minuto.

Langostinos Flameados *(4 porciones)*

1 c/da	aceite vegetal
2 c/das	mantequilla
20	langostinos, sin concha
250 g.	(½ *lb.*) champiñones frescos, limpios y en pedazos
4 c/das	coñac Courvoisier
1 taza	yogurt natural
1 c/da	perejil picado
	unas gotas de jugo de limón
	pizca de paprika
	gajos de limón para adorno

Caliente el aceite y la mitad de la mantequilla en una sartén grande para freír. Cuando esté caliente, agregue los langostinos y sazone bien; sofríalos de 2 a 3 minutos a fuego alto. Revuelva una vez.

Saque los langostinos de la sartén y deje aparte.

Ponga el resto de la mantequilla en la sartén y caliéntela. Agregue los champiñones, sazone y sofríalos 3 minutos a fuego medio-alto.

Vierta el coñac; flamee y cocine 2 minutos a fuego medio-alto; revuelva bien.

Agregue el yogurt, perejil, jugo de limón y paprika revolviendo bien. Cocine de 2 a 3 minutos a fuego medio.

Ponga los langostinos en la salsa y hierva a fuego suave de 1 a 2 minutos.

Sirva.

1 PORCION	208 CALORIAS	7 g. CARBOHIDRATOS
18 g. PROTEINAS	12 g. GRASAS	0.5 g. FIBRAS

Almejas Grandes al Vapor *(4 porciones)*

32	almejas grandes
1 c/da	mantequilla
	jugo de ½ limón
	perejil picado al gusto

Para cocer al vapor las almejas, lávelas bajo el chorro del agua. Tállelas con un cepillo para quitarles la arena y limpiarlas.

Póngalas en una olla honda; agregue la mantequilla y jugo de limón. Para cocerlas, no ponga más de 5 cm (*2 pulg.*) de agua.

Tape y cuézalas de 8 a 10 minutos a fuego medio. Cuando las conchas estén parcialmente abiertas, ya están cocidas.

Al sacarlas de la olla, escúrralas bien, para dejarlas sin líquido en las conchas.

Acomódelas en un platón de servicio. Revuelva el perejil en el líquido de cocción y viértalo sobre las almejas.

Sirva inmediatamente.

Almejas Medianas en Salsa Italiana *(4 porciones)*

1 c/da	mantequilla
1 c/da	perejil picado
1 c/da	cebollinos picados
2	dientes de ajo, machacados y picados
1	cebolla, pelada y picada
1	tallo de apio, finamente picado
48	almejas medianas, cocidas al vapor*
3	tomates picados
½ taza	queso parmesano rallado
	sal y pimienta

Caliente la mantequilla en una cacerola. Cuando esté caliente, agregue el perejil, cebollinos, ajo y cebolla, revolviendo bien; sofríalos de 3 a 4 minutos a fuego medio.

Agregue el apio y sofríalo a fuego medio por 2 ó 3 minutos.

Saque las almejas cocidas de sus conchas y píquelas. Déjelas aparte y guarde las conchas.

Agregue los tomates a la cacerola; sazone bien y déjelos de 4 a 5 minutos a fuego alto.

Agregue las almejas picadas y cocine 2 minutos más.

Incorpore la mitad del queso y rectifique el sazón. Vacíe la mezcla en las conchas que guardó y cubra con el queso restante.

Meta por 2 ó 3 minutos en el horno para que el queso se derrita.

Sírvalas.

* Vea Almejas Grandes al Vapor, página 459.

1 PORCION	240 CALORIAS	18 g. CARBOHIDRATOS
24 g. PROTEINAS	8 g. GRASAS	0.8 g. FIBRAS

Almejas Gratinadas (4 porciones)

32	almejas grandes cocidas al vapor*
1 c/da	mantequilla
1	cebolla pequeña, pelada y en cubitos
1 c/da	perejil picado
1½ c/das	cebollinos picados
1 taza	crema espesa
½ taza	queso Gruyère rallado
2 tazas	espinacas picadas, cocidas
	sal y pimienta
	unas gotas de jugo de limón sin semilla

* Prepare las almejas como se indica en la página 459, Almejas Grandes al Vapor. Cuando estén cocidas, sáquelas del líquido de cocción y abra las conchas. Acomode las almejas en media concha y déjelas aparte.

Caliente la mantequilla en una cacerola. Cuando esté caliente, agregue la cebolla y tape; sofríala 2 minutos a fuego medio.

Ponga el perejil y los cebollinos; sofría 1 minuto más, con la cacerola tapada, a fuego medio.

Viértale la crema, sazone bien y agregue la mitad del queso. Revuelva y cocine por 3 ó 4 minutos a fuego medio, sin tapar. Sazone con el jugo de limón.

Acomode las espinacas sobre las almejas en la concha. Cubra con la salsa y el queso restante. Deje 5 minutos en el horno. Sírvalas.

1 PORCION   344 CALORIAS   16 g. CARBOHIDRATOS
25 g. PROTEINAS   20 g. GRASAS   0.7 g. FIBRAS

Sopa de Ostiones *(4 porciones)*

32	ostiones, sin concha (aparte el jugo)
1 c/da	jugo de limón
1½ tazas	crema ligera
1 c/da	mantequilla
1 c/da	cebollinos picados
	sal y pimienta
	galletas de soda

Ponga los ostiones sin concha junto con el líquido en una cacerola. Agregue el jugo de limón y tape. Deje de 2 a 3 minutos a fuego suave.

Mientras tanto, vacíe la crema a otra cacerola y caliéntela a punto de ebullición.

Pase la crema a la cacerola que contiene los ostiones. Agregue la mantequilla y los cebollinos. Cocínelos de 1 a 2 minutos a fuego suave. Rectifique el sazón.

Sirva en platos hondos con galletas de soda.

1 PORCION	295 CALORIAS	8 g. CARBOHIDRATOS
14 g. PROTEINAS	23 g. GRASAS	0 g. FIBRAS

Ostiones Rockefeller *(4 porciones)*

24	ostiones
1 c/dita	jugo de limón
4 c/das	mantequilla
½	tallo de apio, picado
2	dientes de ajo, machacados y picados
1 c/da	perejil finamente picado
1 taza	espinacas cocidas, finamente picadas
3 c/das	crema espesa
4 c/das	pan molido
	sal y pimienta recién molida

Saque los ostiones de la concha y póngalos en una cacerola junto con su jugo. Deje las conchas aparte.

Agregue el jugo de limón y 1 c/da de mantequilla. Tape y cocine de 3 a 4 minutos a fuego suave. Sazone ligeramente. Escurra los ostiones y déjelos aparte; guarde el líquido en que los coció para otros usos.

Caliente el resto de la mantequilla en otra cacerola. Cuando esté caliente, agregue el apio, ajo y perejil; tape y sofría 3 minutos a fuego suave.

Agregue las espinacas y sazone bien; siga cocinando, tapado, por 2 minutos a fuego medio-alto.

Agregue la crema y 3 c/das de pan molido; revuelva y cocine 2 minutos más, destapado, a fuego alto.

Acomode los ostiones en la media concha. Extienda encima la mezcla de espinacas y cubra con el pan molido restante. Ponga por 3 ó 4 minutos en el horno y sirva.

1 PORCION   246 CALORIAS   10 g. CARBOHIDRATOS
11 g. PROTEINAS   18 g. GRASAS   0.3 g. FIBRAS

Ostiones en Salsa con Queso *(4 porciones)*

24	ostiones
1 c/dita	jugo de limón
4 c/das	mantequilla
3 c/das	harina
1½ tazas	leche caliente
¼ c/dita	nuez moscada
¼ c/dita	clavo molido
½ taza	queso suizo rallado
	sal y pimienta

Saque los ostiones de la concha y póngalos en una cacerola junto con su jugo.

Agregue el jugo de limón y 1 c/da de mantequilla. Tape y cocínelos de 3 a 4 minutos a fuego medio. Sazónelos ligeramente.

Escurra los ostiones y déjelos aparte; aparte ½ taza del líquido de cocción.

Caliente el resto de la mantequilla en otra cacerola. Cuando esté caliente, agregue la harina y revuelva; cocine 1 minuto a fuego medio.

Vacíele la leche y revuelva con un batidor de alambre para incorporarla al harina; agregue la ½ taza del líquido de cocción que apartó, las especias y la mitad del queso. Cocínelo de 8 a 10 minutos a fuego bajo.

Acomode los ostiones en la media concha. Vacíe la salsa encima y cubra con el queso restante. Deje de 3 a 4 minutos en el horno.

Sírvalos.

1 PORCION	437 CALORIAS	10 g. CARBOHIDRATOS
16 g. PROTEINAS	37 g. GRASAS	0 g. FIBRAS

TECNICA: COMO COCER MEJILLONES FRESCOS

1 Antes de cocerlos, lave los mejillones bajo el chorro del agua. Talle las conchas con un cepillo y quíteles las barbas con un cuchillo pequeño.

2 Si encuentra conchas abiertas, tírelas y no trate de cocerlas. Las conchas abiertas con frecuencia contienen bacterias cuyo consumo puede ser perjudicial.

3 Ponga los mejillones limpios en una cacerola grande y agregue un poco de líquido (agua o vino, por ejemplo).

4 Cubra la cacerola y póngala al fuego, dejando hervir hasta que las conchas se abran.

Mejillones Marinera *(4 porciones)*

4 kg.	(8½ *lb.*) mejillones frescos, lavados y sin barbas
2 c/das	chalotes finamente picados
½ taza	vino blanco seco
2 c/das	perejil picado
1 c/da	jugo de limón
3 c/das	mantequilla
½ taza	crema espesa
	pimienta recién molida

Ponga los mejillones limpios en una olla grande. Agregue los chalotes, vino, 1 c/da de perejil, jugo de limón y mantequilla. Tápelos y deje que hiervan.

Cuando las conchas se abran, sáquelas de una en una y regrese a la olla el líquido que quedó en las conchas. Déjelos aparte.

Cuele el líquido de la olla por una manta de cielo, vaciándolo a una cacerola. Agregue la crema y sazone bien con pimienta; cocine de 3 a 4 minutos a fuego alto.

Agregue el perejil restante y ponga los mejillones en la salsa. Deje hervir 2 minutos a fuego suave.

Sirva los mejillones en las conchas con suficiente salsa.

1 PORCION   328 CALORIAS   6 g. CARBOHIDRATOS
22 g. PROTEINAS   24 g. GRASAS   0 g. FIBRAS

Mejillones a la Italiana *(4 porciones)*

4 kg.	(8½ *lb*.) mejillones frescos, lavados y sin barbas
½ taza	agua
2 c/das	perejil picado
3	dientes de ajo, machacados y picados
3 c/das	mantequilla
½ taza	vino blanco seco
1 lata	tomates (796 ml. / *28 oz*.) escurridos y picados
¼ c/dita	orégano
	unos cuantos chiles machacados
	pimienta recién molida
	jugo de ½ limón

Ponga los mejillones limpios y el agua en una olla grande. Agregue el perejil, 1 diente de ajo picado, 2 c/das de mantequilla y los chiles machacados. Espárzale la pimienta y el jugo de limón. Tape y deje que hierva.

Cuando las conchas se abran, sáquelas de una en una y regrese a la olla el líquido que quedó en las conchas. Déjelas aparte.

Cuele el líquido de la olla por una manta de cielo y vacíelo a un tazón; guárdelo para otros usos.

Caliente el resto de la mantequilla en una sartén para freír. Cuando esté caliente, agregue el ajo restante y fríalo 2 minutos a fuego medio.

Agregue el vino y cocine 2 minutos a fuego alto. Incorpore los tomates y sazone con pimienta; deje al fuego 1 minuto más.

Agregue el orégano y termine de cocinar a fuego alto durante 7 u 8 minutos; revuelva ocasionalmente.

Ponga los mejillones con la mezcla de tomate en media concha. Cocine 2 minutos más para recalentar. Sírvalos.

1 PORCION	269 CALORIAS	14 g. CARBOHIDRATOS
24 g. PROTEINAS	13 g. GRASAS	0.8 g. FIBRAS

467

Mejillones con Vermouth *(4 porciones)*

4 kg.	(8½ *lb.*) mejillones frescos, lavados y sin barbas
2 c/das	cebolla picada
2 c/das	cebollinos picados
3 c/das	mantequilla
½ taza	vino blanco seco
3 c/das	vermouth seco
1 taza	crema espesa
	pimienta recién molida

Ponga los mejillones limpios en una olla grande. Agregue la cebolla, 1 c/da de cebollinos, mantequilla, vino y pimienta. Tape y deje que empiece a hervir.

Cuando las conchas se abran, sáquelas de una en una y regrese a la olla el líquido que quedó en las conchas. Déjelas aparte.

Cuele a una cacerola el líquido de la olla por una manta de cielo. Agregue el vermouth y la crema; sazone con pimienta. Cocine de 3 a 4 minutos a fuego alto.

Agregue los cebollinos restantes y hierva 2 minutos a fuego medio-suave.

Sirva los mejillones en la media concha y vacíeles encima la salsa.

1 PORCION   435 CALORIAS   7 g. CARBOHIDRATOS
23 g. PROTEINAS   35 g. GRASAS   0 g. FIBRAS

Crepas de Mariscos al Parmesano *(4 porciones)*

2 c/das	mantequilla
1	calabacita pequeña, picada
375 g.	(¾ *lb.*) camarones, pelados
375 g.	(¾ *lb.*) veneras, partidas a la mitad
1½ tazas	salsa blanca caliente
½ taza	queso parmesano rallado
8	crepas
	sal y pimienta

Caliente la mantequilla en una cacerola grande. Cuando esté caliente, agregue la calabacita y sazone bien. Tape y cocine 3 minutos a fuego medio.

Agregue los camarones y veneras; revuelva y rectifique el sazón. Tape y cocine de 3 a 4 minutos a fuego medio.

Viértale la salsa blanca y la mitad del queso; cocine 2 minutos a fuego suave, destapado.

Rellene las crepas con la mayor parte de los mariscos. Enróllelas y acomódelas en un plato refractario. Vierta la salsa restante y cubra con queso.

Deje 1 minuto en la parte superior del horno y sírvalas.

Vea la técnica en la página siguiente.

1 PORCION	523 CALORIAS	30 g. CARBOHIDRATOS
40 g. PROTEINAS	27 g. GRASAS	0.3 g. FIBRAS

1 Cierna la harina, sal y paprika en un tazón grande. Agregue los huevos.

2 Agregue el agua mineral y el agua tibia.

3 Revuelva rápidamente con un batidor de alambre. Póngale la leche y bata de nuevo hasta que la pasta esté uniforme.

4 Agregue el aceite, revuelva de nuevo y cuele la pasta por un cedazo. Refrigérela 15 minutos.

5 Unte con mantequilla un molde para crepas y póngalo a fuego medio. Cuando esté caliente, vierta un pequeño cucharón de la pasta en el molde; cocínelo 1 minuto.

6 Voltee la crepa y cocínela 1 minuto más. Engrase la sartén antes de cada crepa.

7 Las crepas cocinadas deben quedar delgadas y ligeras. Refrigérelas o congélelas hasta que las utilice.

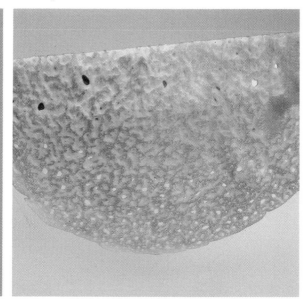

Ingredientes

1½ tazas	harina de trigo
¼ c/dita	sal
¼ c/dita	paprika
3	huevos grandes
¼ taza	agua mineral (tónica)
2 tazas	agua tibia
1 taza	leche
3 c/das	aceite vegetal

Camarones en Freidora *(4 porciones)*

20	camarones atigrados, pelados
½ taza	harina
2	huevos batidos revueltos con 1 c/dita de aceite
1½ tazas	pan molido sazonado
	sal y pimienta

Caliente previamente el aceite de cacahuate en la freidora a 180 °C *(350 °F)*.

Después de pelar los camarones, ábralos por la espalda. Quíteles la vena negra.

Enharínelos. Sumérjalos en el huevo batido y cúbralos con el pan molido; sazónelos bien.

Apriete los camarones ya empanizados entre sus manos para que se adhiera mejor el pan molido cuando los fría.

Póngalos en la freidora por 3 ó 4 minutos, dependiendo del tamaño.

Acompáñelos con Salsa Tártara, página 479.

1 PORCION   404 CALORIAS   37 g. CARBOHIDRATOS
37 g. PROTEINAS   12 g. GRASAS   0.2 g. FIBRAS

TECNICA: CAMARONES EN FREIDORA

1 Después de pelar los camarones, ábralos por la espalda.

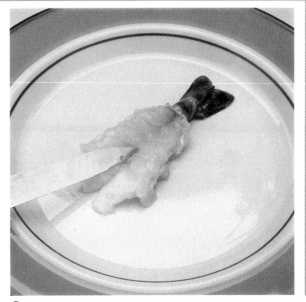

2 Quíteles la vena negra.

3 Enharine los camarones.

4 Sumérjalos en el huevo batido.

Continúa en la página siguiente.

5 Cubra con el pan molido y sazone bien.

6 Apriete los camarones ya empanizados entre sus manos para que se adhiera mejor el pan molido cuando los fría.

Mayonesa Aromática

2	yemas de huevo
1 c/dita	mostaza fuerte
1¼ tazas	aceite
1 c/da	perejil picado
1 c/dita	cebollinos picados
1 c/dita	estragón fresco finamente picado
	unas gotas de jugo de limón
	salsa Tabasco al gusto
	sal y pimienta

Mezcle en un tazón las yemas y la mostaza.

Déjeles caer el aceite gota a gota, mientras revuelve con una batidora eléctrica manual. Manténgala a baja velocidad.

Cuando la mezcla empiece a espesar, aumente la cantidad de aceite a un hilo continuo. Revuelva a alta velocidad.

Cuando la mezcla esté muy espesa, agréguele algo del jugo de limón y el resto del aceite.

Sazone bien la mayonesa y póngale las hierbas aromáticas. Revuelva bien.

Refrigere hasta que la use.

1 PORCION	108 CALORIAS	0 g. CARBOHIDRATOS
0 g. PROTEINAS	12 g. GRASAS	0 g. FIBRAS

Veneras en Freidora *(4 porciones)*

750 g.	**(1½ *lb*.) veneras frescas**
¼ c/dita	**salsa Tabasco**
¼ c/dita	**salsa Worcestershire**
2 c/das	**jugo de limón**
½ taza	**harina**
2	**huevos batidos mezclados con 1 c/dita de aceite**
1 taza	**pan molido**

Caliente el aceite de cacahuate en la freidora a 180 °C (*350 °F*).

Ponga las veneras en un tazón. Agrégueles la salsa Tabasco, salsa Worcestershire y el jugo de limón. Deje en esta vinagreta de 10 a 15 minutos.

Enharine las veneras. Métalas en los huevos batidos y cúbralas con el pan molido.

Déjelas 3 minutos en la freidora, o hasta que estén a su gusto.

Acompáñelas con camotes al horno.

Ancas de Rana Fritas *(4 porciones)*

24	ancas de rana
½ taza	harina
1 c/da	mantequilla
1 c/da	aceite vegetal
4 c/das	mantequilla de ajo
½	calabacita en cubitos
125 g.	(¼ *lb.*) champiñones, limpios y picados
	sal y pimienta

Caliente previamente el horno a 70 °C (*150 °F*). Prepare las ancas de rana cortándoles los pies. Separe las piernas y lávelas bien en agua fría. Despelléjelas si todavía tienen pellejo.

Haga una abertura en la carne de una pierna y pase por ella la otra pierna. Las piernas se deben ver cruzadas.

Enharínelas bien.

Caliente la mantequilla y el aceite en una sartén grande. Cuando estén calientes, ponga dentro las piernas y cocínelas de 20 a 25 minutos a fuego medio. Sazónelas bien y voltéelas por lo menos 4 veces mientras las cocina.

Cuando estén cocidas, sáquelas y manténgalas calientes en el horno.

Caliente mantequilla de ajo en otra sartén. Cuando esté caliente, agregue las verduras y cocínelas 4 minutos a fuego medio. Sazónelas bien.

Ponga las verduras y la mantequilla de ajo sobre las ancas de rana y sírvalas inmediatamente.

1 PORCION	388 CALORIAS	13 g. CARBOHIDRATOS
30 g. PROTEINAS	20 g. GRASAS	0.5 g. FIBRAS

Coctel de Camarones *(4 porciones)*

⅔ taza	catsup
⅓ taza	salsa de chile
1 c/da	salsa de rábano picante
½ c/dita	jugo de limón
24	camarones cocidos, pelados y desvenados
	salsa picante comercial al gusto
	pimienta recién molida
	hojas de lechuga

Ponga el catsup, salsa de chile y rábano picante en un tazón pequeño y mézclelos bien.

Agregue el jugo de limón, salsa picante y pimienta; revuelva de nuevo y rectifique el sazón.

Acomode los platos de servicio con hojas de lechuga y ponga encima los camarones. Sírvalos con la salsa.

Trucha en Aspic *(4 porciones)*

1	**zanahoria pelada y rebanada**
1	**tallo de apio rebanado**
½ c/dita	**semilla de hinojo**
½	**limón, rebanado**
½ taza	**vino blanco seco**
4	**ramitas de perejil**
4	**truchas limpias**
	sal y pimienta
	varias hojas de puerro puestas unos minutos en agua hirviendo
	gelatina sin sabor

Prepare la gelatina siguiendo las instrucciones en el paquete. Necesita alrededor de 2 tazas. Refrigérela hasta que esté espesa pero no firme.

Ponga la zanahoria y el apio en una cacerola para asar. Agregue el hinojo, limón, vino y perejil.

Ponga las truchas en la cacerola y vierta encima agua fría hasta cubrirlas. Sazone con sal y pimienta. Deje que empiece a hervir e inmediatamente quítela del fuego. Deje las truchas en el líquido caliente de 7 a 8 minutos. Sáquelas de la cacerola y póngalas aparte para que se enfríen.

Ponga una reja para pastel en un platón grande y coloque encima las truchas, con cuidado.

Con un cuchillo pequeño, quíteles la piel de un solo lado. Acomode encima las hojas de puerro, previamente cortadas en forma de hojas largas.

Con una cuchara o cucharón pequeño, vacíe un poco de gelatina sobre las truchas. Refrigérelas. Repita el procedimiento cada 10 minutos por 3 veces. Sirva sobre lechuga picada y acompañe con mayonesa.

1 PORCION   184 CALORIAS   0 g. CARBOHIDRATOS
37 g. PROTEINAS   4 g. GRASAS   0 g. FIBRAS

Salsa Tártara

1 taza	mayonesa
2	pepinillos encurtidos finamente picados
1 c/da	perejil finamente picado
1 c/dita	cebollinos finamente picados
1 c/dita	jugo de limón
1 c/dita	jugo de limón sin semilla
	unas gotas de salsa Tabasco
	pimienta recién molida

Ponga la mayonesa en un tazón y agregue el resto de los ingredientes.

Revuelva para que se mezcle bien y rectifique el sazón.

Refrigere hasta que la use.

Sírvala con pescado.

1 PORCION	99 CALORIAS	0 g. CARBOHIDRATOS
0 g. PROTEINAS	11 g. GRASAS	0 g. FIBRAS

Salsa Béarnaise

2	chalotes finamente picados
1 c/dita	estragón
2 c/das	vinagre de vino
1 c/dita	perejil picado
3	yemas
375 g.	(¾ *lb.*) mantequilla clarificada, sin sal
	sal y pimienta recién molida

Ponga los chalotes, estragón, vinagre y perejil en un tazón de acero inoxidable.

Ponga el tazón encima de la estufa, a fuego suave. Cocínelo hasta que el vinagre se evapore. Quite del fuego y deje enfriar.

Agregue las yemas y revuelva bien con un batidor de alambre.

Ponga el tazón sobre una cacerola con agua caliente. Agregue la mantequilla clarificada, gota a gota, revolviendo constantemente con el batidor.

Cuando la salsa empiece a espesar, siga agregando la mantequilla en un hilo delgado. Revuelva todo el tiempo con el batidor.

Sazone bien y sírvala .

1 PORCION	476 CALORIAS	1 g. CARBOHIDRATOS
1 g. PROTEINAS	52 g. GRASAS	0 g. FIBRAS

Budín Rápido de Arroz *(4 porciones)*

taza	arroz cocido
½ taza	azúcar
¼ c/dita	sal
	huevos grandes
½ taza	pasas
c/dita	vainilla
c/dita	canela
c/da	cáscara de limón rallada
¼ taza	coco rallado
taza	crema batida
lata	(284 ml. / *10 oz.*) gajos de mandarina sin escurrir
c/das	jalea o mermelada
c/dita	fécula de maíz
c/das	agua fría

Caliente el horno previamente a 180 °C (*350 °F*).

Engrase un molde redondo o cuadrado y deje aparte.

Ponga el arroz, azúcar, sal y huevos en un tazón; mezcle bien.

Agregue las pasas, vainilla, canela y cáscara de limón; revuelva de nuevo.

Agregue el coco e incorpore la crema batida. Vacíe el budín en el molde y hornéelo de 35 a 40 minutos.

Justo antes de servirlo, prepare la salsa. Ponga los gajos de mandarina y el jugo en una cacerola. Agregue la jalea y revuelva; cocínela 3 ó 4 minutos a fuego bajo.

Vierta la salsa sobre cada plato de budín de arroz.

Vea la técnica en la página siguiente.

1 PORCION   401 CALORIAS   66 g. CARBOHIDRATOS
5 g. PROTEINAS   13 g. GRASAS   0.5 g. FIBRAS

TECNICA: BUDIN RAPIDO DE ARROZ

1 Ponga el arroz, azúcar, sal y huevos en un tazón; mézclelos bien.

2 Agregue las pasas, vainilla, canela y cáscara de limón; mezcle de nuevo.

3 Agregue el coco.

4 Incorpore la crema batida. Vacíe el budín en un molde y hornéelo.

Budín de Frutas al Coñac *(4 porciones)*

3	duraznos maduros, pelados y rebanados
4	ciruelas maduras, rebanadas
3 c/das	azúcar
3 c/das	coñac Courvoisier
3 c/das	mantequilla suave
⅓ taza	azúcar
2	huevos grandes
1 taza	harina de trigo
1 c/da	polvo de hornear
½ taza	leche
2 c/das	azúcar morena

Caliente el horno previamente a 180 °C (*350 °F*).

Engrase un molde cuadrado de 23 cm. (*9 pulg.*); déjelo aparte.

Ponga los duraznos y ciruelas a macerar 15 minutos en 3 c/das de azúcar y 2 c/das de coñac.

Acreme la mantequilla con el resto del azúcar. Incorpore los huevos mientras los revuelve con una batidora manual eléctrica.

Cierna la harina junto con el polvo de hornear; incorpórelos a la mezcla de huevo con una batidora manual.

Agregue la leche mientras sigue batiendo.

Extienda la fruta en el molde engrasado. Utilice una espátula para extender la pasta que batió encima de la fruta.

Hornee 30 minutos en el horno.

Alrededor de 10 minutos antes de que esté cocido el budín, mezcle el azúcar morena con el coñac restante; espárzalo sobre el budín y siga cocinando.

Sírvalo caliente.

1 PORCION	434 CALORIAS	69 g. CARBOHIDRATOS
8 g. PROTEINAS	14 g. GRASAS	0.7 g. FIBRAS

Torrejas Festivas *(4 porciones)*

3	manzanas peladas, sin corazón y rebanadas
2 c/das	jugo de limón sin semilla
2 c/das	pasas amarillas sin semilla
3 c/das	almendras en tiritas
4 c/das	mantequilla
3 c/das	mermelada de moras
4	rebanadas gruesas de pan blanco
3	huevos batidos
	miel de arce (maple) al gusto

Ponga las manzanas en un tazón para mezclar. Agregue el jugo de limón, pasas y almendras; revuelva para que se combinen bien.

Caliente la mitad de la mantequilla en una sartén antiadherente. Cuando esté caliente, agregue las manzanas y cocine de 7 a 8 minutos a fuego medio-alto. Revuelva con frecuencia.

Agregue la mermelada y revuelva hasta que las manzanas estén bien cubiertas. Cocínelas 2 minutos más a fuego alto.

Mientras tanto, humedezca el pan en los huevos batidos y caliente la mantequilla restante en otra sartén antiadherente.

Ponga el pan en la mantequilla caliente y déjelo de 2 a 3 minutos de cada lado, a fuego medio-alto.

Acomode las torrejas sobre un platón de servicio, cubra con las manzanas salteadas y sírvalo con miel de maple.

1 PORCION   432 CALORIAS   56 g. CARBOHIDRATOS
7 g. PROTEINAS   20 g. GRASAS   1.3 g. FIBRAS

TECNICA: SALSA DE FRESAS

1 Ponga las fresas con licor de café y azúcar en una cacerola. Tápelas y cocínelas de 8 a 10 minutos a fuego medio.

2 Revuelva la fécula de maíz con agua y agréguela a la mezcla. Siga cociendo por 2 minutos.

Salsa de Fresas

tazas	**fresas, lavadas y sin cáliz**
c/das	**licor de café**
½ taza	**azúcar**
c/da	**fécula de maíz**
c/das	**agua fría**

Ponga las fresas, licor de café y azúcar en una cacerola. Tápelas y cocínelas de 8 a 10 minutos a fuego medio.

Revuelva la fécula de maíz con el agua y agréguela a la mezcla. Siga cociendo por 2 minutos.

Quite la cacerola del fuego y déjela aparte para que enfríe.

Utilícela como cobertura para pasteles y con otras recetas para postre.

Salsa de Chocolate

1 taza	azúcar glass
60 g.	(2 *oz.*) trocitos de chocolate con sabor a menta
3 c/das	crema espesa
1 c/da	mantequilla sin sal

Ponga el azúcar con el chocolate y la crema en la parte superior de un baño maría. Cocínelo hasta que la mezcla esté completamente derretida, revolviendo constantemente.

Saque la salsa y déjela enfriar 1 minuto.

Agréguele la mantequilla mientras bate, hasta que se incorpore completamente. Deje que la salsa enfríe un poco antes de usarla.

RECETA	1251 CALORIAS	214 g. CARBOHIDRATOS
2 g. PROTEINAS	43 g. GRASAS	0 g. FIBRAS

Pasta Básica para Tarta

3 tazas	harina de trigo
¼ c/dita	sal
124 g.	(4 *oz.*) manteca vegetal
90 g.	(3 *oz.*) mantequilla
5 c/das	agua muy fría

Ponga en un tazón grande el harina con la sal, manteca vegetal y mantequilla. Revuelva con un mezclador de pastelería hasta que tenga el aspecto de avena.

Agregue el agua y amase hasta que se incorpore bien. Si la pasta está muy espesa, agregue más agua.

Haga una bola con la masa, envuélvala en tela y refrigere 2 horas.

Antes de usarla, deje que se ponga a temperatura ambiente. Enharine la superficie de trabajo, divida la pasta en dos y déle forma a cada mitad con las manos.

Extienda la pasta y enharínela como lo necesite. Voltee la pasta para aplanarla por ambos lados.

Forre el molde y alise las orillas con el rodillo. Quite el sobrante con cuidado.

Hornee previamente o llénelo como se indique en la receta que esté siguiendo.

RECETA	2962 CALORIAS	251 g. CARBOHIDRATOS
35 g. PROTEINAS	202 g. GRASAS	0.9 g. FIBRAS

TECNICA: PASTA BASICA PARA TARTA

1 Ponga la harina, sal, manteca vegetal y mantequilla en un tazón grande.

2 Incorpore todo con el mezclador de pastelería hasta que tenga la textura de avena.

3 Agregue el agua y amase la pasta hasta que se incorpore bien.

4 Después de refrigerar 2 horas la pasta, déjela hasta que tenga temperatura ambiente antes de usarla. Córtela en dos y déle forma con las manos.

Continúa en la página siguiente.

5 Extienda la pasta y enharínela como lo necesite.

6 Voltee la pasta para extender el otro lado.

7 Forre el molde y alise las orillas con el palote.

8 Quite con cuidado la pasta sobrante.

Tarta de Manzana *(6 a 8 porciones)*

5 tazas	**manzanas para cocinar, peladas, sin corazón y en rebanadas**
2 c/das	**jugo de limón**
½ taza	**azúcar morena**
1 c/dita	**canela**
3 c/das	**harina**
¼ c/dita	**nuez moscada**
1 c/da	**cáscara de limón picada**
	pasta básica para tarta*
	huevo batido con leche

Caliente el horno previamente a 240 °C (*450 °F*).

Forre con la pasta un molde para tarta de 22 cm (*8 pulg.*) y déjelo aparte, con la pasta restante.

Ponga las manzanas en un tazón grande y rocíelas con jugo de limón; revuélvalas.

Agregue el azúcar morena, canela, harina y nuez moscada; revuelva bien.

Agregue la cáscara de limón y revuelva de nuevo.

Acomode las manzanas en la concha de la tarta y moje con agua las orillas de la pasta. Cubra con la capa de encima y selle las orillas.

Haga varios cortes en la parte superior de la pasta para que el vapor escape y barnícelo con la mezcla de huevo con leche. Si le agrada, espolvoree la parte superior con azúcar granulada. Ponga la tarta sobre una charola para galletas y hornéela 10 minutos.

Disminuya el calor a 190 °C (*375 °F*) y acabe de cocerla, horneando de 35 a 45 minutos.

Acompáñela con queso, helado o crema batida.

* Vea Pasta Básica para Tarta, página 486.

Tartaleta de Duraznos *(4 a 6 porciones)*

500 g.	(*1 lb.*) harina de trigo
¼ c/dita	sal
125 g.	(*¼ lb.*) mantequilla
125 g.	(*¼ lb.*) manteca vegetal
4 a 5 c/das	agua fría

Cierna la harina y la sal en un tazón grande para revolver.

Agregue la mantequilla y manteca vegetal; incorpórelas con un mezclador para pastelería. Siga cortando la grasa en la harina hasta que parezca avena.

Haga un hueco en el centro de la harina y agregue el agua. Amase hasta que la pasta esté suave.

Forme la pasta en una bola y cúbrala con un trapo limpio. Refrigere 1 hora.

Antes de usarla, la pasta debe estar nuevamente a temperatura ambiente.

1 PORCION	756 CALORIAS	89 g. CARBOHIDRATOS
10 g. PROTEINAS	40 g. GRASAS	0.3 g. FIBRAS

Relleno

1 lata	duraznos rebanados, escurridos (aparte el almíbar)
½ taza	jalea de ciruela
1	huevo batido

Caliente previamente el horno a 200 °C (*400 °F*).

Forre el molde para tarta con la pasta; perfore el fondo con un tenedor. Deje aparte de 20 a 30 minutos.

Ponga una hoja de papel encerado sobre la pasta. Agregue unas semillas secas y haga un horneado previo de 15 minutos.

Sáquelo del horno y deje que enfríe. Quite el papel encerado y las semillas.

Acomode las rebanadas de durazno en el fondo de la concha para tarta y deje aparte.

Ponga la jalea de ciruela en una cacerola pequeña. Agregue 3 c/das del jugo que apartó. Póngalo a hervir y cocínelo 2 minutos. Viértalo sobre los duraznos.

Barnice la concha de la tarta con el huevo batido. Hornee de 5 a 6 minutos.

Enfríe un poco antes de servirlo.

Salsa Rápida de Moras

taza	moras frescas, lavadas
c/das	azúcar
c/da	cáscara de limón picada
c/das	ron oscuro
c/dita	fécula de maíz
c/das	agua fría

Ponga las moras, azúcar, cáscara de limón y ron en una cacerola.

Tape y deje que hierva.

Cueza 15 minutos a fuego suave, revolviendo ocasionalmente.

Revuelva la fécula de maíz con agua; agréguela a la salsa y cocine 1 minuto más a fuego medio.

Enfríe la salsa y sírvala con helados, budines y pasteles.

1 PORCION	277 CALORIAS	66 g. CARBOHIDRATOS
1 g. PROTEINA	1 g. GRASAS	2.1 g. FIBRAS

Pasta Dulce para Tarta

½ tazas	harina de trigo
4 taza	azúcar granulada fina
taza	mantequilla natural, suave y en pedazos
4 c/dita	sal
	huevo
	yema de huevo
c/das	agua muy fría

Ponga en un tazón grande la harina, azúcar, mantequilla y sal.

Bata el huevo entero con la yema y agréguelo la harina. Incorpore los ingredientes con el mezclador de pastelería hasta que tenga textura de avena.

Agregue el agua y pellizque la pasta para integrarla.

Amase la pasta varias veces y forme una bola. Envuelva en un trapo y refrigérela 2 horas.

La pasta debe estar a temperatura ambiente antes de usarla.

Vea la técnica en la página siguiente.

PORCION	2785 CALORIAS	185 g. CARBOHIDRATOS
1 g. PROTEINAS	209 g. GRASAS	0.5 g. FIBRAS

TECNICA: PASTA DULCE PARA TARTA

1 Ponga en un tazón grande la harina, azúcar, mantequilla y sal.

2 Mezcle los huevos batidos con la harina.

3 Incorpore los ingredientes con el mezclador de pastelería hasta que tenga textura de avena.

4 Agregue el agua y pellizque la pasta para integrarla.

Tartaleta de Moras Fantasía *(4 a 6 porciones)*

2½ tazas	moras frescas lavadas
¼ taza	ron blanco
3 c/das	azúcar
1 c/dita	fécula de maíz
2 c/das	agua fría
1	receta salsa de chocolate
2 tazas	crema batida
	pasta de hojaldre
	huevo batido con leche

Caliente el horno previamente a 220 °C (*425 °F*).

Extienda la masa en una superficie enharinada. Utilice un cortador de pastelería para cortar una tira de la pasta de 30 cm. (*12 pulg.*) de largo y 10 cm. (*4 pulg.*) de ancho. Póngala en una charola de hornear galletas.

Corte otras dos tiras del mismo largo pero con sólo 2.5 cm. (*1 pulg.*) de ancho.

Unte un poco de agua en la pasta ancha que acomodó en la charola de galletas y fije las tiras angostas a los lados. Corte otras dos tiras pequeñas para los extremos y fíjelas. Presione todas las tiras con los dedos.

Unte la pasta con el huevo revuelto con leche y pique el fondo con un tenedor. Hornéelo de 16 a 18 minutos.

Cuando esté cocido, deje aparte para que se enfríe.

Mientras tanto, deje macerar las moras en el ron con azúcar durante 10 minutos. Pase las moras y el líquido a una cacerola y cocínelas de 5 a 6 minutos a fuego medio, revolviendo ocasionalmente. Revuelva la fécula de maíz con el agua y agréguela a las moras. Cocine 1 minuto y deje aparte para que enfríe.

Extienda una capa de salsa de chocolate en el fondo de la concha de pasta hojaldrada; siga con una capa de crema batida. Ponga las moras.

Agregue más crema batida, adorne con el resto del chocolate. Rebane y sirva.

Vea la técnica en la página siguiente.

1 PORCION	496 CALORIAS	66 g. CARBOHIDRATOS
4 g. PROTEINAS	24 g. GRASAS	0.9 g. FIBRAS

TECNICA: TARTALETA DE MORAS FANTASIA

1 Extienda una capa de salsa de chocolate en el fondo de la concha hojaldrada.

2 Agregue una capa de crema batida.

3 Agregue las moras.

4 Cubra con más crema batida y adorne con el resto de la salsa de chocolate.

Tartaletas Individuales de Fresas *(4 a 6 porciones)*

2 tazas	harina de trigo
½ taza	manteca vegetal
¼ taza	mantequilla suave
1	huevo
4 c/das	agua fría
1	receta de salsa de chocolate*
	crema batida
	fresas maduras, sin cáliz y cortadas en dos
	pizca de sal

Caliente previamente el horno a 200 °C *(400 °F)*.

Cierna juntas en un tazón la harina y la sal. Agregue la manteca vegetal y la mantequilla. Incorpórelas usando un mezclador de pastelería hasta que la pasta parezca avena.

Con un tenedor, bata en un tazón el huevo y el agua.

Haga un hueco en el centro de la mezcla de harina y viértale el líquido. Mezcle bien hasta que se incorporen completamente. Tape con un trapo y refrigere 1 hora.

Extienda la pasta en una superficie enharinada y forre los moldes individuales. Pique la pasta con un tenedor y déjela reposar 20 minutos.

Cocine las conchas 15 minutos en el horno.

Una vez que estén frías, ponga en el fondo aproximadamente 1 c/da de salsa de chocolate. Agregue crema batida y ponga encima las fresas.

Sírvalas.

* Vea Bocadillos de Fresas con Chocolate, página 547.

Vea la técnica en la página siguiente.

1 PORCION	792 CALORIAS	66 g. CARBOHIDRATOS
6 g. PROTEINAS	56 g. GRASAS	0.4. g. FIBRAS

1 Después de hornear las tartaletas, cuando estén frías, ponga aproximadamente 1 c/da de salsa de chocolate en el fondo.

2 Agregue un poco de crema batida y ponga encima las fresas.

Budín de Cerezas   *(4 porciones)*

1½ tazas	leche
⅔ taza	galletas graham molidas
1 taza	cerezas deshuesadas
¼ taza	azúcar
1 c/da	vainilla
1 c/dita	ron blanco
2 c/das	cáscara de limón picada
3	huevos medianos, batidos

Caliente el horno previamente a 180 °C (*350 °F*) y enharine un molde para tarta de 20 cm. (*8 pulg.*); déjelo aparte.

Caliente la leche y vacíela en un tazón. Agréguele las galletas molidas y deje enfriar 15 minutos.

Mezcle las cerezas, azúcar, vainilla, ron y cáscara de limón con los huevos batidos. Cerciórese de que estén bien incorporados.

Agregue la mezcla de cerezas a la leche fría, revolviendo bien.

Vierta la mezcla en el molde para tarta y hornéelo de 40 a 50 minutos.

Sirva el budín caliente, con helado.

1 PORCION	339 CALORIAS	49 g. CARBOHIDRATOS
11 g. PROTEINAS	11 g. GRASAS	0.7 g. FIBRAS

Tartaletas Individuales de Cerezas *(4 porciones)*

500 g.	(*1 lb.*) cerezas frescas, deshuesadas
3 c/das	azúcar
3 c/das	agua
¼ c/dita	jugo de limón
1 c/dita	licor de café
½ c/dita	fécula de maíz
2 c/das	agua fría
4	tartaletas individuales horneadas
	crema batida, opcional

Ponga a hervir en una cacerola las cerezas, azúcar, 3 c/das de agua, jugo de limón y el licor de café.

Revuelva bien y cocine 2 minutos a fuego suave.

Revuelva la fécula de maíz con agua; agréguela a las cerezas. Cocine 1 minuto más y deje aparte para que enfríen.

Llene las conchas de las tartaletas con la mezcla de cerezas y adórnelas con crema batida. Sírvalas.

1 PORCION   500 CALORIAS   56 g. CARBOHIDRATOS
6 g. PROTEINAS   28 g. GRASAS   0.5 g. FIBRAS

Tartaletas Individuales de Moras *(4 porciones)*

4	tartaletas individuales horneadas
1 taza	moras, lavadas
2 c/das	azúcar
1 c/dita	cáscara de limón picada
1 c/dita	fécula de maíz
4 c/das	agua
	crema pastelera de su agrado
	crema batida para adorno

Ponga las tartaletas individuales en un plato de servicio y déjelas aparte.

Cocine las moras con el azúcar, cáscara de limón y 2 c/das de agua en una cacerola. Revuelva bien los ingredientes y tápela. Déjela de 5 a 6 minutos a fuego medio, revolviendo ocasionalmente.

Revuelva la fécula de maíz con 2 c/das de agua y agréguela a las moras. Cocine 1 ó 2 minutos más.

Saque la cacerola del fuego y deje que se enfríe.

Ponga un poco de crema pastelera en el fondo de la tartaleta. Agregue las moras y adorne con crema batida.

Sírvalas.

1 PORCION	491 CALORIAS	47 g. CARBOHIDRATOS
6 g. PROTEINAS	31 g. GRASAS	0.5 g. FIBRAS

Tartaletas Individuales de Durazno *(4 porciones)*

4	**tartaletas individuales horneadas**
3	**duraznos maduros, pelados y rebanados**
3 c/das	**jalea o mermelada**
1 c/da	**agua**
	crema pastelera de su agrado

Acomode las tartaletas en un plato de servicio y llénelas con crema pastelera.

Acomode vistosamente las rebanadas de durazno sobre la crema.

Ponga la jalea y el agua en una cacerola pequeña y deje que empiece a hervir. Cocine 1 minuto y revuelva bien.

Cuando la mezcla haya enfriado, unte los duraznos con ella.

Refrigere las tartaletas 30 minutos antes de servirlas.

Flan de Licor de Café *(4 porciones)*

½ taza	azúcar
2 c/das	agua
4	huevos grandes
1	yema grande
2 tazas	leche
3 c/das	licor de café
⅓ taza	azúcar
1 c/dita	vainilla

Caliente previamente el horno a 180 °C (*350 °F*).

Ponga ½ taza de azúcar y el agua en una cacerola pequeña; cocínela a fuego medio. No la revuelva y deje que la mezcla burbujee.

Cuando el azúcar se haga caramelo (se pone dorada oscura) y antes de que se queme, quite la cacerola del fuego. Meta inmediatamente la cacerola en un tazón con agua fría.

Ponga de nuevo la cacerola en la estufa y agréguele ½ taza de agua; cocine hasta que se disuelva, revolviendo continuamente.

Vierta rápidamente el caramelo en moldecitos de flan; debe cubrir el fondo y parte de los lados.

Deje los moldecitos aparte.

Rompa los huevos y póngalos en un tazón grande junto con la yema; déjelos aparte.

Ponga en una cacerola la leche con el licor de café, azúcar y vainilla. Deje que empiece a hervir y revuelva ocasionalmente.

Vacíe el líquido sobre los huevos e incorpórelo muy bien. Vierta la mezcla en los moldecitos de flan, póngalos en una charola para asar que tenga aproximadamente 2.5 cm. (*1 pulg.*) de agua caliente y hornéelos de 50 a 60 minutos.

Cuando el flan esté cocido, sáquelo del horno y deje que se enfríe. Para servirlo, deslice un cuchillo alrededor del interior del moldecito; tape el plato del flan con un platito y desmolde el flan volteándolo hacia abajo.

1 PORCION	335 CALORIAS	49 g. CARBOHIDRATOS
10 g. PROTEINAS	11 g. GRASAS	0 g. FIBRAS

TECNICA: FLAN DE LICOR DE CAFE

1 Ponga el azúcar y el agua en una cacerola pequeña. Cocine a fuego medio y deje que la mezcla burbujee. No la revuelva.

2 Cuando el azúcar se haga caramelo, meta la cacerola en un tazón con agua fría.

3 Ponga nuevamente la cacerola al fuego y agréguele ½ taza de agua.

4 Cocine hasta que se disuelva y revuelva continuamente.

Continúa en la página siguiente.

501

5 Vierta el caramelo en los platos para flan.

6 Rompa los huevos y póngalos en un tazón.

7 Vierta la mezcla de leche caliente sobre los huevos e incorpórela muy bien.

8 Llene los platos de flan y póngalos en una charola con agua.

Salsa de Cáscara de Naranja para Flan de Caramelo

2 c/das	azúcar
2 c/das	ron blanco
½ taza	jugo de naranja
½ c/dita	fécula de maíz
2 c/das	agua fría
	cáscara rallada de 1½ naranjas
	cáscara rallada de ½ limón

Ponga en una cacerola el azúcar con el ron, jugo de naranja y las cáscaras de naranja y limón. Tape y déjelas a fuego medio por 4 ó 5 minutos.

Revuelva la fécula de maíz con agua; incorpórela a la salsa. Siga cocinando 1 ó 2 minutos y mezcle muy bien.

Vierta la salsa sobre los flanes de caramelo y sirva.

Crema de Almendras Tostadas

1 taza	azúcar glass
½ taza	almendras en tiritas
1	receta crema pastelera al ron

Ponga el azúcar y las almendras en una cacerola. Cocine la mezcla a fuego medio para que dore, revolviendo frecuentemente.

Cuando dore, transfiera la mezcla a un molde para asar o a una charola de hornear galletas untados de aceite. Deje aparte hasta que se enfríe.

Ponga las almendras en el procesador de alimentos y muélalas hasta que queden tersas.

Incorpórelas ahora a la crema pastelera al ron.

Como variante de esta receta, no las muela y sírvalas sobre helado o como bocadito dulce.

RECETA	2395 CALORIAS	381 g. CARBOHIDRATOS
40 g. PROTEINAS	79 g. GRASAS	1.0 g. FIBRAS

Crema Pastelera al Ron

6	yemas
⅔ taza	azúcar
1 c/dita	extracto puro de vainilla
2 c/das	ron blanco
½ taza	harina de trigo
2 tazas	leche
1 c/da	mantequilla

Ponga las yemas y el azúcar en un tazón grande. Revuelva con batidora manual eléctrica hasta que espesen. Agregue la vainilla y el ron y revuelva hasta que se incorporen. Agregue la harina y mezcle de nuevo hasta que se incorporen. Vierta la leche en una cacerola grande y gruesa. Deje que empiece a hervir.

Quite la cacerola de la estufa y vacíe la mitad de la leche en el tazón que contiene la mezcla de huevo. Utilice de nuevo la batidora eléctrica y revuelva hasta que se combinen. Ponga la cacerola al fuego y deje que la leche restante empiece a hervir. Agregue muy lentamente la mezcla del tazón a la leche caliente mientras bate sin cesar.

Siga cocinando y batiendo la crema hasta que esté muy espesa, sin dejar que el hervor sea completo.

Cuando la salsa esté muy espesa, sáquela del fuego. Pásela inmediatamente a un tazón limpio. Agregue la mantequilla y bata hasta que se disuelva completamente. Deje la crema aparte para que se enfríe y luego cúbrala con un papel encerado. Asegúrese de que el papel toca la superficie. Refrigere la crema hasta que la utilice.

RECETA	1476 CALORIAS	200 g. CARBOHIDRATOS
34 g. PROTEINAS	60 g. GRASAS	0.2 g. FIBRAS

TECNICA: CREMA PASTELERA AL RON

1 Ponga las yemas y el azúcar en un tazón grande.

2 Revuélvalas con una batidora eléctrica manual hasta que espesen. Agregue la vainilla y el ron y revuelva de nuevo.

3 Agregue la harina y revuelva otra vez hasta que se incorpore bien.

4 Vierta la mitad de la leche caliente en el tazón. Utilice de nuevo la batidora eléctrica y revuelva hasta que se combinen bien.

Zarzamoras con Crema *(4 porciones)*

1 taza	crema espesa
1 c/dita	vainilla
1 c/das	azúcar glass
2 tazas	zarzamoras, lavadas y escurridas
3 c/das	azúcar morena
2 c/das	ron blanco
	fresas para adorno

Bata juntas la crema y la vainilla hasta que estén firmes.

Incorpórele el azúcar glass y bata 30 segundos. Deje en el refrigerador.

Ponga las zarzamoras con el azúcar y el ron en una dulcera atractiva y revuélvalas. Déjelas reposar 7 u 8 minutos.

Agregue la crema batida a las zarzamoras, incorporándola con mucha suavidad. Sirva en platitos individuales y adorne con fresas.

1 PORCION	345 CALORIAS	28 g. CARBOHIDRATOS
2 g. PROTEINAS	23 g. GRASAS	1.1 g. FIBRAS

Natilla de Crema

4	yemas grandes
½ taza	azúcar
1¼ tazas	leche caliente
1 c/dita	ron oscuro
¼ c/dita	canela
2 c/das	crema espesa

Bata las yemas con el azúcar hasta que estén cremosas.

Incorpóreles la mitad de la leche caliente, batiendo sin cesar.

Ponga el resto de la leche en una cacerola. Agregue la mezcla de huevo, canela y ron. Cocine a fuego medio mientras la bate constantemente hasta que espese.

Ponga la crema espesa en un tazón e incorpórele la natilla cocinada mientras bate sin cesar. La crema debe estar bastante espesa para cubrir la cuchara.

Deje enfriar y luego cubra con papel encerado. Refrigere hasta que la use.

RECETA	978 CALORIAS	128 g. CARBOHIDRATOS
22 g. PROTEINAS	42 g. GRASAS	0 g. FIBRAS

TECNICA: NATILLA DE CREMA

1 Bata las yemas y el azúcar hasta que estén cremosas.

2 Incorpóreles la mitad de la leche caliente batiendo sin cesar.

3 Vacíe la mezcla con la canela y ron en la cacerola que contiene el resto de la leche caliente. Cocine a fuego medio mientras bate sin cesar hasta que espese.

4 Ponga la crema espesa en un tazón e incorpórele la natilla cocinada. Debe estar bastante espesa para cubrir la cuchara. Asegúrese de batir constantemente mientras la incorpora.

Choux Cubiertos de Caramelo *(4 a 6 porciones)*

½ taza	azúcar
2 c/das	agua
1	receta de pasta para choux de crema*
1	receta de crema pastelera al ron**
1 taza	crema espesa, batida

Ponga el azúcar y el agua en una cacerola pequeña; cocine a fuego medio. No revuelva y deje que la mezcla se mantenga hirviendo.

Cuando el azúcar caramelice (se pone dorada oscura) y antes de que se queme, saque la cacerola del fuego e inmediatamente sumerja la cacerola en un tazón lleno con agua fría.

Ponga de nuevo la cacerola en la estufa y viértale ½ taza de agua; cocine hasta que se disuelva, revolviendo constantemente.

Meta la parte superior de los choux en el caramelo y déjelos aparte en una charola.

Revuelva la mitad de la crema pastelera con la crema batida. Guarde el resto de la crema pastelera para otros usos.

Ponga la mezcla de cremas en una duya de pastelería con punta de estrella. Presione la punta en el fondo de los choux y rellénelos. Sírvalos.

* Vea Choux de Crema de Queso, página 509.
** Vea Crema Pastelera al Ron, página 504.

1 PORCION	654 CALORIAS	65 g. CARBOHIDRATOS
13 g. PROTEINAS	38 g. GRASAS	0.1 g. FIBRAS

Choux de Crema de Queso *(4 porciones)*

1 taza	agua
4 c/das	mantequilla natural, en pedacitos
¼ c/dita	sal
1 taza	harina de trigo
4	huevos grandes

Caliente previamente el horno a 190 °C (*375 °F*). Unte de mantequilla y enharine ligeramente dos charolas de hornear galletas.

Ponga el agua, mantequilla y sal en una cacerola; deje que empiece a hervir. Cuando la mantequilla se derrita completamente, quite la cacerola del fuego. Agregue toda la harina y revuelva rápidamente con una cuchara de madera.

Ponga de nuevo la cacerola a fuego suave. Seque la pasta de 5 a 6 minutos, revolviendo constantemente con la cuchara de madera. (Al pellizcar la pasta, no se debe adherir a los dedos).

Cambie la pasta a un tazón y deje que se enfríe 6 ó 7 minutos. Agregue los huevos de uno en uno, mezclando bien entre uno y otro. La pasta *tiene que recuperar* su textura original antes de agregar el siguiente huevo.

Vacíe la pasta a una duya pastelera con punta redonda. Ponga pedacitos del tamaño de una nuez en las hojas enharinadas. Barnice la parte superior con huevo batido. Alise suavemente con un tenedor las puntas y déjelos reposar 20 minutos.

Hornéelos 35 minutos. Apague el fuego y entreabra la puerta del horno. Déjelos secarse 1 hora antes de usarlos.

1 PORCION	670 CALORIAS	29 g. CARBOHIDRATOS
17 g. PROTEINAS	54 g. GRASAS	0.1 g. FIBRAS

Relleno para Choux de Crema de Queso

375 g.	(¾ *lb.*) queso de cabra
2 c/das	crema ácida
1 c/da	miel
	varias gotas salsa Worcestershire
	varias gotas salsa Tabasco

Ponga los ingredientes en una licuadora o batidora y mézclelos bien.

Tome una duya de pastelería con punta de estrella, llénela con la mezcla y rellene los choux.

Si le agrada, úntelos con miel de abeja derretida antes de servirlos.

1 PORCION	670 CALORIAS	29 g. CARBOHIDRATOS
17 g. PROTEINAS	54 g. GRASAS	0.1 g. FIBRAS

Choux de Crema al Licor de Café *(4 a 6 porciones)*

1½ tazas	crema espesa, fría
1 c/dita	vainilla
2 c/das	licor de café
¼ taza	azúcar glass
1	receta de pasta para choux de crema*
1 c/da	cocoa dulce mezclada con
	un poco de azúcar glass

Ponga la crema en un tazón para mezclar; agregue la vainilla y el licor de café. Bata la crema con batidora manual eléctrica hasta que forme picos.

Agréguele el azúcar glass y bata 30 segundos más.

Ponga la crema en una duya de pastelería con punta de estrella y llene los choux.

Espolvoree la mezcla de cocoa sobre los choux y sírvalos.

* Vea Choux de Crema de Queso, página 509.

1 PORCION   443 CALORIAS   24 g. CARBOHIDRATOS
8 g. PROTEINAS   35 g. GRASAS   0.1 g. FIBRAS

Choux de Moka *(4 porciones)*

	yemas de huevo	
⅔ **taza**	**azúcar**	
c/dita	**vainilla**	
c/das	**licor de café**	
½ **taza**	**harina de trigo**	
tazas	**leche**	
c/da	**mantequilla**	
	receta salsa de chocolate*	
½ **taza**	**azúcar**	
c/das	**agua**	
	choux de crema	

Revuelva las yemas y ⅔ taza azúcar con la batidora eléctrica manual. Cuando espese, agregue la vainilla y el licor de café y mezcle de nuevo.
Agregue la harina y bata hasta que se incorpore bien. Vierta la leche en una cacerola grande y peseda. Cuando empiece a hervir, quítela de la estufa y vacíe la mitad en el tazón que contiene la mezcla de huevo. Bata hasta que se combinen.
Ponga de nuevo la cacerola en la estufa y deje

que el resto de la leche empiece a hervir.
Agregue muy despacio la mezcla de huevo mientras bate constantemente. Cocínelo y bata hasta que la crema esté muy espesa, sin dejar que hierva.
Saque del fuego y vacíelo a un tazón limpio. Bata mientras incorpora la mantequilla, hasta que se disuelva completamente y deje enfriar.
Incorpore la salsa de chocolate y deje la crema aparte.
Ponga ½ taza de azúcar y el agua en una cacerola y cocine a fuego medio sin revolver; mantenga la mezcla burbujeante.
Cuando el azúcar se ponga dorada oscura, antes de que se queme, meta la cacerola en un tazón lleno de agua fría. Saque la cacerola y deje aparte.
Ponga la crema de moka en una duya con punta de estrella. Rellene los choux por abajo y acomódelos en los platos.
Ponga de nuevo la cacerola con el caramelo encima de la estufa. Vacíele ½ taza de agua y cocínela hasta que se disuelva, revolviendo sin cesar. Vierta el caramelo en un hilo delgado sobre los choux de moka y sírvalos.

* Vea Bocadillos de Fresas con Chocolate, página 547.

Pastelillos de moras *(4 porciones)*

2 tazas	moras, lavadas
3 c/das	ron oscuro
5 c/das	azúcar
1½ tazas	crema batida
	pasta hojaldrada
	huevo bien batido con leche

Caliente el horno previamente a 220 °C (*420 °F*).

Extienda la pasta en una superficie enharinada y corte 8 pequeños círculos; acomódelos en una charola de hornear galletas. Unte con el huevo batido con leche y píquelos con un tenedor. Hornéelos alrededor de 15 minutos.

Quite los círculos de pasta hojaldrada y déjelos aparte para que enfríen.

Mientras tanto, ponga las moras en un tazón con el ron y 2 cucharadas de azúcar; déjelos macerar de 15 a 20 minutos.

Escurra las moras y guarde el líquido.

Pase las moras a otro tazón y agrégueles la crema batida.

Para preparar los pastelillos, ponga un círculo hojaldrado en el plato de servicio; agregue la mezcla de moras y cubra con otro círculo hojaldrado.

Caliente el líquido en una cacerola junto con el resto del azúcar. Cocínelo hasta que tenga color de caramelo claro. Vierta el jarabe sobre los pastelillos y sírvalos.

1 PORCION	386 CALORIAS	37 g. CARBOHIDRATOS
6 g. PROTEINAS	18 g. GRASAS	1.2 g. FIBRAS

Peras al Chocolate *(4 porciones)*

4	peras peladas
2 c/das	jugo de limón
60 g.	(2 *oz.*) chocolate semi-dulce
1 taza	azúcar glass
2 c/das	crema espesa
1 c/da	ron blanco
	almendras rebanadas

Quite el corazón de las peras y póngalas en un plato; rocíelas con jugo de limón y refrigérelas hasta que las vaya a servir.

Ponga a baño maría el chocolate con el azúcar, crema y ron. Caliente a fuego medio-suave para que se derrita, mientras revuelve constantemente.

Cuando la salsa espese, sáquela y deje que enfríe.

Sirva el chocolate sobre las peras y, si le agrada, ponga encima las almendras rebanadas.

Refrigere hasta que cuaje el chocolate y sírvalas.

Vea la técnica en la página siguiente.

1 PORCION 431 CALORIAS 90 g. CARBOHIDRATOS
2 g. PROTEINAS 7 g. GRASAS 1.2 g. FIBRAS

TECNICA: PERAS AL CHOCOLATE

1 Quítele el corazón a las peras y póngalas en un plato.

2 Rocíelas con jugo de limón y refrigérelas hasta que las use.

3 Ponga a baño maría el chocolate, azúcar, crema y ron y caliéntelo a fuego medio-bajo para que se derrita mientras revuelve constantemente.

4 Vierta el chocolate espesado sobre las peras y refrigere.

Islas Flotantes *(4 a 6 porciones)*

4	yemas
¾ taza	azúcar
1 taza	leche caliente
1 c/dita	vainilla
2 c/das	licor de café
4	claras

Ponga las yemas en un tazón; agrégueles ¼ taza de azúcar y revuélvalas con una batidora eléctrica manual. Agrégueles la leche, la vainilla y el licor de café. Revuelva bien.

Ponga el tazón sobre una cacerola con agua caliente. Cocine la natilla revolviéndola sin cesar hasta que espese lo suficiente para cubrir la parte de atrás de una cuchara.

Saque el tazón y deje que se enfríe. Ponga las claras en un tazón de acero inoxidable; bátalas con batidora eléctrica manual hasta que estén a punto de turrón.

Agrégueles ¼ taza de azúcar; bátalas 30 segundos. Agregue el resto del azúcar con una espátula.

Llene una olla grande con agua y caliéntela hasta que hierva. Utilice una cuchara de servir helado para poner pequeñas cantidades de las claras batidas en el agua hirviendo. Déjelas que se cuezan de 1 a 1½ minutos de cada lado. Sáquelas con una cuchara perforada y escúrralas en toallas de papel. Cuando vaya a servirlas, vierta la natilla en platos pequeños y ponga encima las claras cocidas. Si le agrada, adorne con caramelo.

Vea la técnica en la página siguiente.

1 PORCION	186 CALORIAS	28 g. CARBOHIDRATOS
5 g. PROTEINAS	6 g. GRASAS	0 g. FIBRAS

TECNICA: ISLAS FLOTANTES

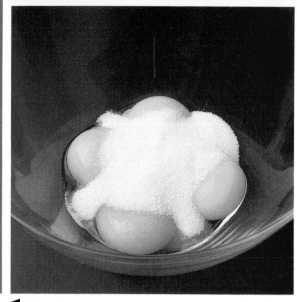

1 Ponga las yemas en un tazón. Agregue ¼ taza de azúcar.

2 Revuelva 2 minutos con batidora eléctrica manual.

3 Mientras bate bien, agregue la leche, vainilla y licor de café. Cocine la natilla.

4 Bata las claras con batidora eléctrica manual hasta que estén a punto de turrón. Agregue el azúcar.

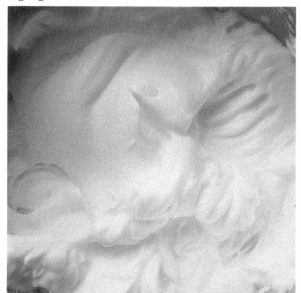

5 Utilice una cuchara de servir helado para poner pequeñas cantidades de las claras batidas en agua hirviendo a fuego suave. Déjelas de 1 a 1½ minutos por lado.

6 Utilice una cuchara perforada para sacarlas y escúrralas en toallas de papel.

Merengues

6	claras de huevo a temperatura ambiente
1 taza	azúcar glass
½ c/dita	licor de café
	pizca de sal
	crema batida

Caliente el horno previamente a 80 ° C (*175 °F*).

Unte con mantequilla y enharine charolas para hornear galletas y déjelas aparte. Bata las claras de huevo hasta que espumen. Agregue el licor de café y siga batiendo hasta que estén a punto de turrón.

Incorpore lentamente ¾ taza de azúcar y la sal. Bata a alta velocidad durante 1½ minutos. Agregue el resto del azúcar y bata 3 segundos más.

Pase la pasta para el merengue a una duya para pastelería con punta sencilla y haga varias formas y tamaños de merengues sobre las charolas.

Hornéelos 3 horas.

Abra la puerta y déjela entreabierta; antes de sacar los merengues, déjelos en el horno de 5 a 10 minutos.

Cuando se hayan enfriado, ponga crema batida en una duya para pastelería con punta sencilla.

Suma el fondo de un merengue y rellene el hueco con crema batida. Tome otro merengue y únalo al anterior. Si no se unen, ponga más crema batida.

Como toque especial, póngales chocolate encima.

1 RECETA   1348 CALORIAS   205 g. CARBOHIDRATOS
24 g. PROTEINAS   48 g. GRASAS   0 g. FIBRAS

Pastel de Ruibarbo *(6 porciones)*

1½ tazas	harina de trigo
1½ c/das	polvo de hornear
½ c/dita	bicarbonato
1 c/da	canela
1 taza	aceite vegetal
1½ tazas	azúcar
3	huevos extra grandes
1 taza	ruibarbo cocido a fuego suave
½ taza	nueces picadas
	pizca de sal

Caliente el horno previamente a 180 °C (*350 °F*).

Unte con mantequilla y enharine un molde con resorte que mida 20 cm. (*8 pulg.*) de diámetro y déjelo aparte.

Cierna a un tazón grande la harina con el polvo de hornear, bicarbonato, canela y sal. Deje aparte.

Ponga el aceite en otro tazón grande. Agréguele el azúcar y acreme con batidora eléctrica.

Agregue los huevos de uno en uno, revolviendo 1 minuto entre uno y otro.

Incorpore con una espátula la harina y mézclela con el aceite.

Agregue el ruibarbo y las nueces, mezclándolo bien.

Vacíe la pasta al molde y hornee 1½ horas en la rejilla central del horno.

Cuando esté cocido*, sáquelo del horno y deje que se enfríe. Cuando lo saque del molde, puede glasearlo.

* El modo más fácil de cerciorarse de que un pastel esté cocido, es insertar un palillo en el centro. Si al sacarlo sale seco, el pastel estará cocido.

1 PORCION	764 CALORIAS	74 g. CARBOHIDRATOS
9 g. PROTEINAS	48 g. GRASAS	0.6 g. FIBRAS

Panqué de Plátano *(6 a 8 porciones)*

¾ taza	azúcar morena
¼ taza	azúcar granulada
½ taza	mantequilla suave
4	plátanos pequeños, molidos
¼ taza	crema espesa
1 c/dita	vainilla
2	huevos extra grandes
2 tazas	harina de trigo
1 c/dita	bicarbonato
½ c/dita	canela
½ c/dita	sal
½ taza	nueces picadas
½ taza	pasas

Caliente previamente el horno a (180 °C (*350 °F*).

Engrase un molde para panqué de 23 x 13 cm. (*9 x 5 pulg.*) y deje aparte.

Ponga el azúcar morena y la granulada en un tazón grande; revuélvalas.

Agrégueles la mantequilla y revuelva hasta que se combinen bien.

Agregue los plátanos, crema y vainilla, revolviendo con una espátula.

Agregue los huevos de uno en uno batiendo bien entre uno y otro.

Cierna la harina, bicarbonato, canela y sal en otro tazón. Incorpórelos a la mezcla de huevo usando una batidora.

Mezcle suavemente las nueces y pasas. Vacíe la pasta al molde de panqué y hornee de 65 a 70 minutos o hasta que al insertar un palillo de madera en el centro del panqué, el palillo salga limpio.

Deje enfriar antes de servirlo.

1 PORCION   486 CALORIAS   65 g. CARBOHIDRATOS
7 g. PROTEINAS   22 g. GRASAS   0.6 g. FIBRAS

TECNICA: PANQUE DE PLATANO

1 Ponga el azúcar morena y la granulada en un tazón grande y revuélvalas.

2 Agregue la mantequilla.

3 Acrémelas.

4 Agregue los plátanos, crema y vainilla y revuelva con una espátula.

Continúa en la página siguiente.

5 Agregue los huevos de uno en uno, batiendo bien entre uno y otro.

6 Cierna la harina, bicarbonato, canela y sal en otro tazón.

7 Incorpórelos a la mezcla de huevo usando una batidora.

8 Mezcle suavemente las nueces y pasas.

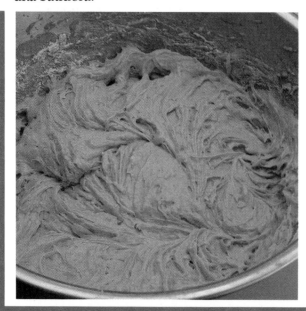

Pastel de Zanahoria y Coco *(6 a 8 porciones)*

1¼ tazas	aceite vegetal
2 tazas	azúcar granulada
4	huevos extra grandes
2¼ tazas	harina de trigo
2 c/dita	polvo de hornear
1 c/dita	canela
¼ c/dita	nuez moscada
1 c/dita	bicarbonato
1 c/dita	sal
3 c/das	ron blanco
½ taza	coco rallado
2 tazas	zanahoria rallada

Caliente el horno previamente a 180 °C (*350 °F*).

Engrase y enharine un molde con resorte, que mida 25 cm. (*10 pulg.*) de diámetro y déjelo aparte.

Ponga el aceite y azúcar en un tazón y mézclelos bien.

Agregue dos huevos, batiendo bien entre uno y otro.

Cierna todos los ingredientes secos juntos. Incorpore la mitad a la mezcla húmeda.

Agregue los otros dos huevos, batiendo bien entre uno y otro.

Incorpore el resto de los ingredientes secos hasta que se mezclen bien. Agregue el ron y el coco.

Mézclele las zanahorias y vacíe la pasta al molde. Hornee de 60 a 70 minutos o hasta que al insertar un palillo de madera en el centro del pastel, el palillo salga seco.

Deje que enfríe antes de servirlo. Si le agrada, cubra con un glaseado.

Vea la técnica en la página siguiente.

1 PORCION   725 CALORIAS   80 g. CARBOHIDRATOS
9 g. PROTEINAS   41 g. GRASAS   0.6 g. FIBRAS

TECNICA: PASTEL DE ZANAHORIA Y COCO

1 Ponga el aceite y el azúcar en un tazón.

2 Revuélvalos bien.

3 Agregue dos huevos, batiendo bien entre uno y otro.

4 Cierna juntos todos los ingredientes secos.

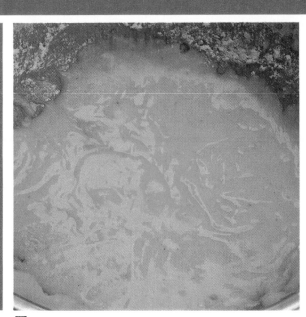

5 Incorpore la mitad a la mezcla húmeda.

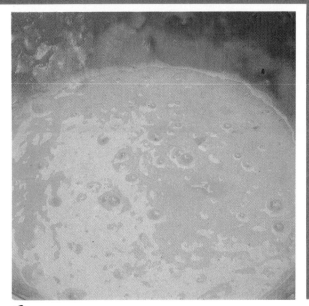

6 Agregue los otros dos huevos, batiendo bien entre uno y otro.

7 Incorpore los ingredientes secos restantes hasta que se mezclen bien. Agregue el ron y el coco.

8 Incorpore las zanahorias.

Pastel de Manzana *(6 a 8 porciones)*

1 taza	aceite vegetal
1 taza	azúcar morena
1 taza	azúcar granulada
3	huevos extra grandes
2½ tazas	harina de trigo
1 c/ditas	polvo de hornear
1 c/dita	bicarbonato
1 c/dita	sal
1 c/dita	canela
3 c/das	licor de café
3½ tazas	manzanas para cocinar, picadas
½ taza	nueces picadas

Caliente el horno previamente a 160 °C (*325 °F*).

Engrase y enharine un molde con resorte que mida 25 cm. (*10 pulg.*) de ancho y déjelo aparte.

Ponga en un tazón el azúcar morena y la granulada y mézclelas con batidora eléctrica manual por 2 ó 3 segundos.

Agregue los huevos de uno en uno, batiendo bien entre uno y otro.

Cierna en otro tazón la harina con el polvo de hornear, bicarbonato, sal y canela. Incorpórelos a la mezcla de huevo hasta que se mezclen bien.

Agregue el licor de café, manzanas y nueces e incorpórelos con una espátula. Vacíe la pasta al molde y hornéela 1½ horas o hasta que al insertar un palillo en el centro del pastel, el palillo salga limpio.

1 PORCION	721 CALORIAS	89 g. CARBOHIDRATOS
8 g. PROTEINAS	37 g. GRASAS	1.2 g. FIBRAS

Ensalada de Frutas Exótica *(4 a 6 porciones)*

2	manzanas verdes, rebanadas
1	naranja pelada, rebanada
2	duraznos pelados y en rebanadas
½ taza	uvas verdes sin semilla
4	ciruelas rebanadas
1	mango, pelado y rebanado
¼	melón valenciano, en tajadas chicas*
¼	melón cantalupo, en tajadas chicas*
3 c/das	azúcar
¼ taza	ron blanco

Ponga la fruta en una fuente grande. Espárzale el azúcar y el ron; revuelva bien.

Deje macerar 30 minutos antes de servirla.

* Si no consigue estos melones exóticos, utilice los que pueda encontrar.

Ensalada de Frutas con Yogurt *(4 porciones)*

2	plátanos pelados y rebanados
2	manzanas, rebanadas con cáscara
3	naranjas peladas y en gajos sin hollejo
1	toronja pelada y en gajos sin hollejo
¼ taza	nueces picadas
3 c/das	miel
4 c/das	yogurt natural

Ponga la fruta en una fuente de servicio y revuélvala.

Agregue las nueces y la miel y revuelva de nuevo. Deje macerar 10 minutos.

Antes de servirla, póngale yogurt encima.

1 PORCION	278 CALORIAS	53 g. CARBOHIDRATOS
3 g. PROTEINAS	6 g. GRASAS	2.0 g. FIBRAS

Ensalada de Frutas Elegante *(4 porciones)*

1	mango pelado y en rebanadas delgadas
2 tazas	zarzamoras, lavadas
6	chabacanos, lavados y en rebanadas delgadas
2 c/das	azúcar
2 c/das	ron oscuro
	jugo de 1 naranja
	crema batida

Ponga la fruta en un tazón y espolvoréele el azúcar; revuélvala.

Agregue el jugo de naranja y el ron; revuelva suavemente y deje macerar 15 minutos.

Sirva con crema batida.

TECNICA: PAPAYA DELICIOSA

1 Corte las papayas por mitad, como se muestra y quíteles las semillas.

2 Siga la receta y, antes de servirlas, adórnelas con crema batida.

Papaya deliciosa *(4 porciones)*

2	**papayas maduras**
½ taza	**jugo de naranja**
2 c/das	**azúcar morena**
1	**sobre pequeño gelatina sin sabor**
	crema batida para adornar

Corte las papayas por mitad y quíteles las semillas.

Saque casi toda la pulpa, dejando una orilla alrededor de la cáscara. Ponga la pulpa en el procesador de alimentos o en la licuadora; deje las cáscaras aparte.

Muela la pulpa 1 minuto y déjela aparte.

Ponga el jugo de naranja en una cacerola pequeña. Agregue el azúcar morena y deje que empiece a hervir.

Espolvoree la gelatina en el jugo y revuélvalos bien. Quite la cacerola del fuego.

Revuelva el puré de papaya con el jugo de naranja, mezclándolos bien.

Vacíe la mezcla en las conchas de papaya y refrigérelas de 6 a 8 horas.

Antes de servir, adórnelas con crema batida.

1 PORCION	118 CALORIAS	24 g. CARBOHIDRATOS
1 g. PROTEINA	2 g. GRASAS	1.4 g. FIBRAS

Postre de Cerezas al Coñac *(4 porciones)*

2 c/das	mantequilla
2 c/das	azúcar
3 c/das	cognac
900 g.	(*2 lb.*) cerezas, lavadas y sin semillas
1 c/dita	fécula de maíz
2 c/das	agua fría
	jugo de 2 naranjas
	helado de vainilla

Caliente en una sartén la mantequilla con el azúcar y siga cocinando hasta que esté dorada, meneando sin cesar.

Agregue el jugo de naranja, revuélvalo bien y cocine 3 minutos más a fuego medio.

Agregue el coñac y flaméelo.

Agregue las cerezas y cocínelas 1 minuto.

Revuelva la fécula de maíz con el agua y agréguela a la salsa. Cocínela 1 minuto para que espese.

Viértala sobre el helado y sirva.

Ciruelas en Almíbar *(4 porciones)*

2 c/das	mantequilla
2 c/das	azúcar
½ taza	jugo de naranja
8	ciruelas lavadas, sin semilla
3 c/das	coñac
1 c/dita	fécula de maíz
2 c/das	agua fría
	crema batida
	cáscara de naranja puesta por unos minutos en agua hirviendo

Ponga la mantequilla y el azúcar en una cacerola y cocínelas a fuego medio para que espesen. Revuelva con un tenedor.

Agregue el jugo de naranja y cocínelas de 2 a 3 minutos revolviendo constantemente.

Ponga las ciruelas en el almíbar; tápelas y cocine de 4 a 5 minutos a fuego medio.

Agregue el coñac y revuelva bien; cocínelo 2 minutos más a fuego medio-alto.

Revuelva la fécula de maíz con el agua y agréguela a la salsa. Cocínela de 1 a 2 minutos a fuego medio.

Sirva las ciruelas en almíbar con crema batida y adórnelas con la cáscara de naranja.

1 PORCION	220 CALORIAS	29 g. CARBOHIDRATOS
1 g. PROTEINAS	8 g. GRASAS	0.4 g. FIBRAS

TÉCNICA: CIRUELAS EN ALMÍBAR

1 Ponga la mantequilla con el azúcar en una sartén; cocínela a fuego medio para que espese. Revuelva con un tenedor.

2 Agregue el jugo de naranja y cocine de 2 a 3 minutos, revolviendo constantemente.

3 Ponga las ciruelas en el almíbar; tápelas y cocínelas de 4 a 5 minutos a fuego medio-bajo.

4 Vierta el coñac y revuelva bien; cocine 2 minutos a fuego medio-alto. Espese el almíbar con fécula de maíz.

Plátanos Flameados *(4 porciones)*

4	plátanos (no muy maduros), pelados y cortados en rebanadas de 2.5 cm. (*1 pulg.*)
2 c/das	azúcar morena
2 c/das	coñac
2 c/das	mantequilla
2 c/das	azúcar granulada
2 c/das	licor de café
	jugo de 1 limón
	jugo de 2 naranjas
	cáscara de 1 limón, finamente rebanada
	crema batida al gusto
	pizca de canela

Ponga los plátanos en un tazón con el azúcar morena, coñac y jugo de limón; déjelos macerar 15 minutos.

Mientras tanto, caliente la mantequilla con el azúcar granulada. Cocine hasta que la mezcla caramelice.

Cuando la mezcla esté color dorado oscuro, vacíele el jugo de limón y revuélvala muy bien. Cocínela de 2 a 3 minutos a fuego medio, revolviendo sin cesar.

Ponga los plátanos junto con el almíbar en la mezcla de naranja. Agregue la cáscara de limón y cocine 1 minuto.

Vacíele el licor de café y flamee. Cocine 1 minuto más a fuego alto.

Adorne cada porción con crema batida y canela en polvo.

1 PORCION	261 CALORIAS	39 g. CARBOHIDRATOS
1 g. PROTEINA	8 g. GRASAS	0.5 g. FIBRAS

Crepes Suzette *(4 porciones)*

8	cubitos de azúcar
2	naranjas grandes
1	limón
2 c/das	mantequilla
12	crepas, dobladas en cuatro
¼ taza	coñac
	cáscara de 1 naranja, cortada a la juliana

Frote los cubitos de azúcar sobre la piel de las naranjas enteras y el limón.

Ponga el azúcar en una sartén y derrítala; revuelva con un tenedor y cocine de 1 a 2 minutos.

Agregue la mantequilla y cocine 1 minuto más, revolviendo constantemente.

Corte las naranjas y limón a la mitad y exprima el jugo en la sartén. Revuelva y cocine de 3 a 4 minutos a fuego medio, revolviendo constantemente.

Ponga las crepas en la sartén y caliéntelas 1 minuto en la salsa; voltéelas.

Agregue el coñac y la cáscara de naranja. Deje que empiece a hervir y flaméelo.

Saque las crepas de la sartén y póngalas en el plato de servicio; deje aparte.

Cocine el almíbar 2 minutos a fuego alto.

Viértalo sobre las crepas y sírvalas inmediatamente.

Crepas con Zarzamoras *(4 porciones)*

1½ tazas	zarzamoras frescas, lavadas
¼ taza	azúcar morena
¼ taza	licor de café
1½ tazas	crema espesa, batida
8	crepas

Ponga la mayor parte de las zarzamoras en un tazón grande (deje algunas para el adorno). Agregue el azúcar y el licor de café y déjelas macerar de 15 a 20 minutos.

Agregue la mitad de la crema batida a las zarzamoras maceradas. Unte las crepas abiertas con esta mezcla y enróllelas.

Adorne las crepas rellenas con las zarzamoras restantes y la crema batida. Sírvalas.

1 PORCION   593 CALORIAS   39 g. CARBOHIDRATOS
8 g. PROTEINAS   41 g. GRASAS   1.4 g. FIBRAS

Souflé Frío *(4 a 6 porciones)*

5	huevos grandes, separados
¾ taza	azúcar
¾ taza	nueces picadas
3 c/das	licor de café
2 tazas	crema espesa, batida
2 c/das	almendras en tiritas

Escoja un molde para souflé que mida 20 cm (*8 pulg.*) de hondo. Untelo con mantequilla y espolvoréelo con azúcar; déjelo aparte.

Ponga las yemas en un tazón con el azúcar y revuelva de 3 a 4 minutos con la batidora eléctrica.

Agregue las nueces y el licor de café, incorporándolos con una espátula.

Agregue la crema batida; incorpórela con una espátula por 1 ó 2 minutos, o hasta que estén bien mezclados.

Bata las claras a punto de turrón y agréguelas a la pasta.

Con una hoja doble de papel de aluminio, forme un collar doble de 8 cm (*3 pulg.*) de alto. Acomode el collar por la parte interior del molde para souflé, dejando que sobresalga.

Ponga la pasta y espárzale las almendras. Refrigérelo 8 horas. Antes de servirlo, quite el collar.

1 PORCION 610 CALORIAS 31 g. CARBOHIDRATOS
11 g. PROTEINAS 48 g. GRASAS 0.5 g. FIBRAS

Pastel Esponjoso   *(6 a 8 porciones)*

6	**huevos extra grandes**
¾ taza	**azúcar refinada**
1 taza	**harina de trigo**
4 c/das	**mantequilla clarificada**
	licor de café
	glaseado de su agrado

Caliente el horno previamente a 180 °C (*350 °F*).

Unte con mantequilla y enharine un molde con resorte, de 23 cm. (*9 pulg.*) de diámetro; déjelo aparte.

Ponga un tazón grande con los huevos y el azúcar sobre agua caliente. Revuelva con una batidora eléctrica manual hasta que esté espeso y esponjoso.

Saque el tazón del agua caliente. Incorpórele la harina y revuelva bien con un batidor de alambre.

Agregue la mantequilla muy lentamente mientras revuelve con una espátula.

Vierta la pasta en un molde y hornee de 40 a 45 minutos o hasta que salga limpo un palillo insertado en el centro del pastel.

Saque el pastel del horno y déjelo 10 minutos en el molde antes de sacarlo. Déjelo enfriar en una reja de alambre.

Parta el pastel en 2 capas con cuidado y rocíe ambas mitades con licor de café al gusto.

Ponga el glaseado en la capa inferior; coloque de nuevo la segunda capa y termine de glasear la parte superior y los lados.

Si le agrada, adorne el pastel un poco más antes de servirlo.

1 PORCION (SIN GLASEAR)   13 g. GRASAS   0 g. FIBRAS
7 g. PROTEINAS   261 CALORIAS   29 g. CARBOHIDRATOS

TECNICA: PASTEL ESPONJOSO

1 Ponga un tazón grande con los huevos y el azúcar sobre agua caliente.

2 Revuelva con una batidora eléctrica manual hasta que esté espeso y esponjoso.

3 Quite el tazón del agua. Agregue el harina y revuelva bien con un batidor de alambre.

4 Incorpore la mantequilla muy lentamente mientras revuelve con una espátula.

Continúa en la página siguiente.

5  Vierta la pasta en el molde y hornee.

6  Enfríe sobre una reja.

7 Rebane cuidadosamente el pastel en 2 capas y rocíelo con licor de café.

8 Ponga el glaseado en la capa inferior.

9 Coloque la capa superior.

10 Acabe de glasear la parte superior y los costados. Si utiliza diferentes glaseados, resalta la vista del pastel.

Pastel Fácil   *(4 a 6 porciones)*

½ taza	mermelada de chabacano
¾ taza	azúcar glass
3 c/das	agua
	pasta de hojaldre congelada
	mezcla de huevo y leche, bien batida

Caliente el horno previamente a 220 °C (*425 °F*).

Humedezca una charola de hornear galletas con agua fría y deje aparte.

Extienda la pasta en una superficie enharinada. Corte un trozo rectangular de 10 cm. (*4 pulg.*) de ancho y acomódelo en la hoja.

Extienda más pasta dejándola un poco más gruesa y corte otro rectángulo del tamaño del primero.

Extienda la mermelada sobre el primer rectángulo de pasta; cubra con la segunda capa y presione las orillas juntándolas.

Barnice con huevo batido y píquelo con un tenedor. Deje 15 minutos en el horno.

Disminuya el fuego a 190 °C (*375 °F*) y hornee 15 minutos más.

Combine el azúcar glass con agua para hacer el glaseado. Cuando saque el pastel del horno, extienda el glaseado encima.

Rebane y sirva.

Pastel de Queso al Horno *(4 a 6 porciones)*

500 g.	**(*1 lb.*) queso crema, suave**
3	**yemas**
⅓ taza	**azúcar**
⅔ taza	**crema espesa**
1 c/da	**cáscara de limón rallada**
1 c/da	**licor de café**
3	**claras**
	concha de galletas graham (o marías) para tarta de 22 cm (*8½ pulg.*), horneada

Caliente previamente el horno a 150 °C (*300 °F*).

Revuelva en un procesador de alimentos el queso con las yemas, azúcar, crema, cáscara de limón y licor de café. Mezcle 3 minutos.

Bata las claras a punto de turrón; incorpórelas bien a la mezcla de queso.

Vacíe la mezcla en la concha para tarta y hornéela de 1¼ a 1½ horas.

Saque el pastel de queso del horno y déjelo enfriar. Sírvalo sencillo o con salsa de fresas, página 485.

1 PORCION   631 CALORIAS   32 g. CARBOHIDRATOS
11 g. PROTEINAS   51 g. GRASAS   0.2 g. FIBRAS

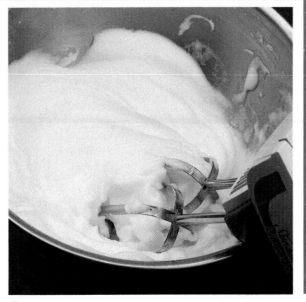

1 Revuelva en un procesador de alimentos el queso con las yemas, azúcar, crema, cáscara de limón y licor de café. Mezcle 3 minutos hasta que la textura sea uniforme y consistente.

2 Bata las claras hasta que estén firmes; incorpórelas bien a la mezcla de queso.

Manzanas al Horno *(4 porciones)*

	manzanas para cocinar. sin corazón
c/das	azúcar morena
c/ditas	mermelada de chabacano
c/ditas	mantequilla
c/da	canela
taza	agua
c/dita	fécula de maíz
c/das	agua fría
	jugo de 1 limón

Caliente el horno previamente a 190 °C (375 °F).

Con un cuchillo pequeño, raje las cáscaras de las manzanas alrededor del medio. Esto evitará que las cáscaras se rompan durante la cocción.

Ponga las manzanas en un molde de asador. Llene las cavidades con azúcar morena, mermelada, mantequilla y canela; rocíe con jugo de limón.

Vierta el agua en el molde y hornéelas 45 minutos.

Cuando estén cocidas, saque el molde y pase las manzanas a un platón de servicio.

Ponga el molde sobre la estufa a fuego alto y deje que hierva el líquido.

Revuelva la fécula de maíz con 2 c/das de agua; agréguelo al almíbar y cocínelo 2 minutos.

Vierta la salsa sobre las manzanas y, si le agrada, adórnelas con tiritas de almendras. Sírvalas.

Postre Fantasía *(4 porciones)*

4	duraznos, pelados y rebanados
2 c/das	licor de café
2 c/das	azúcar
1½ tazas	crema batida
	pasta de hojaldre
	huevo revuelto con leche
	fresas para adorno

Caliente previamente el horno a 220 °C (*425 °F*).

Extienda la pasta en una superficie enharinada. Corte 8 círculos pequeños y póngalos sobre una charola de hornear galletas. Barnícelos con el huevo revuelto con leche y píquelos con un tenedor; hornéelos alrededor de 15 minutos.

Saque los círculos de hojaldre y déjelos aparte para que enfríen.

Ponga los duraznos en un tazón con el licor de café y azúcar; déjelos macerar 15 minutos.

Mientras tanto, corte con cuidado la parte superior de los círculos de hojaldre y ponga la parte inferior en un platón de servicio. Deje a un lado la parte superior. Acomode encima los duraznos y agregue un poco de crema batida.

Cubra los círculos con la parte superior y ponga más crema batida. Adorne con trocitos de fresa.

Sírvalos.

1 PORCION   298 CALORIAS   28 g. CARBOHIDRATOS
6 g. PROTEINAS   18 g. GRASAS   0.6 g. FIBRAS

Zarzamoras en Crema *(4 porciones)*

2 tazas	zarzamoras frescas, lavadas
2 c/das	coñac
1½ tazas	crema pastelera al ron*
¼ taza	crema espesa, batida
2 c/das	azúcar morena

Ponga las zarzamoras en un tazón y agrégueles el coñac; déjelas macerar de 8 a 10 minutos.

Revuelva la crema pastelera con crema batida; sírvala en los platos de postre.

Acomode las zarzamoras sobre las cremas mezcladas y espolvoree con azúcar morena.

Sirva.

* Vea Crema Pastelera al Ron, página 504.

Mousse de Fresa Elegante *(6 a 8 porciones)*

2 tazas	leche
⅓ taza	agua fría
2 c/das	gelatina sin sabor
5	yemas
1 c/da	vainilla
½ taza	azúcar
1½ tazas	fresas molidas
1 taza	crema batida
	aceite de nuez

Unte con aceite de nuez un molde para gelatina con fondo removible y déjelo aparte hasta que lo ocupe.

Ponga la leche al fuego hasta que esté caliente pero no hirviendo; déjela aparte. Ponga el agua en un tazón pequeño y espárzale la gelatina. No la revuelva y déjelo a un lado.

Ponga en un tazón de acero inoxidable los huevos y la vainilla. Agregue el azúcar y mezcle con una batidora manual eléctrica hasta que las yemas formen listones.

Vierta entonces la leche caliente e incorpórela con un batidor de alambre. Cocine la mezcla sobre una cacerola con agua caliente. Revuelva todo el tiempo y saque el tazón cuando la mezcla esté lo bastante espesa para cubrir una cuchara. Incorpore la gelatina a la mezcla cocida.

Refrigere 35 minutos y revuelva 2 ó 3 veces. Agréguele las fresas y regrese el tazón al refrigerador. Sáquelo cuando la mezcla esté parcialmente cuajada.

Agréguele la crema batida y póngalo en el molde para gelatina. Refrigérelo 12 horas. Sáquelo del molde y adórnelo a su gusto.

1 PORCION	173 CALORIAS	19 g. CARBOHIDRATOS
4 g. PROTEINAS	9 g. GRASAS	0.5 g. FIBRAS

Bocadillos de Fresas con Chocolate *(4 porciones)*

1 taza	azúcar glass
60 g.	(*2 oz.*) chocolate amargo
1 c/dita	vainilla
3 c/das	leche
1	yema de huevo
32	fresas grandes, maduras
8	malvaviscos grandes

Ponga el azúcar con el chocolate, vainilla y leche en la parte superior de un baño maría. Derrita el chocolate y mézclelo bien.

Sáquelo del fuego e incorpórele la yema. Deje reposar la mezcla varios minutos.

Moje las fresas y malvaviscos en el chocolate y sírvalos.

Nota: si quiere aumentar el número de porciones, ponga el doble de todos los ingredientes, a excepción de la vainilla.

Cómo actúan las Microondas

Las ondas que se utilizan para cocinar son producidas por un tubo electrónico al vacío que convierte la electricidad doméstica en cierto tipo de microondas adecuadas para cocinar. Estas microondas son una luz invisible muy similar a la que permite ver la televisión o escuchar la radio. Cuando las microondas rebotan en las paredes metálicas del horno, pasan a través de recipientes no metálicos especiales para cocinar de esta manera y los alimentos se cuecen porque el agua de las moléculas absorbe estas ondas y se calienta.

Puesto que las microondas penetran únicamente alrededor de 2.5 cm (*1 pulg.*) en el alimento (parte superior, inferior y costados), el resto de la cocción se logra por conducción del calor. Por esta razón, frecuentemente se requiere girar ¼ ó ½ vuelta el recipiente con los alimentos, por una o dos veces mientras se cocinan, a fin de que se cuezan parejo; sin embargo, muchos hornos son giratorios y esto no es necesario.

Es indispensable leer la guía del fabricante para obtener información detallada respecto al modelo que usted tenga.

Controles de Potencia

Analice esta tabla antes de probar cualquiera de nuestras recetas.

CONTROLES DE POTENCIA	PORCENTAJE DE CONTROL EN ALTO	WATTS
ALTO (*HIGH*)	100%	650
MEDIO-ALTO (*MEDIUM-HIGH*)	75%	485
MEDIO (*MEDIUM*)	50%	325
BAJO (*LOW*)	25%	160

Le recomendamos que lea cuidadosamente la guía del fabricante si es que todavía no lo ha hecho. Si desea descongelar o derretir, consulte la guía, donde encontrará seguramente las indicaciones necesarias.

Al principio de cada receta hay una lista de la Potencia (Control), Tiempo de cocción y Recipiente que se requiere. A menos que la receta indique algún cambio, utilice el control como se recomienda.

Recipientes para Horno de Microondas

Para probar si un recipiente sirve para cocinar en horno de microondas, póngale aproximadamente 1 taza de agua fría. Póngalo en el microondas en ALTO (*HIGH*) durante 1 minuto. Si el agua está caliente y el recipiente se mantiene frío, puede usarlo para cocinar con microondas. Si se calienta, no lo utilice para cocinar en ese horno.

Los recipientes no metálicos, como los moldes de vidrio, cerámica o papel, así como los hechos de plástico, porcelana, cerámica de alta temperatura y los fabricados con algunos tipos de barro, son adecuados para cocinar en horno de microondas. Probablemente ya cuenta con algunos de ellos en su cocina y los usa como moldes refractarios.

Muchos recipientes tienen un grabado en la parte inferior indicando si son adecuados para el uso en hornos de microondas. Si no está seguro de poderlos utilizar, haga la prueba indicada.

Sugerencias para el Horno de Microondas

— Para suavizar la mantequilla o margarina, ponga el horno en BAJO (*LOW*) hasta que se suavice.

— Para hervir agua, ponga la potencia en ALTO (*HIGH*).

— Para suavizar un queso crema de 240 g. (*8 oz.*), déjelo aproximadamente 1 minuto en MEDIO (*MEDIUM*) o hasta que se suavice. Antes de meterlo al horno, sáquelo del paquete y póngalo en un tazón.

— Para impedir que lo que cocine en el horno le explote, perfore alimentos como las yemas de huevo, verduras como papas y similares.

— Para que los alimentos se cuezan parejo, revuélvalos de las orillas hacia el centro.

— Acomode los alimentos con lo más grueso hacia la parte exterior del plato.

— No trate de cocinar los huevos enteros en el cascarón, ya que estallan durante la cocción o al abrir el horno.

TECNICA: COMO DORAR ALMENDRAS

1 Ponga 1 taza de almendras rebanadas en un tazón para microondas. Agréguele 1 c/da de mantequilla.

2 Ponga el horno en ALTO (*HIGH*) por 3 minutos.

TECNICA: COMO SUAVIZAR EL AZUCAR MORENA

1 Ponga el azúcar morena en un tazón y deje aproximadamente 1 minuto en ALTO (*HIGH*).

2 Compruebe ocasionalmente el azúcar con un tenedor.

Cómo Preparar Huevos Revueltos

Ponga los huevos batidos con un poco de mantequilla y condimentos en el recipiente adecuado. Así de sencillo. Por lo general los huevos se cocinan en ALTO (*HIGH*). Hay que revolverlos seguido para que se cocinen parejo.

Como puede ver en esta ilustración, los huevos revueltos quedan muy bien. Observe que se ven húmedos y apetitosos. Lo mejor de todo, sólo tardan minutos.

Cómo Dorar Tocino

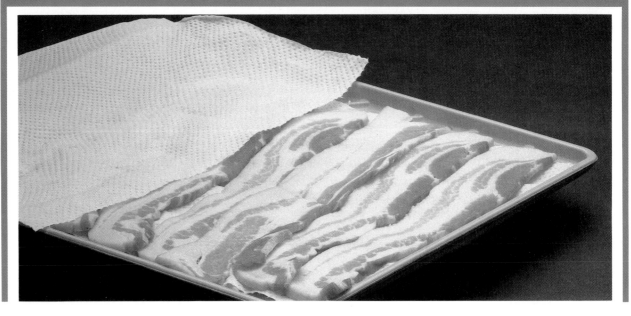

La mejor manera de hacerlo es colocando las rebanadas entre dos toallas de papel. De esta manera no sólo evita que salpique las paredes del horno, sino que también el papel absorbe la mayor parte de la grasa del tocino.

Calcule ¾ minuto (45 segundos) por cada rebanada de tocino. Esto variará dependiendo del grueso de las rebanadas. El control del horno debe estar en ALTO (*HIGH*).

Cómo Cubrir los Alimentos

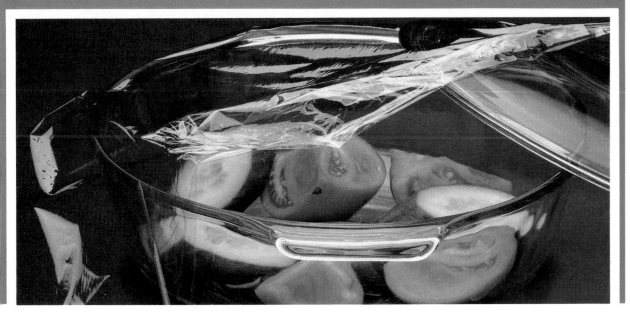

Con frecuencia, al igual que con la cocina tradicional, es necesario cubrir los alimentos mientras se cocinan.

Puede requerir una tapa que ajuste bien o una hoja de plástico especial. Asegúrese de contar con ambos.

Cómo Usar la Envoltura de Plástico

Cuando los alimentos se cubren con una envoltura de plástico, hay que dejar que escape el vapor. Puede perforar la envoltura con un cuchillo o dejar una esquina destapada.

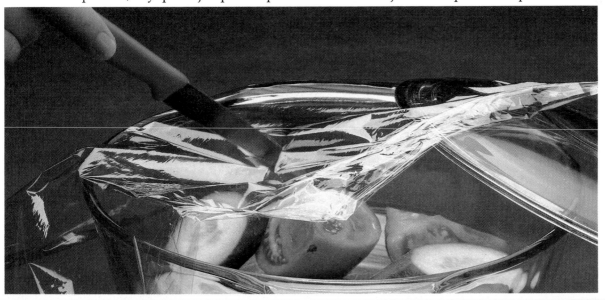

553

Cómo Cocer Verduras

Las verduras se encuentran entre los alimentos que tienen buenos resultados cuando se preparan en el horno de microondas. Como se ve en esta ilustración, el brócoli cocido pierde muy poco de su color original. Las verduras cocinadas en microondas no sólo lucen atractivas al momento de servirlas, sino que también retienen la mayor parte de su sabor.

Cómo Acomodar los Alimentos

Cuando cocine alimentos grandes o de forma irregular, hay que colocar siempre la parte más gruesa hacia el exterior del plato. Esta técnica resulta especialmente importante al cocinar aves y verduras enteras.

Sopa Ligera de Cebolla *(4 porciones)*

CONTROL: *ALTO (HIGH)*
TIEMPO: *24 minutos*
RECIPIENTE: *molde redondo de 2 l. con tapa*

1	cebolla redonda sin cáscara, en rebanadas delgadas
1 c/da	mantequilla
2 c/das	salsa de soya
1 c/da	perejil picado
3½ tazas	caldo de pollo caliente
¼ taza	queso suizo rallado
	sal y pimienta

Ponga la cebolla, mantequilla y salsa de soya en el molde y sazone bien. Tape y cocine en el horno de microondas por 5 minutos.

Revuelva bien; deje en el horno otros 5 minutos.

Agregue el perejil y el caldo de pollo; revuelva bien y rectifique el sazón. Hornee 10 minutos sin tapar.

Sirva en tazones para sopa; si le agrada, ponga más queso.

Vea la técnica en la página siguiente.

TECNICA: SOPA LIGERA DE CEBOLLA

1 Ponga la cebolla, mantequilla y salsa de soya en el molde; sazone bien. Tape y meta al horno de microondas durante 5 minutos.

2 Agregue el perejil y el caldo de pollo; revuelva y rectifique el sazón. Hornee 10 minutos destapado.

3 Cuando esté cocida la cebolla, agregue el queso y deje 4 minutos más en el microondas sin tapar.

4 Sírvalo en tazones para sopa y póngale más queso encima.

TECNICA: BROCOLI CON SALSA DE QUESO

1 Ponga la mantequilla derretida y la harina durante 2 minutos en el horno de microondas, sin tapar.

2 Incorpore la leche con un batidor de alambre. Deje en el horno 6 minutos más sin tapar. Revuelva cada 2 minutos.

3 En algún momento mientras se cocina, agregue nuez moscada, perejil, sal y pimienta.

4 Agréguele a la salsa la mitad del queso.

Continúa en la página siguiente.

5 Vierta la salsa sobre el brócoli cocido y cubra con el queso restante.

6 Hornee en el microondas 2 minutos para que se derrita el queso y sírvalo.

Brócoli con Salsa de Queso *(4 porciones)*

CONTROL:	*ALTO (HIGH)*
TIEMPO:	*10 minutos*
RECIPIENTES:	*molde redondo de 2 l.*
	molde rectangular de 2 l.

3 c/das	mantequilla derretida
3½ c/das	harina
1½ tazas	harina
1½ tazas	leche caliente
½ taza	queso cheddar rallado
2	cabezas de brócoli, cocidas y en floretes con tallo
	pizca de nuez moscada
	perejil picado al gusto
	sal y pimienta

Ponga la mantequilla derretida y la harina en un molde redondo. Revuelva bien y ponga al microondas por 2 minutos sin tapar.

Agregue la leche con un batidor de alambre; siga horneando 6 minutos sin tapar. Revuelva cada 2 minutos.

En algún momento mientras se cocina, agregue nuez moscada, perejil, sal y pimienta.

Revuelva la mitad del queso con la salsa. Ponga el brócoli cocido en un molde rectangular engrasado y viértale la salsa encima.

Cubra con el queso restante y hornee 2 minutos sin tapar.

1 PORCION   273 CALORIAS   18 g. CARBOHIDRATOS
12 g. PROTEINAS   17 g. GRASAS   1.9 g. FIBRAS

Sopa China *(4 porciones)*

CONTROL: *ALTO (HIGH)*
TIEMPO: *16 minutos*
RECIPIENTE: *molde redondo de 2 l. con tapa*

1 c/da	mantequilla
2	zanahorias grandes peladas, en rebanadas delgadas
1	tallo de apio, rebanado
1	calabacita, rebanada
1	pimiento verde, rebanado
¼ c/dita	tomillo
2	ramitas de perejil
4 tazas	caldo de pollo caliente
2 c/das	salsa de soya
	albahaca fresca (si la consigue)
	sal y pimienta

Derrita la mantequilla en el molde durante 1 minuto.

Agregue las zanahorias y el apio y siga cocinando sin destapar por 3 minutos.

Agregue la calabacita, pimiento verde, tomillo, perejil y albahaca. Tape y deje en el microondas 3 minutos.

Ponga el caldo de pollo y la salsa de soya; revuelva bien y rectifique el sazón. Hornee 9 minutos sin tapar.

Acompañe con galletas o fideos chinos.

Vea la técnica en la página siguiente.

1 PORCION	71 CALORIAS	9 g. CARBOHIDRATOS
2 g. PROTEINAS	3 g. GRASAS	1.2 g. FIBRAS

TECNICA: SOPA CHINA

1 Cocine las zanahorias y el apio en el horno de microondas por 3 minutos en mantequilla caliente. Tape el molde.

2 Agregue las calabacitas, pimientos verdes, tomillo, perejil y albahaca. Tape y hornee 3 minutos más en el microondas.

Sopa Cotidiana de Verduras *(4 porciones)*

CONTROL: *ALTO (HIGH)*
TIEMPO: *10 minutos*
RECIPIENTE: *molde redondo de 2 l. con tapa*

1 c/da	mantequilla
2	tallos de apio, picados
1 c/da	perejil fresco picado
2	cebollitas de Cambray, picadas
½	pimiento verde, picado
½	pepino pelado, sin semillas y picado
2	tomates grandes, picados
1	ramita de tomillo
3½ tazas	caldo de pollo caliente
	sal y pimienta

Ponga en el molde la mantequilla, brócoli y perejil. Tape y hornee en el microondas por 5 minutos.

Agregue el resto de las verduras y el tomillo; sazone generosamente. Siga horneándola 3 minutos más, con tapa.

Viértale el caldo de pollo y revuelva bien. Hornee 2 minutos más, sin tapar.

Sírvala caliente.

TECNICA: SOPA COTIDIANA DE VERDURAS

1 Ponga en el microondas la mantequilla, brócoli y perejil por 5 minutos.

2 Agregue el resto de las verduras y el tomillo; sazone generosamente. Siga horneando 3 minutos.

3 Viértale el caldo de pollo y hornee 2 minutos más sin tapar.

4 Las verduras deben quedar crujientes.

Crema de Pollo *(4 porciones)*

CONTROL: *ALTO (HIGH)*
TIEMPO: *16 minutos*
RECIPIENTE: *molde redondo de 2 l. con tapa*

3	mitades de pechuga, sin pellejo y deshuesadas
½	tallo de apio, picado
2	zanahorias peladas y finamente picadas
½	cebolla, pelada y picada
2 tazas	agua caliente
1	ramita de perejil
¼ c/dita	tomillo
4 c/das	mantequilla
4½ c/das	harina
2¼ tazas	leche caliente
	sal y pimienta
	pizca de nuez moscada, paprika y jengibre

Acomode el pollo en el molde y agréguele el apio, zanahorias, cebolla, agua, perejil y tomillo junto con la sal y pimienta. Tape y cocine en el horno de microondas durante 8 minutos.

Saque el pollo y córtelo en cubitos; deje aparte con las verduras. Cuele el caldo y déjelo aparte.

Limpie el molde, lavándolo si es necesario. Ponga la mantequilla y hornéela 1 minuto en el microondas.

Agregue la harina y revuelva hasta que forme una pasta; tape y hornee 1 minuto.

Agréguele el caldo colado y revuélvalo muy bien con un batidor de alambre. Tape y deje 3 minutos en el microondas.

Revuelva otra vez. Agregue la leche y sazone con nuez moscada, paprika, jengibre, sal y pimienta.

Revuelva bien y ponga de nuevo el pollo y las verduras en la cacerola. Deje sin tapar 3 minutos en el microondas.

Sírvala.

1 PORCION	482 CALORIAS	18 g. CARBOHIDRATOS
53 g. PROTEINAS	22 g. GRASAS	0.5 g. FIBRAS

TECNICA: CREMA DE POLLO

1 Ponga el pollo y las verduras durante 8 minutos en el horno de microondas.

2 Después de cocinar la salsa en el microondas, ponga de nuevo el pollo picado y las verduras en el molde.

Arroz Fácil con Tomate *(4 porciones)*

CONTROL: *ALTO (HIGH)*
TIEMPO: *24 minutos*
RECIPIENTE: *molde redondo de 2 l. con tapa*

1 c/dita	aceite vegetal
3 c/das	cebolla picada
1	diente de ajo, machacado y picado
½ lata	tomates, escurridos y picados
1 c/da	perejil picado
1 taza	arroz de grano largo, enjuagado y escurrido
1½ tazas	caldo de pollo caliente
	sal y pimienta

Ponga en el molde el aceite, cebolla, ajo, tomates y perejil; sazone bien. Tape y deje 4 minutos en el horno de microondas.

Agregue el arroz y el caldo de pollo; rectifique el sazón y deje en el microondas 10 minutos, tapado.

Mueva el arroz con un tenedor y déjelo que se cocine 10 minutos más, tapado.

Deje reposar el arroz en la cacerola por 7 u 8 minutos antes de servirlo.

TECNICA: PAN CON AJO

1 Unte bien el pan tostado con mantequilla de ajo y ponga las rebanadas en un plato. Agregue perejil, salsa de tomate, pimienta y queso.

2 Deje 3 minutos en el horno de microondas sin taparlo.

Pan con Ajo *(4 porciones)*

CONTROL: *ALTO (HIGH)*
TIEMPO: *3 minutos*
RECIPIENTE: *plato grande*

250 g.	(½ *lb.*) mantequilla de ajo
6 a 8	rebanadas gruesas de pan francés o italiano, tostado
½ taza	queso Gruyère rallado grueso
	salsa de tomate espesa o tomates rebanados
	pimienta recién molida

Unte bien el pan tostado con la mantequilla de ajo. Ponga las rebanadas en un plato.

Esparza el perejil picado sobre el pan y agregue la salsa de tomate, al gusto. Sazone bien con la pimienta.

Ponga el queso y sazone otra vez. Hornee en el microondas por 3 minutos sin tapar.

Sírvalas.

1 PORCION	632 CALORIAS	24 g. CARBOHIDRATOS
8 g. PROTEINAS	56 g. GRASAS	0 g. FIBRAS

Salchichas Alemanas *(4 porciones)*

CONTROL: *ALTO (HIGH)*
TIEMPO: *4 minutos*
RECIPIENTE: *plato*

4	salchichas alemanas

Haga varios cortes con un cuchillo alrededor de cada salchicha. Póngala en un plato y cocine en el horno de microondas por 4 minutos. Voltéela una vez mientras se cocina.

Resultan perfectas para comer entre comidas y con ensalada de papas, son un almuerzo delicioso.

1 PORCION   192 CALORIAS   2 g. CARBOHIDRATOS
10 g. PROTEINAS   16 g. GRASAS   0 g. FIBRAS

Escalopas de Papa *(4 porciones)*

CONTROL: *ALTO (HIGH)*
TIEMPO: *19 minutos*
RECIPIENTE: *molde redondo de 2 l.*

4	papas grandes sin cáscara, en rebanadas delgadas
3 c/das	mantequilla
2 c/das	perejil picado
1	cebolla picada y parcialmente cocida
1 taza	crema espesa, caliente
1 taza	leche caliente
½ taza	queso cheddar rallado
	pizca de paprika
	sal y pimienta

Engrase el molde y ponga capas de papa, mantequilla, paprika, perejil, sal y pimienta.

Ponga la cebolla sobre la última capa.

Vacíele la crema y la leche. Cocine 16 minutos sin tapar en el horno de microondas.

Esparza el queso y hornee 3 minutos más sin tapar.

Sirva.

1 PORCION   533 CALORIAS   39 g. CARBOHIDRATOS
11 g. PROTEINAS   37 g. GRASAS   1.0 g. FIBRAS

TECNICA: ESCALOPAS DE PAPA

1 Acomode las papas en capas dentro del molde engrasado, alternando con mantequilla, paprika, perejil, sal y pimienta. Repita hasta que utilice todos los ingredientes; ponga la cebolla sobre la última capa.

2 Viértale la crema y la leche. Hornee en el microondas sin tapar por 16 minutos.

Papas Horneadas   *(2 porciones)*

CONTROL:	*ALTO (HIGH)*
TIEMPO:	*15 minutos*
RECIPIENTE:	*Ninguno*

2	**papas para hornear**
	tocino frito picado
	crema ácida o mantequilla

Lave bien las papas, séquelas y píquelas por todos lados con cuchillo o tenedor.

Póngalas en el horno de microondas por 15 minutos. Voltéelas una vez mientras las cocina, aproximadamente a la mitad del tiempo.

Corte las papas por el centro y póngales el aderezo que le agrade.

TECNICA: MEZCLA DE EJOTES

1 Ponga los ejotes en el molde y viértales el agua; sazone con sal. Tape y hornee 15 minutos.

2 Escurra los ejotes y sírvalos.

Mezcla de Ejotes *(4 porciones)*

CONTROL: *ALTO (HIGH)*
TIEMPO: *15 minutos*
RECIPIENTE: *molde redondo de 2 l. con tapa*

500 g.	mezcla de ejotes frescos, pelados
2 tazas	agua caliente
	sal

Ponga los ejotes en el molde y viértales el agua; sazone con sal.

Tape y hornee 15 minutos en el microondas.

Escurra y sirva.

1 PORCION   40 CALORIAS   8 g. CARBOHIDRATO
2 g. PROTEINAS   0 g. GRASAS   1.3 g. FIBRAS

Cena Vegetariana *(4 porciones)*

CONTROL: *ALTO (HIGH)*
TIEMPO: *18 minutos*
RECIPIENTE: *molde rectangular para 2 l.*

1	**berenjena grande, cortada a lo largo en 8 rebanadas de 0.65 cm. (¼ pulg.)**
3	**tomates maduros rebanados**
1½ tazas	**salsa para espagueti**
½ taza	**queso mozzarella rallado**
	sal y pimienta

Acomode 4 rebanadas de berenjena en el molde rectangular.

Póngales encima los tomates rebanados y sazone generosamente. Cubra con las otras rebanadas de berenjena.

Viértales la salsa para espagueti y cubra con una envoltura plástica; hornee 15 minutos en el microondas.

Agregue el queso y hornee 3 minutos más, sin taparlas.

Sírvalas.

Vea la técnica en la página siguiente.

1 PORCION	188 CALORIAS	22 g. CARBOHIDRATOS
7 g. PROTEINAS	8 g. GRASAS	2.6 g. FIBRAS

TECNICA: CENA VEGETARIANA

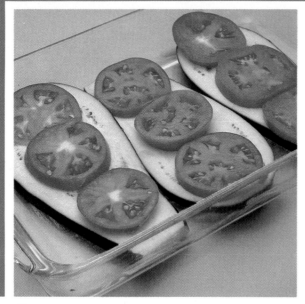

1 Acomode las rebanadas de berenjena en un molde rectangular; cubra con los tomates rebanados y sazónelas generosamente.

2 Cubra con las rebanadas restantes.

3 Viértales encima salsa para espagueti y cúbralas con una envoltura de plástico; hornee 15 minutos en el microondas.

4 Agregue el queso y hornee 3 minutos más, sin tapar.

Calabacitas con Queso (4 porciones)

CONTROL: *ALTO (HIGH)*
TIEMPO: *16 minutos*
RECIPIENTE: *molde redondo de 2 l. con tapa*

3	calabacitas grandes, peladas y rebanadas
½	cebolla, picada
¼ c/dita	albahaca
1 taza	caldo ligero de pollo
2 c/das	mantequilla
2½ c/das	harina
½ taza	leche caliente
½ taza	queso parmesano rallado
	sal y pimienta
	pizca de paprika

Acomode las calabacitas en el molde y sazónelas generosamente. Agregue la cebolla, albahaca y caldo de pollo; tape y hornee 9 minutos en el microondas.

Escurra las verduras y deje aparte, igual que el caldo.

Ponga la mantequilla en el molde y deje 1 minuto al horno.

Agregue la harina y hornee sin tapar por 1 minuto.

Vierta el líquido que coló a la cacerola e incorpórelo con un batidor de alambre. Hornee 2 minutos sin tapar.

Revuelva bien la mezcla y póngale las verduras que apartó; sazónelas con paprika.

Vacíeles la leche y revuélvales el queso; hornee 3 minutos en el microondas, sin tapar.

Sírvalas.

Vea la técnica en la página siguiente.

1 PORCION	155 CALORIAS	16 g. CARBOHIDRATOS
7 g. PROTEINAS	9 g. GRASAS	0 g. FIBRAS

TECNICA: CALABACITAS CON QUESO

1 Después de cocinar 9 minutos las calabacitas en el horno de microondas, Sáquelas y escúrralas; deje aparte, igual que el líquido.

2 Revuelva bien la mezcla y póngale las verduras que apartó; sazone con paprika.

TECNICA: RATATOUILLE DE CALABACITAS

1 Vacíe la berenjena y calabacitas en la mezcla de cebollas. Sazone. Tape y hornee en microondas por 15 minutos.

2 Revuélvale los tomates y la pasta de tomate; hornee 8 minutos más sin tapar.

Ratatouille de Calabacitas *(4 porciones)*

CONTROL: *ALTO (HIGH)*
TIEMPO: *26 minutos*
RECIPIENTE: *molde redondo de 2 l. con tapa*

1 c/da	mantequilla
1	cebolla, pelada y rebanada
1 c/da	salsa de soya
1	berenjena pequeña, rebanada
3	calabacitas, peladas y en rebanadas de 0.65 cm. (¼ *pulg.*)
2	dientes de ajo, machacados y picados
1 c/da	perejil picado
¼ c/dita	tomillo
3	tomates en trozos grandes
2 c/das	pasta de tomate
	sal y pimienta
	pizca de paprika

Ponga la mantequilla, cebolla y salsa de soya en el molde y hornee 3 minutos en el microondas.

Agregue la berenjena y calabacitas y póngales el ajo, perejil, tomillo, sal, pimienta y paprika. Tape y cocine 15 minutos en el horno de microondas.

Póngale los tomates y la pasta de tomate; tape y hornee 8 minutos más.

TECNICA: BERENJENA SORPRESA

1 Revuelva la carne de res con la cebolla cocida y sazone bien. Tape y hornee en el microondas por 4 minutos.

2 Revuelva bien la mezcla y agréguele los tomates; rectifique el sazón.

3 Ponga una parte de la mezcla de carne sobre las rebanadas de berenjena.

4 Cubra con las rebanadas restantes de berenjena y viértales encima la salsa de tomate. Tape el molde con envoltura plástica y hornee en el microondas por 15 minutos.

5 Póngale el queso y cocine 1 minuto más sin tapar.

6 Sirva una berenjena sorpresa por persona.

Berenjena Sorpresa *(4 porciones)*

CONTROL:	*ALTO (HIGH)*
TIEMPO:	*22 minutos*
RECIPIENTE:	*molde redondo de 2 l. con tapa*
	molde rectangular de 2 l.

1 c/da	aceite vegetal
1	cebolla pelada y picada
1	diente de ajo, picado
375 g.	(¾ *lb.*) carne magra de res, molida
2 tazas	pasta de tomate
¼ c/dita	salsa Tabasco
¼ c/dita	salsa Worcestershire
1	berenjena grande cortada a lo largo en rebanadas de 0.65 cm (¼ *pulg.*) de grueso
1½ tazas	salsa de tomate
½ taza	queso mozzarella rallado

Ponga en el molde el aceite, ajo y cebolla. Tape y hornee 2 minutos en el microondas.

Agregue la carne y sazone bien. Tape y hornee otros 4 minutos.

Revuelva bien la mezcla (la carne todavía no está bien cocida) e incorpórele los tomates; rectifique el sazón.

Agregue la mezcla de tomate, salsas Tabasco y Worcestershire y deje aparte.

Acomode 4 rebanadas de berenjena en un molde rectangular. Encima de cada rebanada, ponga la carne y cubra con las rebanadas restantes.

Vierta la salsa de tomate encima y cubra con envoltura plástica; hornee 15 minutos en el microondas.

Agregue el queso y cocine 1 minuto más sin tapar.

Sírvalas.

1 PORCION	357 CALORIAS	24 g. CARBOHIDRATOS
27 g. PROTEINAS	17 g. GRASAS	2.3 g. FIBRAS

Tomates Estofados *(4 porciones)*

CONTROL: *ALTO*
TIEMPO: *15 minutos*
RECIPIENTE: *molde redondo de 2 l. con tapa*

1 c/da	aceite vegetal
2	dientes de ajo, machacados y picados
½	tallo de apio, picado
1	cebolla pelada y picada
6	tomates en trozos grandes
¼ c/dita	orégano
2 c/das	pasta de tomate
	pizca de azúcar
	sal y pimienta

Cocine el aceite con el ajo, apio y cebolla por 3 minutos, tapado, en el horno de microondas.

Agregue los tomates, orégano, pasta de tomate y azúcar; sazone bien. Tape y cocine otros 12 minutos.

Sirva en tazones pequeños o muélalos en la licuadora para usarlos en otras recetas.

1 PORCION	108 CALORIAS	14 g. CARBOHIDRATOS
4 g. PROTEINAS	4 g. GRASAS	1.5 g. FIBRAS

Pollo en Salsa *(4 porciones)*

CONTROL: *ALTO (HIGH)*
TIEMPO: *13 minutos*
RECIPIENTE: *molde redondo de 2 l. con tapa*
platón de servicio

2	pechugas de pollo enteras, sin pellejo, deshuesadas y partidas
1 c/dita	jugo de limón
¼ taza	caldo de pollo caliente
1 c/da	miel caliente
125 g.	(¼ lb.) champiñones, limpios y rebanados
1	receta tomates estofados*, molida en la licuadora
3 c/das	queso parmesano rallado fino
	sal y pimienta

Acomode las pechugas partidas en el molde. Póngales jugo de limón y agregue el caldo, miel, sal y pimienta. Tape y hornee 4 minutos en el microondas.

Voltéelas y cocine 4 minutos más.

Agregue los champiñones, tape y cocine 2 minutos.

Pase el pollo al platón de servicio; cubra con los champiñones y tire el líquido.

Vierta los tomates estofados encima de los champiñones y cubra con queso. Deje 3 minutos en el microondas sin tapar.

Saque del horno de microondas y sirva inmediatamente.

* Vea Tomates Estofados, página 576.

TECNICA: POLLO EN SALSA

1 Pase el pollo cocido y los champiñones al platón de servicio y tire el líquido en que los coció.

2 Vierta los tomates molidos sobre los champiñones y cubra con el queso. Hornee 3 minutos en el microondas, sin tapa.

Cacerola de Pollo y Verduras *(4 porciones)*

CONTROL: *ALTO (HIGH)*
TIEMPO: *27 minutos*
RECIPIENTE: *molde rectangular de 2 l.*
molde redondo de 2 l. con tapa

2	pechugas de pollo enteras, sin pellejo, deshuesadas y partidas
3	papas peladas y en cubitos
1	tallo de apio en trozos grandes
1	ramita de tomillo
1½ tazas	agua
½	pimiento verde, en trozos grandes
½	pimiento rojo, en trozos grandes
1	pimiento amarillo, en trozos grandes
3 c/das	mantequilla
3½ c/das	harina
2 tazas	leche caliente
	paprika al gusto
	sal y pimienta

Ponga en el molde las pechugas partidas sin encimarlas y cúbralas con las papas y el apio.

Espolvoréeles la paprika; póngales el tomillo y agua. Cubra con una envoltura plástica y cocínelas 12 minutos en el horno de microondas.

Voltee las pechugas y agregue los pimientos, sazonándolas bien. Tape de nuevo y hornee otros 5 minutos en el microondas. Escurra el pollo y las verduras y póngalas en el platón refractario de servicio. Tire el líquido.

Para preparar la salsa, ponga la mantequilla en una cacerola redonda y hornee 1 minuto en el microondas.

Agregue la harina revolviendo con un batidor de metal y hornee 2 minutos sin tapar.

Incorpórele la leche y sazone con sal, pimienta y paprika. Hornee 4 minutos más en el horno de microondas, sin tapar.

Vierta la salsa sobre el pollo y las verduras y hornee 3 minutos sin tapa.

Sirva.

Vea la técnica en la página siguiente

578

1 PORCION	564 CALORIAS	31 g. CARBOHIDRATO
65 g. PROTEINAS	20 g. GRASAS	1.2 g. FIBRAS

TECNICA: CACEROLA DE POLLO Y VERDURAS

1 Ponga las pechugas en un molde rectangular, sin encimarlas; cubra con las papas y apio. Espolvoréeles paprika, agregue el tomillo y el agua. Cubra con una envoltura plástica y cocine en el horno de microondas por 12 minutos.

2 Voltee las pechugas y agregue los pimientos; sazone bien. Tape de nuevo y hornee 5 minutos.

3 Escurra el pollo y las verduras; regréselas al molde o páselas a un platón refractario de servicio. Tire el líquido.

4 Una vez que esté hecha la salsa, viértala sobre el pollo y las verduras y cocine en el microondas 3 minutos más, sin tapar.

Pollo con Verduras (4 porciones)

CONTROL: ALTO (HIGH)
TIEMPO: 14 minutos
RECIPIENTE: molde redondo de 2 l. con tapa

3 c/ditas	mantequilla
250 g.	(½ lb.) champiñones frescos limpios, cortados en cuatro
1 c/dita	jugo de limón
1	pimiento rojo, en tiras
1½ tazas	leche caliente
2	pechugas enteras, cocidas y rebanadas
125 g.	(¼ lb.) ejotes blancos, puestos por unos minutos en agua hirviendo y cortados en dos
3 c/das	harina
	sal y pimienta
	pizca de paprika

Ponga en el molde 1 c/da de mantequilla, los champiñones, jugo de limón y pimiento rojo. Tape y cocine 3 minutos en el horno de microondas.

Agregue la leche, pollo y ejotes; sazone con paprika y hornee 3 minutos, sin tapar.

Escurra y deje aparte.

Ponga la mantequilla restante en la cacerola por 1 minuto.

Agregue la harina y revuélvala muy bien; cocine 3 minutos en el microondas, sin tapar.

Agregue el líquido de cocción, colado, a la mezcla de harina que está dentro del molde. Revuelva bien y hornee 3 minutos sin tapar.

Agregue el pollo y las verduras y hornee 1 minuto, sin tapar. Rectifique el sazón.

Sirva caliente sobre pan tostado.

1 PORCION	495 CALORIAS	17 g. CARBOHIDRATO
64 g. PROTEINAS	19 g. GRASAS	1.2 g. FIBRAS

1 Empiece por poner 1 c/da de mantequilla, los champiñones, jugo de limón y pimiento rojo en el molde. Tape y cocine 3 minutos en el horno de microondas.

2 Agregue la leche, pollo y ejotes; sazone con paprika y cocine 3 minutos más, destapado.

Chuletas de Ternera con Manzana *(2 porciones)*

CONTROL: *ALTO (HIGH)*
TIEMPO: *5 minutos en el horno de microondas*
RECIPIENTE: *molde redondo de 2 l. con tapa*

2	chuletas de ternera, grandes
½ taza	harina
1 c/da	aceite vegetal
2 c/das	cebollita de Cambray picada
1	manzana pelada, sin corazón y rebanada
¼	tallo de apio, rebanado
1 c/dita	mantequilla
	sal y pimienta

Enharine ligeramente las chuletas. Caliente aceite en una sartén para freír, directamente sobre la estufa. Dore ligeramente las chuletas a fuego medio, 1 minuto por cada lado y sazónelas bien.

Pase la carne al molde; agréguele la cebollita de Cambray, manzana, apio y mantequilla. Sazone, tape y cocine en el horno de microondas durante 4 minutos.

Gire la cacerola ¼ de vuelta; cocine 1 minuto más en el microondas.

Sirva.

Hígado de Ternera *(4 porciones)*

CONTROL: *ALTO (HIGH)*
TIEMPO: *10 a 12 minutos en el horno de microondas*
RECIPIENTE: *molde redondo de 2 l. con tapa*

1 c/da	aceite de oliva
1	cebolla pelada y picada
1	pimiento verde, finamente rebanado
3	tomates pelados, sin semillas y picados
1	diente de ajo, machacado y picado
1 c/da	perejil picado
1 c/dita	salsa de soya
4	rebanadas de hígado de ternera, cortado en tiras
¼ taza	harina
3 c/das	mantequilla
	sal y pimienta

Ponga el aceite en el molde y caliéntelo 1 minuto en el horno de microondas.

Agréguele la cebolla, pimiento verde, tomates, ajo y perejil; sazónelos bien. Tape y cocine en el microondas de 8 a 10 minutos.

Revuélvale la salsa de soya y deje aparte la cacerola.

Sazone las tiras de hígado y enharínelas. Caliente la mantequilla en una sartén grande, directamente sobre la estufa. Dore ligeramente el hígado 1 minuto por cada lado, a fuego alto.

Cuando acabe, agregue todo el hígado a la mezcla de tomate del molde. Revuelva bien y hornee 1 minuto en el microondas, sin tapar.

Si le agrada, sírvalo con fideos o arroz.

1 PORCION	409 CALORIAS	16 g. CARBOHIDRATOS
30 g. PROTEINAS	25 g. GRASAS	0 g. FIBRAS

Salteado de Puerco *(4 porciones)*

CONTROL: *ALTO (HIGH)*
TIEMPO: *6 minutos en horno de microondas*
RECIPIENTE: *molde de 2 l. con tapa*

1 c/da	aceite vegetal
500 g.	(*1 lb.*) lomo de puerco cortado en tiras
1	cebolla roja, pelada, rebanada (en anillos)
1 c/dita	salsa de soya
1	pimiento rojo, rebanado (en anillos)
125 g.	(*¼ lb.*) vainas de chícharo
1 taza	germinados de soya
1 taza	salsa tipo gravy caliente
	sal y pimienta
	más salsa soya y aceite

Caliente 1 c/da de aceite en una sartén para freír, directamente sobre la estufa. Dore el puerco 2 minutos por cada lado, a fuego alto. Sazone bien y deje aparte.

Ponga la cebolla y salsa de soya en el molde. Tape y cocine 3 minutos en el horno de microondas.

Agregue el pimiento rojo, vainas de chícharo y los germinados; rocíele un poco de salsa de soya y aceite para dar mejor sabor. Sazone, tape y hornee 3 minutos en el microondas.

Revuélvale la salsa tipo gravy y el puerco; hornee sin tapa por 1 minuto en el microondas.

Sirva.

1 PORCION	389 CALORIAS	9 g. CARBOHIDRATOS
23 g. PROTEINAS	29 g. GRASAS	0.8 g. FIBRAS

Ensalada de Papas   *(4 porciones)*

CONTROL: *ALTO (HIGH)*
TIEMPO: *2 minutos*
RECIPIENTE: *tazón grande*

3 a 4	**papas grandes cocidas, peladas y en cubitos**
1	**cebolla grande, picada**
1 c/da	**perejil picado**
2 c/das	**vinagre de vino**
2 c/das	**aceite de oliva**
	sal y pimienta

Ponga las papas en el tazón.

Agregue la cebolla, perejil, sal y pimienta y revuelva con suavidad.

Agréguele el vinagre y aceite. Cocine en el horno de microondas por 2 minutos, sin tapar.

Revuelva suavemente y sírvala caliente.

TECNICA: SALMON CON BROCOLI

1 En un molde rectangular, ponga el salmón con perejil, limón, cebollita de Cambray, zanahoria, cebolla blanca, jugo de limón y agua. Sazone bien y meta al horno de microondas.

2 Quítele las espinas.

3 Quítele la piel y divida en trocitos.

4 Revuelva los trozos de salmón con el brócoli en una cacerola redonda.

5 Vacíele la salsa blanca, sazone y cubra con queso. Deje en el horno de microondas por 4 minutos, sin tapa.

6 Sirva con las verduras de su agrado.

Salmón con Brócoli *(4 porciones)*

CONTROL:	*ALTO (HIGH)*
TIEMPO:	*13 minutos*
RECIPIENTE:	*molde rectangular de 2 l.*
	molde redondo de 2 l.

	rebanadas de salmón
c/das	**perejil picado**
	rebanadas de limón
	cebollita de Cambray, en pedazos
	zanahoria pelada y rebanada
/4	**cebolla blanca, pelada y rebanada**
c/da	**jugo de limón**
/2 taza	**agua caliente**
	cabeza de brócoli cocida, separada en floretes
	receta de salsa blanca*
/2 taza	**queso cheddar rallado**
	sal y pimienta

Ponga el salmón en el molde rectangular junto con el perejil, rebanadas de limón, cebollita de Cambray y agregue la zanahoria, cebolla blanca, jugo de limón y agua. Sazone bien.

Cubra con envoltura plástica y cocine 6 minutos en el horno de microondas.

Voltee el salmón y hornee tapado por 3 minutos más.

Quite las espinas y la piel. Tire las verduras y el líquido en que se cocieron.

Ponga el salmón en el molde redondo y sepárelo con un tenedor en pedazos chicos. Incorpórele los floretes de brócoli y revuélvalo.

Póngale la salsa blanca, sazone y cubra con queso. Hornee sin tapar por 4 minutos en el microondas.

* Vea Salsa Blanca, página 598.

1 PORCION	596 CALORIAS	15 g. CARBOHIDRATOS
62 g. PROTEINAS	32 g. GRASAS	1.0 g. FIBRAS

Veneras con Tomates *(2 porciones)*

CONTROL: *ALTO Y MEDIO (HIGH & MEDIUM)*
TIEMPO: *13 minutos*
RECIPIENTE: *molde redondo de de 2 l. con tapa; platos individuales de servicio*

250 g.	(½ *lb.*) veneras frescas
1	cebollita de Cambray, picada
125 g.	(¼ *lb.*) champiñones, cortados en cuatro
1 c/dita	jugo de limón
¼ taza	agua
2 tazas	tomates enlatados, escurridos y picados
1 c/da	perejil picado
1	diente de ajo, machacado y picado
1 c/da	pasta de tomate
¼ taza	queso rallado
	sal y pimienta

Ponga las veneras en el molde junto con la cebolla, champiñones y jugo de limón. Agregue el agua y tape; cocine 2 minutos en ALTO (*HIGH*) en el horno de microondas.

Revuelva la mezcla y cocínela 2 minutos más.

Escurra la mezcla y déjela aparte; tire el líquido.

Ponga los tomates en la cacerola; tape y deje en el microondas 3 minutos en ALTO (*HIGH*).

Revuélvale el perejil, ajo, sal, pimienta y pasta de tomate y hornee 2 minutos más, sin tapar.

Agréguele la mezcla ya escurrida de las veneras. Póngala en los platos de servicio y cúbralos con queso, sazonando bien. Acabe de hornear en el microondas por 4 minutos, sin tapar, en MEDIO (*MEDIUM*).

1 PORCION	221 CALORIAS	17 g. CARBOHIDRATOS
27 g. PROTEINAS	5 g. GRASAS	1.3 g. FIBRAS

TECNICA: VENERAS CON TOMATES

1 Ponga las veneras en el molde junto con la cebolla, champiñones y jugo de limón. Agregue el agua y tape; cocine 2 minutos en ALTO (*HIGH*) en el horno de microondas.

2 Revuelva la mezcla de veneras con los tomates cocidos; sirva en los platos individuales y termine de cocinar en el microondas.

Veneras con Queso *(2 porciones)*

CONTROL:	*ALTO Y MEDIO (HIGH & MEDIUM)*
TIEMPO:	*12 minutos en horno de microondas*
RECIPIENTE:	*molde redondo de 2 l. con tapa; platos de servicio individuales*

250 g.	(*½ lb.*) **veneras frescas**
125 g.	(*¼ lb.*) **champiñones cortados en cuatro**
1 c/da	**cebollinos picados**
¼ taza	**vino blanco seco**
½ taza	**agua**
2 c/das	**mantequilla**
2½ c/das	**harina**
1 taza	**leche caliente**
3 c/das	**leche caliente**
¼ taza	**queso Gruyère rallado**
	salsa Tabasco al gusto
	sal, pimienta y paprika

Ponga las veneras, champiñones y cebollinos en el molde. Agregue el vino, agua y sazone bien con pimienta. Tape y cocine en el horno de microondas por 2 minutos en ALTO (*HIGH*). Revuelva bien la mezcla y cocine 2 minutos más.

Escurra el líquido a una cacerola pequeña. Saque las veneras y champiñones y déjelos aparte en un plato. Ponga la cacerola sobre la estufa y deje a fuego medio-alto hasta que el líquido se consuma a la mitad. Deje aparte. Ponga la mantequilla en un molde dentro del horno de microondas durante 1 minuto en ALTO (*HIGH*). Agregue la harina con un batidor de alambre y hornee 1 minuto en el microondas, sin tapar. Vierta en la harina el líquido que dejó consumir y agréguele 1 taza de leche. Hornee en el microondas por 3 minutos, sin tapar. Revuelva dos veces.

Revuélvale la leche restante, veneras y champiñones.

Sazone al gusto con salsa Tabasco, sal, pimienta y paprika. Ponga la mezcla en platos individuales y cubra con queso. Cocine por 3 minutos en el microondas a MEDIO (*MEDIUM*), sin tapar. Sirva inmediatamente.

Vea la técnica en la página siguiente.

1 PORCION   406 CALORIAS   22 g. CARBOHIDRATOS
30 g. PROTEINAS   22 g. GRASAS   0.5 g. FIBRAS

TECNICA: VENERAS CON QUESO

1 Ponga las veneras, champiñones y cebollinos en el molde.

2 Cuando incorpore el líquido concentrado con el harina ya cocinada, revuelva todo muy bien.

3 Las veneras y champiñones deben estar perfectamente escurridos.

4 Termine de hornear en el microondas en los platos individuales.

Lenguado con Salsa de Huevo   *(2 porciones)*

CONTROL: *ALTO (HIGH)*
TIEMPO: *12 a 13 minutos*
RECIPIENTE: *molde rectangular de 2 l.*
molde redondo de 2 l.
platón de servicio (opcional)

4	filetes de lenguado
1	cebollita de Cambray, picada
1 c/dita	cebollinos picados
2	rebanadas de limón
½ taza	agua
2½ c/das	harina
1 taza	leche caliente
2	huevos cocidos, picados
	sal y pimienta
	pizca de paprika

Ponga el lenguado en un molde rectangular. Agregue la cebolla, cebollinos, limón y pimienta.

Viértale el agua y cubra con una envoltura plástica; cocine en el horno de microondas por 3 minutos.

Escurra el pescado. Puede regresarlo al molde o acomodarlo en el platón de servicio. Aparte ½ taza del líquido en que se coció.

Ponga la mantequilla en el molde redondo y hornee en el microondas por 1 minuto.

Revuélvale la harina con un batidor de alambre; hornee en el microondas por 2 minutos, sin tapar.

Incorpórele el líquido que apartó y la leche; sazone bien y póngale paprika al gusto.

Hornee de 4 a 5 minutos sin tapar. Revuelva dos veces.

Agregue los huevos picados y vierta la salsa sobre el pescado. Meta al horno por 2 minutos, sin tapar y sirva inmediatamente.

Vea la técnica en la página siguiente.

1 PORCION   264 CALORIAS   7 g. CARBOHIDRATOS
32 g. PROTEINAS   12 g. GRASAS   0 g. FIBRAS

1 Acomode el lenguado en un platón rectangular. Agréguele la cebolla, cebollinos, limón y pimienta. Viértale el agua y cubra con envoltura plástica; hornee 3 minutos en el microondas.

2 Cuando el lenguado está cocido, se pone blanco y se abre en trocitos.

Estofado de Res con Verduras *(4 porciones)*

CONTROL: *ALTO (HIGH)*
TIEMPO: *1 hora 13 minutos*
RECIPIENTE: *molde redondo de 3 l. con tapa*

750 g.	(1½ lb.) espaldilla de res en cubos
3 c/das	salsa de soya
1	cebolla, pelada y en cubitos
1 c/dita	aceite
2 c/das	pasta de tomate
2½ tazas	caldo de res caliente
1	hoja de laurel
3 c/das	fécula de maíz
4 c/das	agua fría
½	nabo, pelado y en cubitos
2	papas, peladas y en cubitos
3	zanahorias, peladas y en cubitos
3 c/das	crema ácida
	pizca de orégano
	pizca de tomillo

Ponga la carne en un tazón y viértale la salsa de soya; revuelva bien. Sazone con pimienta y deje macerar 30 minutos.

Ponga la cebolla, aceite, tomillo y orégano en el molde. Tape y hornee en el microondas durante 3 minutos.

Agregue la carne macerada, pasta de tomate y caldo de res; revuelva bien; tape y cueza en el horno de microondas durante 50 minutos.

Revuelva la fécula de maíz con agua; agréguela al estofado. Ponga también el nabo, papas y zanahorias; tape y siga cocinando 20 minutos más.

Antes de servirlo, deje el estofado en la cacerola por 6 ó 7 minutos y luego póngale la crema ácida.

1 PORCION	432 CALORIAS	28 g. CARBOHIDRATOS
44 g. PROTEINAS	16 g. GRASAS	1.2 g. FIBRAS

Filetes de Bacalao en Salsa de Perejil (4 porciones)

CONTROL: *ALTO (HIGH)*
TIEMPO: *11 minutos*
RECIPIENTE: *molde rectangular de 2 l.*
tazón pequeño

1 kg.	(*2 lb.*) filetes de bacalao
1	tallo de apio, finamente rebanado
2	tomates grandes, rebanados
1	ramita hinojo
2 tazas	agua
4 c/das	mantequilla
2 c/das	perejil picado
1 c/dita	jugo de limón
	sal y pimienta
	pizca de paprika

Engrase un molde rectangular y póngale el bacalao; sazónelo bien y agregue la paprika.

Cubra con el apio y los tomates y póngale la ramita de hinojo. Viértale el agua y tape; hornee 5 minutos en el microondas.

Voltee el pescado; siga cocinándolo por 4 minutos, tapado.

Saque el molde del horno de microondas y déjelo en el líquido caliente por 4 minutos.

Mientras tanto, ponga la mantequilla, perejil y jugo de limón en el tazón. Hornee 2 minutos en el microondas, sin tapar.

Sirva la salsa con el bacalao y las verduras.

Vea la técnica en la página siguiente.

1 PORCION	301 CALORIAS	5 g. CARBOHIDRATOS
41 g. PROTEINAS	13 g. GRASAS	0.6 g. FIBRAS

1 Engrase un molde rectangular y ponga el bacalao; sazone bien y agregue la paprika.

2 Cubra con el apio y los tomates.

3 Ponga la ramita de hinojo y agréguele el agua; cubra y hornee en el microondas por 5 minutos. Voltee el pescado y hornee 4 minutos más.

4 Cerciórese de que el pescado esté cocido partiéndolo con un tenedor.

Trucha Sencilla   *(1 porción)*

CONTROL: *MEDIO-ALTO*
(MEDIUM-HIGH)
TIEMPO: *6 minutos*
RECIPIENTE: *molde cuadrado de 1½ l.*

1	trucha de río de 300 g. (*10 oz.*)
1 c/dita	perejil picado
1 c/da	mantequilla
	jugo de limón
	sal y pimienta

Ponga todos los ingredientes en el molde.
Cubralo con envoltura plástica y hornee por
3 minutos en el microondas.

Voltee el pescado y siga horneándolo otros
3 minutos, tapado.

Acompáñelo con papas fritas.

1 PORCION	296 CALORIAS	0 g. CARBOHIDRATOS
38 g. PROTEINAS	16 g. GRASAS	0 g. FIBRAS

Arroz Blanco Básico *(4 porciones)*

CONTROL: *ALTO (HIGH)*
TIEMPO: *18 minutos*
RECIPIENTE: *molde redondo de 2 l. con tapa*

1 taza	arroz de grano largo, enjuagado y escurrido
2 tazas	agua fría
½	hoja de laurel
1½ c/das	mantequilla o margarina
	sal y pimienta blanca

Ponga el arroz en el molde con el agua, hoja de laurel, sal y pimienta; revuelva con un tenedor. Tape y cocine en el horno de microondas durante 8 minutos.

Revuelva bien el arroz y hornee 10 minutos más, tapado.

Cuando esté cocido, deje reposar el arroz en la cacerola por 7 u 8 minutos.

Sáquelo y agréguele la mantequilla. Sírvalo inmediatamente.

1 PORCION	139 CALORIAS	26 g. CARBOHIDRATOS
2 g. PROTEINAS	3 g. GRASAS	0.1 g. FIBRAS

Arroz con Verduras *(4 porciones)*

CONTROL: *ALTO (HIGH)*
TIEMPO: *23 minutos*
RECIPIENTE: *molde redondo de 2 l. con tapa*

1 c/da	mantequilla
3 c/das	apio picado
1 taza	arroz de grano largo, enjuagado y escurrido
2 tazas	caldo de pollo caliente
½	pimiento rojo, en trozos grandes
1	cabeza de brócoli en floretes
8	champiñones, cortados en cuatro
1	tomate grande, en trozos
1	diente de ajo, picado
	sal y pimienta
	un poco de paprika
	pizca de orégano
	pizca de albahaca

Ponga la mantequilla y apio en el molde; tape y cocine en el horno de microondas por 3 minutos.

Agregue el arroz, sal, pimienta y paprika; revuelva bien con un tenedor. Vacíele el caldo de pollo; tape y cocine en el horno de microondas por 10 minutos. Revuelva ocasionalmente.

Agregue el pimiento rojo y el brócoli; revuelva. Cocine sin destapar por 5 minutos más.

Agregue los champiñones, tomates, ajo y hierbas aromáticas; rectifique el sazón. Tape y cocine otros 10 minutos.

Revuelva con un tenedor y sirva.

1 PORCION	256 CALORIAS	48 g. CARBOHIDRATOS
7 g. PROTEINAS	4 g. GRASAS	1.7 g. FIBRAS

Pastas con Salsa de Tomate (2 porciones)

CONTROL: *ALTO Y MEDIO (HIGH & MEDIUM)*
TIEMPO: *35 minutos*
RECIPIENTE: *dos moldes redondos de 2 l. con tapa*

1½ c/das	aceite vegetal
½	cebolla, picada
1	cebollitas de Cambray, picadas
1 c/da	perejil picado
1 c/dita	orégano fresco picado
1 c/dita	tomillo fresco picado
1 c/dita	albahaca fresca picada
3	dientes de ajo, picados
2	latas de tomates de 796 ml. (28 oz.), escurridos y picados
1	lata de pasta de tomate de 156 ml. (5½ oz.)
¼ c/dita	azúcar
2 tazas	tubitos pastas
4 tazas	agua caliente

1 c/da	vinagre blanco
	un poco de sal

Ponga 1 c/da de aceite en uno de los moldes con ambas cebollas, perejil, hierbas aromáticas y ajo. Tápelo y cocine en el horno de microondas por 3 minutos en ALTO (*HIGH*). Agregue los tomates, la pasta de tomate y el azúcar; hornee en el microondas durante 14 minutos en ALTO (*HIGH*).

Saque el molde, revuelva y deje aparte.

Ponga los tubitos y el agua en el otro molde; agrégueles el vinagre, la sal y el resto del aceite. Tape y cocine en el horno de microondas por 5 minutos en ALTO (*HIGH*).

Revuelva las pastas; tape y hornee 12 minutos más en MEDIO (*MEDIUM*). Revuelva frecuentemente. Cuando los tubitos estén cocidos, escúrralos bien y enjuáguelos. Ponga las porciones en los platos.

Caliente la salsa de tomate 1 minuto en el horno de microondas. Sírvala sobre las pastas y, si le agrada, ponga queso encima.

Vea la técnica en la página siguiente.

1 PORCION	456 CALORIAS	28 g. CARBOHIDRATOS
23 g. PROTEINAS	11 g. GRASAS	1.5 g. FIBRAS

TECNICA: PASTA CON SALSA DE TOMATE

1 Ponga 1 c/da de aceite en el molde con las cebollas, perejil, hierbas aromáticas y ajo. Tape y cocine 3 minutos en ALTO (*HIGH*).

2 Después de hornear la salsa de tomate durante 14 minutos, debe quedar bastante espesa.

3 Cueza las pastas en el horno de microondas, poniéndole vinagre al agua, sal y aceite. Revuelva frecuentemente.

4 Las pastas son más sabrosas cuando se sirven 'al dente'.

Macarrones con Puerco (4 porciones)

CONTROL: *ALTO (HIGH)*
TIEMPO: *16 minutos*
RECIPIENTE: *molde redondo de 2 l. con tapa*

1 c/dita	aceite de oliva
1	cebolla pelada y picada
250 g.	(*½ lb.*) champiñones picados
1 c/da	perejil picado
2 tazas	jugo de tomate
1 taza	salsa tipo gravy
2 c/das	pasta de tomate
500 g.	(*1 lb.*) puerco cocinado, (lomo, chuleta, etc.) en cubitos
½ taza	queso parmesano rallado
3 tazas	macarrones cocidos

Ponga el aceite y la cebolla en el molde, cocine y deje en el microondas por 2 minutos.

Agregue los champiñones y el perejil y cocine 1 minuto más.

Agréguele el jugo de tomate, la salsa tipo gravy y la pasta de tomate; sazone generosamente. Revuelva y hornee en el microondas por 10 minutos, sin tapar.

Incorpórele el puerco y el queso y hornee 3 minutos sin tapar. Vacíe sobre los macarrones cocidos y sirva.

1 PORCION	512 CALORIAS	43 g. CARBOHIDRATOS
49 g. PROTEINAS	16 g. GRASAS	1.1 g. FIBRAS

Coditos a la Mexicana (4 porciones)

CONTROL: *ALTO (HIGH)*
TIEMPO: *10 minutos en microondas*
RECIPIENTE: *molde de 3 l. con tapa*

2 tazas	coditos
1 c/dita	aceite
2 c/das	cebolla picada
1	chile en escabeche picado
1	lata de tomates de 796 ml. (*28 oz.*) escurridos y picados
1 lata	jugo de tomate de 170 ml. (*6 oz.*)
3 c/das	pasta de tomate
3 c/das	chiles picados
3	chorizos chicos, rebanados
	pizca de azúcar
	sal y pimienta
	unas gotas salsa Tabasco

Cueza la pasta como se indica en el paquete. Enjuague, escurra y deje aparte.

Ponga el aceite, cebolla y chile picado en el molde. Tape y hornee en el microondas durante 3 minutos.

Agregue los tomates, jugo y pasta de tomate, así como los chiles picados y el azúcar; sazone y agregue la salsa Tabasco. Hornee 4 minutos en el microondas sin tapar.

Mezcle la pasta y los chorizos; cocine 3 minutos más, sin tapar, en el horno de microondas.

1 PORCION	398 CALORIAS	54 g. CARBOHIDRATOS
14 g. PROTEINAS	14 g. GRASAS	1.1 g. FIBRAS

Salsa Blanca

CONTROL: *ALTO (HIGH)*
TIEMPO: *9½ minutos*
RECIPIENTE: *molde redondo de 2 l. con tapa*

3 c/das	mantequilla
3½ c/das	harina
2 tazas	leche caliente
1 c/dita	perejil
	sal y pimienta

Derrita la mantequilla en el molde durante 1½ minutos.

Incorpórele la harina con un batidor de alambre y hornee en el microondas durante 2 minutos, sin tapar.

Agregue la leche, mezclando con el batidor de alambre, perejil, sal y pimienta. Cocine 6 minutos sin tapar. Mientras se cuece, revuelva tres veces.

Esta salsa se utiliza en muchas recetas.

1 PORCION	181 CALORIAS	11 g. CARBOHIDRATOS
5 g. PROTEINAS	13 g. GRASAS	0 g. FIBRAS

Budín Celestial de Chocolate *(4 a 6 personas)*

CONTROL: *ALTO (HIGH)*
TIEMPO: *2 minutos 30 segundos*
RECIPIENTE: *molde redondo de 2 l.*

125 g.	(*4 oz.*) chocolate semi-dulce
4 c/das	mantequilla suave
9 c/das	azúcar granulada fina
5	yemas
5	claras

Ponga el chocolate, mantequilla y 5 c/das de azúcar en el molde. Deje 2 minutos en el microondas, sin tapar.

Agregue las yemas y revuelva bien; cocine en el horno de microondas por 30 segundos y deje aparte.

Bata las claras con una batidora eléctrica a punto de turrón. Incorpóreles el resto del azúcar y bata 1 minuto más.

Incorpore suavemente las claras en la mezcla de chocolate. No bata demasiado.

Ponga el budín en platos de postre y sirva.

1 PORCION	340 CALORIAS	24 g. CARBOHIDRATOS
7 g. PROTEINAS	24 g. GRASAS	0 g. FIBRAS

Pastel de Queso Sencillo *(4 a 6 porciones)*

CONTROL: *ALTO, MEDIO, BAJO (HIGH, MEDIUM, LOW)*
TIEMPO: *35 minutos*
RECIPIENTE: *molde de cristal para tarta, de 1.5 a 2 l.*

1½ tazas	galletas graham molidas (pueden ser galletas marías)
1½ tazas	azúcar granulada
⅓ taza	mantequilla suave
2	paquetes de queso crema de 220 g. (*8 oz.*) c/u
3	yemas grandes
3 c/das	licor de café
3	claras grandes, batidas a punto de turrón
1 taza	crema espesa batida
1 c/dita	canela

Ponga las galletas molidas en un tazón y agrégueles ½ taza de azúcar y la mantequilla; revuelva bien.
Vacíelas al molde para tarta y presiónelas ligeramente con los dedos. Trate de lograr una superficie lisa.
Hornee en el microondas en ALTO (*HIGH*) durante 1¾ minutos, sin tapar. Sáquela del horno y deje aparte para que enfríe. Mientras tanto, prepare el relleno de queso poniendo el queso, yemas y licor de café en un tazón revolviendo todo bien. Agregue el resto del azúcar y bata con batidora eléctrica. Incorpore las claras batidas a punto de turrón hasta que estén bien mezcladas. Agregue la crema batida y la canela.
Vacíe la mezcla al molde de tarta y hornee 10 minutos a MEDIO (*MEDIUM*). No tape.
Gire ¼ de vuelta y siga horneando 20 minutos en BAJO (*LOW*); gire ¼ de vuelta y acabe de hornearlo por 5 minutos en MEDIO (*MEDIUM*).
Saque el pastel del horno de microondas y déjelo reposar 15 minutos para que enfríe. Para servirlo, debe estar refrigerado por 45 minutos.

Vea la técnica en la página siguiente.

1 PORCION	699 CALORIAS	59 g. CARBOHIDRATOS
10 g. PROTEINAS	47 g. GRASAS	0.6 g. FIBRAS

TECNICA: PASTEL DE QUESO SENCILLO

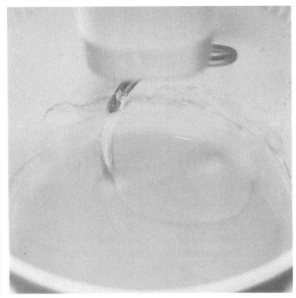

1 Prepare el relleno mezclando en un tazón el queso, yemas y licor de café; revuelva bien. Agregue el resto del azúcar.

2 Incorpore las claras batidas a punto de turrón hasta que se mezclen bien.

3 Ponga la crema batida y agregue la canela.

Delicia de Fresa   *(4 porciones)*

CONTROL: *ALTO (HIGH)*
TIEMPO: *9 minutos*
RECIPIENTE: *molde redondo de 2 l.*

4 tazas	fresas frescas, lavadas y sin cáliz
2 c/das	ron blanco
5 c/das	azúcar
2 c/das	fécula de maíz
4 c/das	agua fría
4	bolas grandes de helado (vainilla o fresa)
4	fresas adicionales para adorno
	unas gotas de jugo de limón

Ponga las fresas en el molde y agrégueles el ron, azúcar y jugo de limón. Cubra con envoltura plástica y hornee en el microondas por 4½ minutos.

Muela las fresas en el procesador de alimentos o licuadora y póngalas de nuevo en el molde.

Revuelva la fécula de maíz con el agua y agréguela a las fresas. Hornee 4½ minutos sin tapar. Revuelva cada minuto.

Enfríe la mezcla en el refrigerador. Para servir, ponga 3 c/das de la mezcla de fresas en el fondo de cada plato para postre.

Sirva encima el helado y cubra con la mezcla restante de fresas. Adorne con las fresas adicionales.

1 PORCION	276 CALORIAS	48 g. CARBOHIDRATOS
3 g. PROTEINAS	8 g. GRASAS	2.0 g. FIBRAS

Pastel de Plátano   *(6 porciones)*

CONTROL: *MEDIO (MEDIUM)*
TIEMPO: *18 minutos*
RECIPIENTE: *molde de 23 x 8 cm. (9½ x 3¼ pulg.) con fondo removible*

½ taza	aceite
1 taza	azúcar
2	huevos
3	plátanos, molidos
1⅔ tazas	harina
1 c/da	polvo de hornear
2 c/das	ron blanco
½ taza	pasas sin semilla
2	claras de huevo, bien batidas
	pizca de sal

Ponga el aceite y el azúcar en un tazón grande. Agréguele los huevos de uno en uno mientras bate con una batidora eléctrica a velocidad media.

Agregue los plátanos molidos con una espátula.

Cierna juntos la harina, polvo de hornear y sal e incorpórelos a la pasta. Cerciórese de que los ingredientes secos estén bien incorporados.

Agregue el ron, pasas y claras batidas. Vierta la pasta en el molde y hornee en el microondas durante 18 minutos. No lo tape y gire el molde ¼ de vuelta varias veces.

Antes de desmoldear, deje que enfríe completamente.

1 PORCION	525 CALORIAS	77 g. CARBOHIDRATOS
7 g. PROTEINAS	21 g. GRASAS	0.5 g. FIBRAS

INDICE

INDICE DE MICROONDAS